LA VIE EN ROSALIE

Sous le pseudonyme de Nicolas Barreau se cache un écrivain franco-allemand qui travaille dans le monde de l'édition. Il est l'auteur aux Éditions Héloïse d'Ormesson des best-sellers internationaux *Le Sourire des femmes* (2014), *Tu me trouveras au bout du monde* (2015) et *La Vie en Rosalie* (2016). Son nouveau roman *Un soir à Paris* paraît en 2017.

NICOLAS BARREAU

La Vie en Rosalie

ROMAN TRADUIT DE L'ALLEMAND PAR SABINE WYCKAERT-FETICK

ÉDITIONS HÉLOÏSE D'ORMESSON

Titre original :

PARIS IST IMMER EINE GUTE IDEE
Publié par Thiele Verlag

*Tous les voyages ont une destination secrète
que le voyageur ignore.*

Martin BUBER

Rosalie aimait le bleu. C'était le cas depuis qu'elle était capable de penser. Et cela faisait maintenant vingt-huit ans.

Ce jour-là, comme tous les matins à onze heures, en ouvrant sa boutique de cartes postales, elle leva les yeux et espéra découvrir dans le ciel parisien, gris et brumeux, une parcelle de bleu. Elle la trouva et sourit.

Rosalie Laurent comptait, parmi ses premiers et ses plus beaux souvenirs d'enfance, un ciel d'un bleu inimaginable surplombant une mer turquoise qui, ruisselante de lumière, paraissait s'étendre jusqu'au bout du monde. Elle avait quatre ans et, au mois d'août, ses parents avaient quitté un Paris surchauffé, ses immeubles en pierre et ses rues recouvertes de bitume, pour emmener leur fille sur la Côte d'Azur. Cette même année, lorsqu'ils étaient rentrés chez eux après cet été lumineux aux Issambres, un été qui n'en voulait plus finir, tante Paulette lui avait offert une boîte d'aquarelle. Rosalie s'en souvenait encore avec précision.

— De l'aquarelle ? Tu ne trouves pas que c'est exagéré, Paulette ? avait demandé Catherine dont la voix distinguée avait pris un ton indiscutablement désapprobateur. Un coffret aussi coûteux pour une enfant si jeune ? Elle ne va rien pouvoir en faire. Il vaut mieux qu'on le mette de côté un moment, n'est-ce pas, Rosalie ?

Mais Rosalie n'était pas prête à rendre le précieux cadeau de sa tante. En proie à une violente émotion, elle s'était cramponnée à la boîte de peinture comme s'il s'agissait de se battre pour sa vie. Finalement, sa mère avait soupiré avec agacement, et laissé la petite entêtée aux longues nattes brunes agir comme elle l'entendait.

Cet après-midi-là, Rosalie avait passé des heures à peindre page après page avec ardeur, armée de son pinceau. Le soir venu, elle avait rempli le bloc à dessin et les trois godets de bleu étaient presque vides.

Le devait-elle à ce tout premier regard posé sur la mer, gravé dans sa rétine de fillette comme une métaphore du bonheur ? À sa volonté, précocement affirmée, de faire les choses différemment ? Quoi qu'il en soit, le bleu ravissait Rosalie comme nulle autre couleur. Elle avait découvert l'étendue de sa palette enfant, émerveillée, avec une soif de savoir inextinguible.

— Et celui-là, comment il s'appelle, papa ? questionnait-elle régulièrement son père, un homme très bienveillant et indulgent qu'elle tirait par la manche de sa veste, lui montrant du doigt tel ou tel bleu qu'elle remarquait.

Pensive, sourcils froncés, elle se tenait longuement devant le miroir, étudiant la nuance de ses prunelles qui semblaient marron de prime abord, mais se révélaient d'un bleu très sombre quand on prenait le temps de bien les regarder. C'est ce qu'avait affirmé Émile, son père, et Rosalie en avait été soulagée.

Avant même de savoir vraiment lire et écrire, elle savait nommer les teintes de bleu les plus diverses. Depuis le bleu dragée le plus clair et le plus tendre, le bleu ciel, le bleu ardoise, le bleu givré, le bleu pigeon ou l'aigue-marine limpide, qui faisait s'élever l'âme, jusqu'à ce bleu azur soutenu, intense, radieux, à vous couper le souffle. Sans oublier l'irrésistible outremer, le bleu barbeau ensoleillé ou le froid bleu cobalt, le bleu pétrole tirant sur le vert, qui recelait les nuances de la mer, ou le mystérieux indigo, renfermant une pointe de violet, pour finir par le profond bleu saphir, le bleu de minuit ou le bleu nuit presque noir, dans lequel le bleu finissait par se dissoudre.

Pour Rosalie, il n'existait aucune couleur aussi riche, aussi merveilleuse et variée que celle-là. Pour autant, elle ne se serait jamais attendue à ce qu'il lui arrive, un jour, une histoire dans laquelle un tigre bleu jouerait un rôle significatif. Et elle aurait encore moins soupçonné que cette histoire – et le secret qu'elle dissimulait – allait changer sa vie de fond en comble.

Hasard ? Destin ? Un écrivain affirme que l'enfance est le sol sur lequel nous marcherons toute notre vie.

Plus tard, Rosalie devait régulièrement se demander si tout n'aurait pas pris une tournure différente si elle n'avait pas autant aimé le bleu. La pensée qu'elle aurait aisément pu passer à côté du moment le plus heureux de son existence lui serrait le cœur. La vie était souvent imprévisible et compliquée, mais finalement, de manière surprenante, tout revêtait un sens.

Lorsque Rosalie, à dix-huit ans – son père était mort quelques mois plus tôt d'une pneumonie qui n'avait pas été traitée à temps –, avait annoncé qu'elle voulait étudier l'art et devenir peintre, sa mère, d'effroi, avait manqué lâcher la quiche lorraine qu'elle s'apprêtait à apporter dans la salle à manger.

— Pour l'amour du ciel, mon enfant, fais quelque chose de raisonnable ! s'était-elle exclamée.

Elle avait maudit intérieurement sa sœur, Paulette, qui avait dû mettre cette sottise dans le crâne de la jeune fille. Catherine Laurent n'aurait jamais juré à voix haute. Née de Vallois (ce dont elle tirait une fierté certaine), c'était une dame jusqu'au bout des ongles. Malheureusement, la richesse de la famille d'extraction noble avait fondu au fil des siècles, et le mariage de Catherine avec le physicien Émile Laurent, un homme intelligent et affable, mais peu apte à s'imposer, qui avait finalement échoué dans un institut scientifique au lieu de connaître les grands succès espérés dans le secteur économique, n'avait pas arrangé les choses. En fin de compte, il ne restait même plus assez d'argent pour engager du personnel digne de ce nom – exception faite de la femme de ménage philippine, qui parlait à peine français et venait dépoussiérer et nettoyer, deux fois par semaine, l'appartement ancien avec ses hauts plafonds ornés de moulures en stuc et son parquet en point de Hongrie. Il ne faisait toutefois aucun doute pour Catherine qu'il fallait rester fidèle à ses principes. Quand on n'avait plus aucun principe, tout s'en allait à vau-l'eau, trouvait-elle.

« Une de Vallois ne fait pas ce genre de chose » était une de ses phrases favorites, et ce jour-là aussi, elle l'avait servie à sa fille unique qui, hélas, paraissait vouloir emprunter un chemin radicalement différent de celui qu'elle avait envisagé pour elle.

Avec un soupir, Catherine avait posé le plat en porcelaine blanche contenant la quiche odorante sur la grande table ovale dressée pour deux seulement, et songé une fois encore qu'elle ne connaissait pas grand monde à qui le prénom Rosalie semble correspondre aussi peu.

Dans le passé, pendant sa grossesse, elle avait imaginé une petite fille délicate, blonde comme elle, douce et… gracieuse, d'une certaine façon. Rosalie n'était rien de tout cela. Elle était intelligente, certes, mais également très obstinée. Elle avait son caractère et il lui arrivait de se taire pendant des heures, ce que sa mère jugeait étrange. Quand Rosalie riait, elle riait trop fort. Catherine trouvait cela peu élégant, même si d'autres lui assuraient que Rosalie avait quelque chose de rafraîchissant.

— Laisse-la donc, elle a du cœur, répétait Émile chaque fois qu'il cédait à une lubie de sa fille.

Comme à l'époque où, enfant, elle avait tiré son matelas neuf sur le balcon humide, au beau milieu de la nuit, pour dormir à la belle étoile. *Parce qu'elle voulait voir comment tournait le monde !* Ou lorsque, pour l'anniversaire de son père, elle avait préparé cet affreux gâteau en ajoutant du colorant alimentaire bleu, un gâteau qui donnait l'impression qu'on allait s'empoisonner dès la première bouchée. Pour la simple raison qu'elle était obsédée par cette couleur ! Du grand n'importe quoi, de l'avis de Catherine, mais bien sûr,

13

Émile avait trouvé l'idée géniale et prétendu que c'était le meilleur gâteau qu'il ait mangé de sa vie.

— Il faut que vous y goûtiez tous ! s'était-il écrié, avant de répartir la bouillie bleue sur les assiettes des invités.

Ah, ce brave Émile ! Il n'avait jamais rien pu refuser à sa fille. Et maintenant, cette nouvelle lubie !

Catherine avait froncé les sourcils et considéré la jeune fille grande et élancée, visage pâle et yeux sombres, qui jouait avec sa longue tresse brune nouée lâchement, l'air absent.

— Ôte-toi ça de l'esprit, Rosalie. La peinture est un art peu lucratif. Je ne peux ni ne veux encourager ce genre de chose. De quoi penses-tu vivre ? Crois-tu que les gens attendent tes tableaux ?

Rosalie continuait à entortiller sa natte sans répondre.

Si Rosalie avait été gracieuse, Catherine Laurent, née de Vallois, ne se serait pas inquiétée pour la subsistance de sa fille. Après tout, il y avait à Paris suffisamment d'hommes qui gagnaient bien leur vie, si bien qu'il importait peu que leur épouse peigne à côté ou ait une marotte ou une autre. Mais elle avait le désagréable sentiment que sa fille ne réfléchissait pas en ces termes. Dieu seul savait qui elle finirait par fréquenter !

— J'aimerais que tu fasses quelque chose de raisonnable, avait-elle dit une nouvelle fois avec insistance. Papa l'aurait voulu, lui aussi. – Elle avait placé une part de quiche fumante sur l'assiette de sa fille. – Rosalie ? Tu m'écoutes ?

Rosalie avait relevé la tête, une expression insondable dans les yeux.

— Oui, maman. Je dois faire quelque chose de raisonnable.

Elle avait tenu parole. Plus ou moins… L'acte le plus raisonnable que Rosalie ait pu concevoir avait été d'ouvrir, après quelques semestres à étudier arts graphiques et design, un magasin de cartes postales. Grand comme un mouchoir de poche, il se trouvait rue du Dragon, une jolie petite voie bordée de maisons de ville moyenâgeuses, à un jet de pierre des églises Saint-Germain-des-Prés et Saint-Sulpice. Il y avait là des boutiques, des restaurants, des cafés, un hôtel, une boulangerie, le magasin de chaussures préféré de Rosalie, et même Victor Hugo y avait jadis habité, comme l'indiquait une plaque apposée sur le mur du numéro 30. Quand on était pressé, on pouvait parcourir la rue du Dragon en quelques pas et déboucher sur le très animé boulevard Saint-Germain, ou dans la rue de Grenelle en prenant le sens opposé. Un peu plus calme, elle menait aux élégants immeubles et palais du quartier ministériel, pour s'achever sur le Champ-de-Mars, devant la tour Eiffel. Cependant, on pouvait aussi y déambuler sans but et s'arrêter encore et encore parce qu'on avait découvert, dans une vitrine, quelque chose de plaisant qui demandait à être goûté, tâté ou essayé. Alors, arriver au bout de la rue pouvait prendre un certain temps. C'était ainsi que Rosalie avait remarqué le panneau *À louer* dans le magasin d'antiquités vide, un commerce que sa propriétaire avait cessé de tenir peu de temps auparavant, en raison de son âge avancé.

Rosalie était aussitôt tombée amoureuse du local. Un encadrement en bois peint en bleu ciel s'étirait autour de l'unique vitrine et de la porte d'entrée, à droite, au-dessus de laquelle le désuet carillon argenté de l'ancienne occupante était encore accroché. La lumière venait se réfracter en petits cercles sur les carreaux anciens, noirs et blancs. Ce jour de mai, un ciel sans nuages s'étendait au-dessus de Paris, et Rosalie avait eu la sensation que la boutique l'attendait.

Le loyer était tout sauf modéré mais restait avantageux compte tenu de son emplacement, comme le lui avait assuré M. Picard, un homme âgé, corpulent, à la chevelure clairsemée et aux yeux marron, brillants de ruse. Il y avait en outre, au-dessus du local, une pièce à laquelle on accédait par un étroit escalier en colimaçon, aux marches en bois, avec une petite salle de bains et une minuscule cuisine attenantes.

— Comme ça, vous n'aurez pas besoin de chercher d'appartement, ha ! ha ! ha ! avait plaisanté M. Picard, son ventre rond tressautant avec entrain. Quel genre de commerce comptez-vous tenir, mademoiselle ? Rien qui fasse du vacarme ou qui sente, j'espère : j'habite dans cet immeuble, tout de même.

— Une papeterie, avait répondu Rosalie. Papier cadeau, papier à lettres, crayons et jolies cartes pour les occasions très particulières.

— Aha. Bon, bon. Eh bien, bonne chance alors ! avait lancé M. Picard, quelque peu perplexe. Les touristes aimeront toujours acheter des cartes avec la tour Eiffel dessus, hein ?

— Une boutique de *cartes postales* ? s'était exclamée sa mère au téléphone, incrédule. Mon Dieu ! Ma pauvre enfant, qui écrit encore des cartes de nos jours ?

— Moi, pour ne citer qu'une personne, avait rétorqué Rosalie, puis elle avait tout bonnement raccroché.

Quatre semaines plus tard, debout sur une échelle, elle fixait une enseigne en bois peint au-dessus de la porte d'entrée de son magasin.

LUNA LUNA, voilà ce qu'on pouvait y lire en grandes lettres incurvées, et dessous, en caractères plus petits : *Vos souhaits mis en couleurs par Rosalie.*

Si cela n'avait tenu qu'à Rosalie, beaucoup plus de gens auraient écrit des lettres et des cartes. Le bonheur, petit et parfois grand, qu'un courrier manuscrit était à même de susciter aujourd'hui encore, tant chez le destinataire que chez l'expéditeur, n'avait rien de comparable avec l'effet provoqué par un mail ou un SMS : vite oubliés, ils sombraient dans les limbes de l'insignifiance. Ce court étonnement quand on découvrait dans sa boîte une lettre personnelle, l'attente joyeuse avec laquelle on retournait une carte postale, on ouvrait précautionneusement ou on déchirait fébrilement une enveloppe… La possibilité de tenir dans ses mains une parcelle de la personne qui avait pensé à vous, d'étudier son écriture, d'entrevoir son état d'esprit, peut-être de percevoir l'odeur fugace du tabac ou d'un parfum… Tout cela était prodigieusement vivant. Et même si ses contemporains rédigeaient de plus en plus rarement de véritables lettres, arguant que le temps leur manquait, Rosalie ne connaissait personne qui n'apprécie de recevoir un courrier personnel ou une carte manuscrite. Le présent, avec ses réseaux sociaux et ses possibilités numériques, revêtait peu de charme, trouvait-elle. Tout cela avait beau être efficace, ou pratique, ou rapide – cela n'avait pas de charme.

Ouvrir sa boîte aux lettres devait être nettement plus palpitant avant, pensait-elle ce jour-là dans l'entrée de l'immeuble, devant sa propre boîte.

Désormais, on y trouvait essentiellement factures, avis d'imposition et publicités.

Ou des augmentations de loyer.

Rosalie considérait le courrier de son bailleur, maussade. C'était déjà la troisième augmentation en cinq ans. Elle l'avait vue venir. Les semaines précédentes, chaque fois qu'ils s'étaient croisés dans le hall, M. Picard s'était montré extraordinairement amical. Chaque fois, il avait fini par pousser un profond soupir et se plaindre de la vie à Paris, toujours plus chère.

— Savez-vous ce que coûte maintenant une baguette, mademoiselle Laurent ? Ou un croissant ? Savez-vous ce que coûte un croissant à la boulangerie ? C'est incroyable ! Qu'est-ce qu'il y a dans un croissant, je vous le demande… De l'eau et de la farine, rien d'autre, non ?

Il avait haussé les épaules d'un geste las et fixé Rosalie avec un mélange d'indignation et de désespoir, avant de s'éloigner en traînant les pieds, sans attendre de réponse.

Rosalie s'était rendue dans sa boutique en levant les yeux au ciel. Bien sûr qu'elle savait ce que coûtait un croissant. Après tout, elle en mangeait un tous les matins – au vif déplaisir de René.

René Joubert était un grand brun, très soucieux de sa santé et de celle des autres, et extrêmement sportif. Il était son petit ami depuis trois ans, et coach personnel.

Peut-être dans l'ordre inverse, songeait parfois Rosalie en soupirant.

René prenait son métier au sérieux. Il s'occupait surtout de femmes aisées de la haute société parisienne, désireuses de conserver ligne, forme et santé avec l'aide du séduisant entraîneur diplômé d'État aux doux yeux noisette et au corps musclé. Le planning de René était toujours bien rempli, mais de toute évidence, le gratin de Paris ne lui suffisait pas : il ne manquait pas une occasion de chercher à convertir Rosalie à un mode de vie sain, physiquement intense (*mens sana in corpore sano*!), et d'attirer son attention sur les dangers à l'affût dans la plupart des plats. Tout en haut de sa liste noire, on trouvait les croissants tant appréciés de Rosalie (« La farine blanche, du poison pour les intestins ! Tu n'as jamais entendu parler du *wheat belly*? Tu sais combien de matières grasses il y a dans un seul de ces trucs ? »).

Rosalie, qui avait sa propre conception d'une vie réussie (musculation, muesli et boissons au soja n'en faisaient pas forcément partie), restait de marbre. Tous les efforts évangélisateurs de son petit ami avaient lamentablement échoué jusqu'alors : Rosalie ne voyait pas pourquoi elle devrait manger du « grain ».

— Le grain, c'est pour nourrir le bétail. Je ne suis pas une vache, avait-elle coutume de dire avant d'étaler une épaisse couche de beurre et de confiture sur un morceau de croissant frais, et de le glisser dans sa bouche.

Ce jour-là aussi, René l'avait regardée faire, l'air contrarié.

— En plus, tu avoueras qu'avec un café crème, rien n'a meilleur goût qu'un croissant ou de la baguette, avait-elle poursuivi en chassant quelques miettes de la couette.

— Alors, laisse tomber le café crème. Le matin, il est beaucoup plus sain de boire un smoothie de kiwi et de feuilles d'épinard, avait objecté René, et Rosalie avait failli s'étrangler de rire avec son bout de croissant.

C'était la chose la plus absurde qu'elle ait jamais entendue. Un matin sans café s'apparentait à… Elle avait cherché en vain une comparaison valable.

Un matin sans café, c'est inimaginable, voilà tout, avait-elle conclu mentalement.

Au début, alors qu'elle venait de faire la connaissance de René, elle s'était laissé convaincre de l'accompagner sur son parcours de jogging dans le jardin du Luxembourg, dès l'aurore.

— Tu vas voir, c'est super, avait-il assuré. Le matin à six heures, Paris est complètement différent !

Il devait avoir raison, mais Rosalie préférait sans conteste la bonne vieille ville de Paris qui lui était agréablement familière, où l'on veillait tard et dessinait, écrivait, lisait, discutait et buvait du vin rouge, pour commencer la journée suivante de la meilleure des façons, tranquillement, dans son lit, avec une grande tasse de café au lait. Et tandis que René courait près d'elle sous les marronniers, à longues enjambées d'antilope, essayant de nouer une conversation à bâtons rompus (« Pour courir au bon rythme, il faut toujours pouvoir parler sans être essoufflé ! »), elle haletait déjà

21

au bout de cent mètres, pour finalement s'arrêter avec un point de côté.

— Tout début est difficile, avait affirmé son coach. Ce n'est pas le moment d'abandonner !

Comme tous les amoureux qui, les premiers temps, se donnent beaucoup de mal pour fusionner de façon symbiotique avec leur partenaire et adopter ses préférences, Rosalie avait fait une nouvelle tentative (seule et pas à six heures du matin), mais après qu'un centenaire l'eut dépassée, l'allure énergique, le haut du corps penché vers l'avant de manière inquiétante, balançant les bras, elle avait définitivement dit adieu à l'idée de devenir sportive.

— Je crois que mes promenades avec William Morris me suffisent, avait-elle déclaré en riant.

— William Morris ? Je dois être jaloux ? s'était enquis René, soucieux (à ce stade de leur relation, il n'avait pas encore mis les pieds dans sa boutique, et il n'avait jamais entendu parler de l'artiste. Une lacune pardonnable, après tout, elle ne connaissait pas le nom de tous les os et muscles de son corps).

Elle avait donné un baiser à René et lui avait précisé que William Morris était son chien. En bonne propriétaire de papeterie, elle l'avait baptisé comme le légendaire peintre et architecte victorien, entre autres parce qu'il avait créé les plus magnifiques motifs de papiers peints et textiles qui soient.

William Morris, un lhassa apso d'un caractère tout à fait accommodant, avait désormais presque le même âge que le magasin de cartes postales. Le jour, il restait couché très paisiblement dans son panier près de la porte d'entrée ; la nuit, il dormait sur une couverture, derrière la porte de la cuisine, et parfois, quand il rêvait, ses pattes tressaillaient et venaient battre l'encadrement en bois. Comme le lui avait expliqué le propriétaire de l'élevage, cette race était particulièrement pacifique parce que ces chiens de petite taille accompagnaient autrefois les moines tibétains, peu loquaces, dans leurs marches méditatives.

Le rapport avec le Tibet avait plu à René, et William Morris avait accueilli le jeune homme aux larges épaules et aux grands pieds en remuant amicalement la queue lorsque Rosalie, au bout de quatre semaines, l'avait invité pour la première fois dans son appartement. Enfin… « appartement » n'était peut-être pas le terme approprié pour désigner cette chambre tout en coins et recoins au-dessus de la boutique, où trouvaient difficilement place un lit, un fauteuil et une armoire, ainsi qu'une grande table à dessin, placée sous une fenêtre. Pour autant, la pièce s'avérait extrêmement douillette, et Rosalie n'avait découvert la cerise sur le gâteau qu'après son emménagement : en passant par une seconde fenêtre, à l'arrière du bâtiment, on accédait à un toit intermédiaire, plat, qui lui servait de terrasse à la belle saison. De vieilles jardinières en pierre garnies de plantes et quelques treillages abîmés par les intempéries, le long desquels grimpaient en été des clématites d'un bleu vif, isolaient si bien cet endroit agréable qu'il était presque entièrement protégé des regards.

C'est là, en plein air, que Rosalie avait mis la table pour deux, avant la première visite de René. Bien plus

habile avec un pinceau ou un crayon qu'avec une cuillère en bois, elle n'était pas une grande cuisinière, mais
des photophores de différentes tailles, lueur vacillante,
décoraient la table en bois bancale, nappée de blanc,
et il y avait du vin rouge, du foie gras, du jambon, du
raisin, des cœurs d'artichaut marinés, du beurre demi-
sel, du camembert, du fromage de chèvre, une baguette
et un petit gâteau au chocolat.

— Oh, mon Dieu, avait soupiré René, comique dans
son désespoir. Rien que des choses mauvaises pour la
santé ! Ça finira mal. Un jour ou l'autre, ton métabolisme va te lâcher et tu finiras aussi grosse que ma tante
Hortense.

Rosalie avait pris une grande gorgée de vin, s'était
essuyé la bouche et l'avait pointé du doigt.

— Faux, mon cher, avait-elle rétorqué. Rien que
des choses *délicieuses* . – Elle s'était levée et avait ôté sa
robe d'un mouvement vif. – Je suis grosse, peut-être ?

Le pas gracieux et les cheveux volant au vent, elle
avait dansé sur le toit, à moitié nue.

René s'était hâté de poser son verre.

— Attends, tu vas voir ! s'était-il exclamé avant de
lui courir après en riant, de l'attraper et de murmurer,
ses mains caressant avidement son dos : Non, tu es
juste comme il faut.

Ensuite, ils étaient restés sur la terrasse, couchés sur
une couverture en laine, jusqu'à ce que l'humidité du
petit matin les surprenne.

À présent, debout dans le hall de l'immeuble, plongé
dans la pénombre, qui sentait toujours légèrement le

nettoyant ménager à l'orange, Rosalie repensait avec nostalgie à cette nuit sur le toit, tout en refermant sa boîte aux lettres.

Au fil des trois années qui s'étaient écoulées, les différences entre René et elle n'avaient cessé de s'accentuer. Alors qu'auparavant, elle cherchait et trouvait les points communs, elle voyait désormais, avec une clarté excessive, tout ce qui la séparait de son petit ami.

Rosalie aimait petit-déjeuner au lit, René était dérangé par les miettes dans les draps. Elle était couche-tard, lui lève-tôt ; elle appréciait les promenades à allure modérée avec son chien, il s'était acheté, l'année précédente, un vélo de course avec lequel il fonçait dans les rues de Paris. Quand il s'agissait de voyager, la destination n'était jamais assez lointaine pour lui, tandis que Rosalie jugeait qu'il n'y aurait rien de plus beau que de rester assis sur une des petites places anciennes qu'on trouvait dans les villes d'Europe du Sud, et de laisser le temps s'écouler.

Cependant, ce qu'elle regrettait le plus profondément, c'était que René ne lui écrive jamais de lettre ou de carte, pas même pour son anniversaire. « Mais enfin, je suis là ! » disait-il ce jour-là quand elle cherchait en vain, une fois de plus, une carte sur la table du petit déjeuner. Ou « On peut se parler au téléphone », quand il assistait à un de ses séminaires.

Au début, Rosalie lui concoctait des cartes et des Post-it illustrés par ses soins ; à l'occasion de son anniversaire, lorsqu'il s'était cassé un os du pied et qu'il avait dû passer une semaine à l'hôpital, ou tout simplement quand elle s'absentait pour faire des courses, ou qu'elle allait se coucher tard et qu'il dormait déjà. *Salut, lève-tôt, ne fais pas de bruit et laisse ton oiseau de nuit dormir encore un peu, il a travaillé longtemps, hier,* avait-elle écrit sur un Post-it posé de son côté du lit. Dessus, elle avait représenté une chouette perchée sur un pinceau.

Elle laissait ses messages un peu partout – sur le miroir, l'oreiller, la table, dans ses chaussures de sport ou une poche de son sac de voyage…

Mais un jour, elle ne savait plus quand au juste, elle avait arrêté.

Heureusement, chacun disposait de son propre appartement et d'une certaine dose de tolérance. De plus, René était une personne positive qui disait oui à la vie et dont l'âme ne présentait pas d'abîmes insondables. Il lui paraissait aussi pacifique que son lhassa apso. Si bien que, quand il y avait malgré tout débat (à propos de broutilles), ils finissaient toujours par atterrir au lit, où leurs querelles et leurs différends se dissipaient dans l'apaisante obscurité de la nuit.

Quand Rosalie avait dormi chez René – ce qui se produisait rarement car elle préférait ne pas trop s'éloigner de sa boutique et qu'il habitait à Bastille –, elle mangeait, pour lui faire plaisir, quelques cuillerées de la bouillie agrémentée de fruits secs et de noisettes qu'il continuait à lui préparer avec ferveur. Il ne cessait pas non plus de lui garantir qu'elle finirait par y prendre goût.

Elle souriait alors sans conviction, disait « Un jour sûrement », mais dès qu'il avait le dos tourné, elle vidait le reste de son muesli dans les toilettes en grattant bien le bol. Puis, sur le chemin du magasin, elle achetait un croissant qui sortait du four.

En quittant la boulangerie, sans attendre, elle détachait un morceau de la pâtisserie tiède et le glissait dans sa bouche, heureuse qu'il existe une nourriture aussi divine. Elle n'en parlait pas à René, naturellement, et comme son petit ami n'était pas doté d'une grande imagination, il aurait certainement été des plus surpris de la croiser dans la rue, occupée à lui faire des infidélités avec un croissant.

Cette histoire de croissant ramena Rosalie à M. Picard et à cette fâcheuse augmentation de loyer. Elle plissa le front, soucieuse, et fixa les chiffres du courrier qui lui semblèrent menaçants. Si *Luna Luna* jouissait désormais d'une clientèle fidèle, et que toujours plus de passants et de touristes s'arrêtaient devant la papeterie à la devanture décorée avec amour, avant d'entrer et de prendre en main, en poussant des cris d'émerveillement, cartes d'anniversaire, jolis carnets ou presse-papiers, pour ne pas quitter la boutique sans avoir acheté un objet, Rosalie ne pouvait pas se permettre de folies. Par les temps qui couraient, ce n'était pas avec des cartes postales et de beaux articles de papeterie qu'on gagnait beaucoup d'argent, pas même à Saint-Germain, un quartier qui avait accueilli tant d'hommes et de femmes de lettres.

Pour autant, Rosalie n'avait jamais regretté sa décision. Sa mère, qui avait fini par mettre à sa disposition un petit capital de départ prélevé sur le futur héritage, avait soupiré et déclaré qu'elle n'en ferait de toute façon qu'à sa tête et qu'il valait mieux avoir un magasin, quel qu'il soit, qu'être artiste peintre. Elle y voyait toutefois un progrès *modeste*.

Catherine Laurent ne s'accommoderait probablement jamais du fait que sa fille n'ait pas appris un métier raisonnable. Ou, à défaut, convolé avec un homme ambitieux. (Ce professeur de fitness débonnaire avec ses baskets gigantesques, si ennuyeux qu'il lui donnait parfois envie de pleurer, ce n'était pas possible !) Catherine ne mettait pour ainsi dire jamais les pieds dans la boutique, et elle expliquait à ses amis et connaissances du distingué septième arrondissement que Rosalie tenait un magasin de fournitures de bureau. Voilà qui faisait *un peu* plus sérieux, au moins. Des fournitures de bureau ? Ma foi… Dans la ravissante papeterie, on cherchait en vain classeurs, chemises, perforatrices, corbeilles à courrier, pochettes transparentes, colles, agrafeuses et trombones. Mais Rosalie jugeait superflu de dissiper ce malentendu. Elle souriait en silence et se réjouissait, chaque matin, de descendre dans sa boutique et de relever les rideaux de fer pour laisser entrer le soleil.

Les murs étaient illuminés par un tendre bleu hortensia et on trouvait au milieu de la pièce une table ancienne en bois sombre, sur laquelle étaient exposés tous ses trésors : des boîtes ornées de motifs fleuris, où étaient rangées les cartes et les enveloppes les plus diverses, des pots en céramique émaillée délicatement colorés, fabriqués par une artiste du quartier, dans lesquels étaient placés d'exquis crayons recouverts de papier imprimé. À côté, des nécessaires de correspondance porteurs de roses délicieusement surannées. Des cahiers de brouillon et des carnets de notes joliment décorés s'entassaient près de pochettes de papier à lettres et d'écrins renfermant cire à cacheter et tampons.

Dans les étagères en bois clair fixées aux murs de droite et de gauche étaient glissés de charmants rouleaux de papier cadeau, ainsi que des feuilles de papier à lettres et des enveloppes classées par tailles et par couleurs ; des bolducs aériens descendaient le long du comptoir en bois supportant la caisse ; au mur du fond, peint en bleu, étaient accrochés des carreaux de faïence où figuraient blanches colombes, grappes de raisin violines et hortensias rose pâle – des motifs anciens qui resplendissaient d'un nouvel éclat sous une épaisse couche de vernis –, de même qu'une grande huile, exécutée par Rosalie, représentant une forêt féerique que traversait une jeune fille en robe pourpre dont les cheveux blonds flottaient au vent. Dans le coin près de la caisse se dressait une haute vitrine fermée à clé, abritant stylos précieux et coupe-papier en argent.

La devanture accueillait des présentoirs filigranés, qui évoquaient de loin des patchworks multicolores. Derrière des fils de fer argentés pliés en forme de cœur, les cartes les plus diverses s'associaient pour composer une véritable œuvre d'art pleine de gaieté. Juste à côté étaient disposés des rouleaux de papier cadeau bleu foncé, turquoise et réséda, ornés des somptueux motifs de William Morris, et en bas de l'étalage, on trouvait des cartes dépliées en éventail, de jolis coffrets au décor floral et des tableaux représentant des femmes debout au bord de la mer ou lisant un livre. Entre eux, nichés au creux de boîtes garnies de papier de soie, de lourds presse-papiers en verre dans lesquels étaient immortalisés roses, gravures de voiliers anciens, mains protectrices peintes et mots ou phrases qu'on pouvait lire chaque jour sans se lasser. On y voyait écrit *Paris* en brun tendre sur fond chamois, *L'amour* ou encore *La beauté est partout*.

C'était en tout cas ce qu'avait affirmé le peintre et sculpteur Auguste Rodin, et quand Rosalie regardait autour d'elle, dans sa boutique, elle se sentait heureuse de contribuer à la plénitude et à la beauté que réservait la vie.

Mais ce qu'il y avait de spécial chez *Luna Luna*, c'étaient les cartes confectionnées à la main, placées dans les deux présentoirs à droite de la porte d'entrée, qui tenaient tout juste dans la papeterie alors qu'il convenait peut-être de leur accorder la plus grande valeur.

Si le commerce situé rue du Dragon avait résisté toutes ces années, Rosalie le devait surtout à sa spécialité, les cartes de vœux. Ainsi, la nouvelle s'était vite répandue qu'on pouvait trouver chez elle des cartes faites main pour toute occasion, aussi inhabituelle soit-elle.

Le soir après la fermeture et jusque tard dans la nuit, Rosalie, assise derrière sa grande table, dans la pièce au-dessus du magasin, dessinait et peignait à l'aquarelle des cartes pour tous ceux qui croyaient encore à la magie des mots manuscrits. De ravissantes œuvres d'art sur papier vergé aux bords irréguliers, pourvues d'une phrase ou d'un dicton inspirant une illustration à Rosalie.

Ne m'oublie pas, indiquait par exemple un message rédigé à l'encre de Chine bleue. Dessous, on découvrait une petite bonne femme flanquée de deux valises, tendant à l'observateur un bouquet de myosotis surdimensionné. Un autre affirmait : *Le soleil brille aussi derrière les nuages*. On y voyait une jeune fille à la mine abattue, munie d'un parapluie rouge, qui se tenait sous un ciel gris, dans une rue inondée par la pluie, tandis qu'en haut de l'image, des angelots jouaient au ballon avec le soleil. *En me réveillant, j'ai souhaité que tu sois là*, annonçait une autre carte où figurait un bonhomme stylisé regardant au loin, l'air mélancolique. Assis sur un lit, au beau milieu d'une prairie, il soufflait sur une fleur de pissenlit dont les aigrettes se transformaient en minuscules lettres tourbillonnantes formant le mot *Nostalgie*.

Les cartes de Rosalie, qui évoquaient un peu les charmants dessins de Peynet, s'étaient facilement vendues, et au bout d'un moment, certains clients avaient suggéré leurs propres idées.

Naturellement, il s'agissait en général d'illustrer les occasions classiques (anniversaire, souhait de prompt rétablissement, invitation, Saint-Valentin, mariage, Noël ou Nouvel An), mais de temps en temps, des vœux sortaient de l'ordinaire.

Des filles exprimaient un souhait pour leur mère, des mères pour leur fils, des neveux ou nièces pour leur tante, des grands-mères pour leurs petits-enfants et des amies pour leur amie. Pour autant, les plus inventifs des souhaits émanaient toujours de personnes amoureuses.

Encore récemment, un homme qu'on ne pouvait plus qualifier de « jeune », costume sérieux et lunettes argentées, était entré dans la boutique pour passer commande. Il avait lentement sorti un bout de papier de sa serviette en cuir et l'avait posé, embarrassé, sur le comptoir.

— Pensez-vous qu'il vous viendra une idée ?

Rosalie avait lu la phrase sur le bout de papier, et souri.

— Oh oui, avait-elle répondu.
— Pour après-demain ?
— Pas de problème.
— Il faut que ce soit très beau.
— Ne vous inquiétez pas.

Ce soir-là, installée derrière sa table à dessin où crayons et pinceaux de tailles différentes s'alignaient dans de gros bocaux, éclairée par une vieille lampe en métal noir, elle avait dessiné un homme en complet gris et une femme en robe vert tilleul qui se tenaient par la main et flottaient au-dessus de Paris – soulevés par quatre blanches colombes battant des ailes, un ruban bleu dans le bec.

Pour finir, elle avait trempé sa plume dans l'encre de Chine et écrit dans le bord inférieur de l'illustration, en lettres incurvées :

Pour la femme avec laquelle j'aimerais m'envoler.

Rosalie n'aurait pas pu dire combien d'œuvres uniques de ce genre elle avait confectionnées, ces dernières années. Jusqu'alors, tous ses clients étaient repartis satisfaits, et elle espérait que chaque vœu avait fait mouche avec la même précision que les flèches de Cupidon transperçant la poitrine des amoureux. Seulement, en ce qui concernait ses propres attentes, la belle propriétaire de la papeterie avait moins de chance.

Chaque année, le jour de son anniversaire, Rosalie se rendait au pied de la tour Eiffel avec une carte peinte par ses soins. Puis elle gravissait les 704 marches menant à la deuxième plate-forme et, le cœur battant à tout rompre (en matière de sport, elle n'avait pas non plus l'ambition d'une alpiniste), laissait la carte porteuse de son vœu voler dans les airs.

Un petit rituel innocent, dont même René ne savait rien. De façon générale, Rosalie était une grande adepte des rituels, qui donnaient une structure à la vie et aidaient à mettre de l'ordre dans le fouillis de l'existence, à garder une vue d'ensemble. Le premier café du matin. Un croissant acheté à la boulangerie. La promenade quotidienne avec William Morris. Une part de tarte au citron chaque jour impair de la semaine. Le verre de vin rouge après la fermeture de la boutique. La couronne de myosotis quand elle allait se recueillir, en avril, sur la tombe de son père.

Le soir, tout en dessinant, elle aimait écouter en boucle les mêmes CD. C'étaient les chansons nonchalantes de Georges Moustaki, ou encore les mélodies légères de Coralie Clément. Ces derniers temps, son album préféré était celui de l'artiste moscovite Vladimir Vyssotski. Elle se laissait porter par la sonorité des airs tantôt lyriques, tantôt virils, sans comprendre les paroles, tandis que la musique faisait naître des images dans sa tête et que ses crayons couraient sur le papier.

Jeune fille, Rosalie tenait un journal intime pour garder une trace des choses importantes pour elle. Voilà longtemps qu'elle ne le faisait plus ; en revanche, depuis l'ouverture de *Luna Luna*, elle avait pris l'habitude de noter chaque soir dans un carnet de notes bleu, avant d'aller dormir, le pire et le plus beau moment de la journée écoulée. Ensuite seulement, elle trouvait sans peine le sommeil.

Oui, les rituels constituaient un soutien, un repère fiable et réjouissant. Ainsi, chaque année, Rosalie se réjouissait de voir arriver le 12 décembre, jour où elle se retrouvait en haut de la tour Eiffel et voyait s'étendre la ville à ses pieds. Elle n'avait pas le vertige – au contraire, elle aimait cette sensation d'espace dégagé, le regard qui portait au loin et permettait aux pensées de s'envoler – et, en lâchant sa carte, elle fermait un moment les yeux et s'imaginait que son souhait se réalisait.

Pourtant, aucun de ses vœux n'avait encore été exaucé.

La première fois qu'elle était montée sur la tour Eiffel avec une carte, elle avait souhaité que sa tante préférée se rétablisse – à l'époque, il demeurait un minuscule espoir qu'une opération compliquée sauve la vue de Paulette. Mais, même si tout s'était bien déroulé, sa tante était finalement devenue aveugle.

Une autre fois, elle avait espéré remporter le concours des jeunes illustrateurs. Seulement, la distinction convoitée, le contrat d'édition et le prix de dix mille euros étaient revenus à un artiste dégingandé qui ne peignait que des palmiers et des lapins ; le fils d'un riche éditeur de presse parisien, de surcroît. Alors qu'elle ne connaissait pas encore René et vivait de nouveau seule après quelques liaisons assez fâcheuses, elle avait fait le vœu de rencontrer l'homme de sa vie, qui l'emmènerait un jour au *Jules Verne* – le restaurant perché sur la tour Eiffel, offrant sans nul doute la vue la plus spectaculaire sur Paris – pour lui poser la question des questions, depuis leur hune surplombant la ville étincelante. Ce souhait-là non plus n'était pas devenu réalité. Au lieu de cela, elle avait fait la connaissance de René qui, un jour, lui était rentré dedans en courant, rue du Vieux-Colombier, s'était excusé mille fois et l'avait entraînée dans le bistrot le plus proche pour lui déclarer, devant une salade de pays, qu'il n'avait jamais vu plus belle fille. Simplement, René l'aurait plutôt invitée à faire du trekking sur le Kilimandjaro qu'à dîner dans un restaurant coûteux et, à ses yeux, totalement inutile. (« La tour Eiffel, non mais vraiment, Rosalie ! »)

Une autre fois encore, elle avait formulé la requête de faire la paix avec sa mère – un vœu pieux ! Sans oublier celle d'avoir une petite maison au bord de la mer ; plutôt présomptueux, mais après tout, on avait le droit de tout souhaiter.

Pour son dernier anniversaire – c'était le trente-troisième et une désagréable pluie froide se déversait sur Paris qui avait revêtu ses habits de Noël –, Rosalie était montée une fois de plus sur la tour Eiffel, dans son épais manteau d'hiver bleu. Il n'y avait pas grand monde ce jour-là, quelques patineurs glissaient sur la patinoire installée comme chaque hiver au premier étage, et de rares Japonais en capes de pluie ne se lassaient pas de se photographier, pouces dressés et larges sourires.

Cette année-là, Rosalie avait un vœu très modeste.

Sur la carte qu'elle tenait, elle avait dessiné un pont ; aux parapets grillagés étaient accrochés des centaines de cadenas. Un homme et une femme, tous deux de petite taille, se tenaient devant et s'embrassaient.

Il s'agissait sans conteste du pont des Arts, une passerelle piétonne qui traversait la Seine et depuis laquelle on avait une vue splendide sur la tour Eiffel ou l'île de la Cité. Les soirs d'été, il y régnait toujours une animation intense.

Rosalie aimait ce pont étroit en fonte, sans ostentation, à la plate-forme en bois. Elle s'y rendait parfois, s'installait sur un banc et contemplait les nombreux cadenas, chacun témoignant d'un amour qui devait durer éternellement.

« L'amour est éternel tant qu'il dure » – qui avait dit cela ?

Rosalie ignorait pourquoi, mais chaque fois qu'elle se trouvait assise là, elle était émue à la vue de ces cadenas chargés d'espoir qui défendaient l'amour, aussi endurants que des soldats de plomb.

C'était peut-être idiot, mais son désir secret le plus cher était d'en posséder un de ce genre.

Celui qui m'offrira un de ces cadenas sera le bon, s'était-elle dit ce jour-là, tandis qu'elle se penchait par-dessus la rambarde de la tour Eiffel, humide de pluie, pour lancer sa carte qui avait décrit un grand arc de cercle.

Bien entendu, ce faisant, elle pensait à René.

Par une journée d'hiver froide et claire, au début du mois de décembre, elle s'était promenée sur le pont des Arts avec son petit ami, main dans la main. Les balustrades chargées de cadenas étincelaient au soleil comme le trésor de Priam.

— Regarde comme c'est beau ! s'était-elle exclamée.

— Des murs d'or, avait commenté René qui faisait rarement une remarque poétique, avant de s'arrêter un moment pour étudier les inscriptions sur les cadenas les plus proches. Malheureusement, tout ce qui brille n'est pas d'or. – Il avait eu un sourire moqueur, puis ajouté : – J'aimerais bien savoir combien des couples qui ont voulu immortaliser leur amour ici sont encore ensemble.

Rosalie, elle, n'avait aucune envie de le savoir.

— Quand même, tu ne trouves pas ça merveilleux que les gens continuent à tomber amoureux et veuillent le montrer ? Moi, ces cadenas me touchent, en tout cas, avait-elle objecté. C'est tellement… romantique.

Elle n'en avait pas dit plus, car il en allait de même pour les souhaits d'anniversaire que pour les vœux lorsqu'on apercevait une étoile filante : il ne fallait pas les prononcer à voix haute.

René l'avait prise dans ses bras en riant.

— Bon sang, sérieusement, ne me dis pas que tu as envie d'un de ces trucs stupides ? C'est kitsch au possible.

Rosalie avait ri à son tour, gênée, et songé que même ce qui était kitsch au possible avait parfois du charme.

Une dizaine de jours plus tard, sur la tour Eiffel comme chaque année, elle suivait du regard, songeuse, la carte qui, alourdie par la pluie, tombait au sol telle une colombe blessée d'un coup de fusil. Soudain, alors qu'elle avait le dos tourné, une main s'était posée lourdement sur son épaule et elle avait pris peur.

— Qu'est-ce que vous faites là, mademoiselle ? avait grondé une voix à son oreille.

Rosalie avait sursauté et manqué perdre l'équilibre. Elle s'était retournée. Un homme en uniforme bleu, coiffé d'un képi, plantait ses yeux sombres dans les siens, l'air peu amical.

— Hé ! Qu'est-ce qui vous prend de me faire peur comme ça ? avait répliqué Rosalie, indignée.

Elle se sentait autant prise la main dans le sac que dérangée pendant son rituel sacré. Depuis que les sites touristiques de la ville étaient surveillés – une mesure contre les pickpockets –, on ne pouvait même plus être tranquille un jour pluvieux de décembre. Une vraie infection.

— Alors ! Que faites-vous là ? avait répété sèchement l'homme en uniforme. Vous ne pouvez pas vous amuser à jeter vos ordures ici.

— Ce n'étaient pas des ordures mais un souhait, avait rétorqué avec agacement Rosalie dont les oreilles s'étaient mises à chauffer.

— Ne soyez pas impertinente, mademoiselle, avait fait le policier en croisant les bras et en se redressant de toute sa taille. Peu importe, vous allez me faire le plaisir d'aller le ramasser tout de suite, c'est clair ? – Il avait indiqué, à ses pieds, un plastique chiffonné qui dégouttait de pluie. – Vous pouvez aussi emporter ce sachet de chips vide.

Il avait suivi du regard la jeune femme en manteau bleu qui s'était mise à descendre avec mauvaise humeur, marche après marche.

Une fois en bas, piquée par la curiosité, Rosalie avait fait le tour de la construction métallique en cherchant du regard sa carte de vœux. Mais elle semblait s'être volatilisée.

Trois mois s'étaient écoulés depuis l'incident quelque peu grotesque sur la tour Eiffel dont Rosalie, en toute logique, n'avait touché mot à personne. La pluie hivernale avait cédé la place à un mois de janvier tempétueux et à un mois de février étonnamment ensoleillé. Son anniversaire était passé depuis longtemps, la Saint-Valentin venue et repartie, mais son souhait n'avait pas été exaucé, une fois de plus.

René lui avait tendu fièrement un carton contenant des baskets (« Thermorégulantes, ultralégères, la Porsche des chaussures de course pour ma chérie. Joyeuse Saint-Valentin ! »).

En mars non plus, il n'était venu à l'idée de personne d'offrir à Rosalie un cadenas doré. Là-dessus, le mois d'avril était arrivé. Tous ses vœux ? Des échecs. Dressant le bilan des années passées, Rosalie en était arrivée à la conclusion qu'il était peut-être temps de mettre un terme à son puéril rituel d'anniversaire et de devenir adulte. En tout cas, s'il ne se passait rien cette année-là encore, elle ne monterait plus sur la tour Eiffel.

L'air était doux, le printemps pointait le bout de son nez. Et le printemps honorait parfois les promesses de l'hiver.

Voilà ce qu'écrivait justement Rosalie sur une de ses cartes lorsqu'on frappa énergiquement à la porte du magasin, en bas.

Le Vésinet était une ravissante petite ville située à une vingtaine de kilomètres à l'ouest de Paris, au milieu d'un méandre de la Seine. On sentait encore que le territoire de cette commune d'Île-de-France était autrefois occupé par une forêt où les rois appréciaient de se livrer à des parties de chasse. Les impressionnistes y avaient posé leur chevalet sur les bords idylliques de la Seine pour immortaliser la nature intacte, et sur certains chemins, on aurait cru se promener dans un tableau de Manet ou de Monet.

D'élégantes villas anciennes étaient protégées par des haies et des murs de pierre ; des coulées vertes, des parcs et de paisibles lacs enchantaient l'œil, et quand on empruntait les allées et que la lumière traversait le feuillage des hauts arbres, dont beaucoup avaient plus de cent ans, on était envahi par un sentiment de paix profonde. En d'autres termes : Le Vésinet était l'endroit idéal pour trouver la tranquillité.

À moins, pensait Max Marchais, furibond, d'avoir sur le dos un éditeur qui ne vous lâche pas.

Ce matin de printemps-là, le célèbre auteur de livres pour enfants était assis à son bureau et contemplait son magnifique jardin, la vaste pelouse, le vieux marronnier et le cerisier bigarreau en fleurs, le petit pavillon peint en vert foncé et les buissons d'hortensias, lorsque le téléphone se remit à sonner.

La sonnerie avait retenti toute la matinée et Max Marchais savait pourquoi. Quand ce Monsignac s'était mis quelque chose en tête, on aurait dit un bull-terrier accroché au mollet de sa victime – il était quasiment impossible de s'en débarrasser. Depuis une semaine déjà, il bombardait son auteur de lettres, de mails et d'appels téléphoniques.

Max Marchais eut un large sourire. Manifestement, son cas était devenu l'affaire du patron en personne. Il devait avouer que cela le flattait un peu.

Dans un premier temps, Mlle Mirabeau s'était manifestée. Responsable éditoriale de la collection Opale jeunesse, elle avait notamment en charge la réimpression de ses livres, dont l'immense succès ne se démentait pas.

Mlle Mirabeau, qui avait une jolie voix flûtée, s'était montrée polie, mais opiniâtre. Elle n'avait cessé de revenir à la charge pour le convaincre d'inventer une nouvelle histoire.

Max avait fini par l'éconduire. Un « non » clair et net était-il si difficile à comprendre ?

Non, il n'avait plus envie d'inventer une nouvelle histoire. Non, il n'avait plus d'idées fantastiques. Non, cela ne tenait pas à l'avance qu'on lui proposait. Et, non, il n'avait plus besoin de gagner de l'argent, heureusement. Il en possédait assez. Voilà longtemps que Max Marchais n'écrivait plus de livres pour enfants, et depuis le décès de sa femme, quatre ans plus tôt, il s'était définitivement retiré de Paris et de la société.

La mort de Marguerite s'était révélée aussi tragique qu'injuste. Et elle s'était produite sans crier gare.

Elle longeait innocemment la rue à vélo, en route pour le marché, lorsque la portière d'une voiture garée s'était soudain ouverte. Marguerite avait fait une chute si mauvaise qu'elle s'était brisé les vertèbres cervicales. L'arbitraire du destin avait bouleversé et aigri Max. Ensuite, la vie avait simplement repris son cours. Une vie plus vide.

Tous les jours, Max faisait une agréable promenade dans les rues et les parcs du Vésinet. Par beau temps, il s'asseyait sur sa chaise en osier, à l'ombre du marronnier, et contemplait le jardin que sa femme avait aménagé avec tant d'amour. À présent, un jardinier s'en occupait.

Le reste du temps, Max préférait rédiger, dans son bureau, de courts essais pour des revues spécialisées. À moins qu'il s'installe confortablement avec un livre dans un des deux canapés de la bibliothèque attenante, une pièce où des milliers de volumes, rangés dans des étagères montant jusqu'au plafond, assuraient une atmosphère cosy.

Avec l'âge, son intérêt pour la littérature contemporaine s'était estompé. Il se plaisait à relire les classiques qui l'avaient enthousiasmé, jeune homme, et qui, quand on y regardait de plus près, damaient facilement le pion aux « sensations littéraires » vantées désormais par les maisons d'édition. Qui donc, de nos jours, écrivait comme un Hemingway, un Victor Hugo, un Márquez, un Sartre, un Camus ou une Elsa Morante ? Qui avait encore quelque chose d'important à dire ?

Quelque chose qui ait de la consistance ? La vie se précipitait, devenait de plus en plus superficielle – les livres aussi, semblait-il. Les romans, voilà le pire. Il y en avait déjà trop à son goût. Le marché était encombré de banalités. Quiconque maîtrisait un tant soit peu la langue française croyait devoir écrire, pensait-il avec mauvaise humeur. C'était trop et pas assez. La sempiternelle quadrature du cercle.

Énervé, Max fixait, sur son bureau, le téléphone dont la sonnerie stridente retentissait encore.

— La ferme, Monsignac, grogna-t-il.

Peut-être était-il en bonne voie de devenir un vieux grincheux comme son intendante Marie-Hélène Bonnier le lui avait reproché, la semaine passée, alors qu'il s'était plaint du temps, puis des jacasseries d'un voisin, et enfin du repas.

Et quand bien même !

Ces derniers temps, son dos recommençait à lui causer du souci, ce qui influençait pas mal son humeur. Max soupira en essayant de trouver une position confortable dans son fauteuil. Il n'aurait pas dû déplacer le lourd pot de buis dans le jardin, erreur fatale ! C'était navrant. Il fallait sans arrêt faire attention, à ne pas prendre froid ou se tordre quelque chose. Avec le temps, les connaissances et les vieux amis développaient eux aussi pépins de santé et petits grains, de plus en plus durs à supporter. Ou encore, ils mouraient et la solitude, ainsi que le sentiment de rester le dernier, un jour, se mettait à croître.

Vraiment contrariant. Celui qui avait inventé le qualificatif d'âge « vénérable » était soit un parfait idiot, soit un cynique. Cela n'avait rien de facile de vieillir tout en restant sympathique.

Le téléphone se tut, arrachant un sourire triomphant à Max.

Gagné !

Il se remit à regarder dehors et ses yeux se posèrent un moment sur les buissons d'hortensias qui se dressaient devant un vieux mur de pierre, à l'arrière du jardin. Un écureuil sortit de sa cachette, traversa vivement la pelouse et disparut entre les rosiers. Les hortensias et les roses étaient les préférés de sa femme Marguerite, qui portait elle-même le nom d'une fleur et avait la passion du jardinage.

Il contempla la photographie sur son bureau. On y voyait une femme avenante aux yeux clairs et au sourire subtil.

Elle lui manquait. Elle lui manquait toujours. Ils s'étaient rencontrés sur le tard, et la gaieté et la pondération avec lesquelles Marguerite abordait les choses de la vie, des qualités qu'elle avait conservées jusqu'à la fin, lui avaient fait du bien – lui qui était plutôt un esprit agité.

Il se pencha de nouveau sur ses notes manuscrites et tapa quelques phrases sur son clavier. Tout ce qui était nouveau n'était pas mauvais, non. L'ordinateur était une invention fantastique qui avait grandement facilité le processus d'écriture. On pouvait maintenant facilement modifier les choses sans laisser de trace. À l'époque, dans la salle de rédaction du journal, ils écrivaient encore sur des machines à écrire qui cliquetaient bruyamment et dont les caractères ne cessaient de se bloquer. Avec une copie carbone. Impossible de tout imprimer aussi souvent qu'on le voulait. Et quand on avait fait une faute de frappe, il était pénible de la corriger. Il tenta de retrouver sa concentration. Il planchait sur un essai intitulé *La Distraction en tant que phénomène philosophique*, qu'il devait rédiger pour un petit éditeur scientifique. Max Marchais n'avait pas toujours écrit des livres pour la jeunesse. Après ses études, il avait travaillé comme journaliste et signé ponctuellement des articles pour des revues scientifiques. Pour autant, c'étaient ses livres pour enfants qui avaient fait de lui un homme connu, célèbre même. Lui qui était sans enfant ! Ironie du destin ! Les histoires du lapin au nez en pomme de pin, les aventures de la fée des glaces et les sept volumes mettant en scène le petit chevalier de Bonarien l'avaient rendu plus riche qu'il l'aurait cru possible. Seulement, peu de temps après leur mariage, Marguerite avait survécu de justesse à une grossesse extra-utérine, et c'en avait été fini du projet de fonder une famille. Max s'était alors senti infiniment reconnaissant au destin de ne pas avoir perdu sa femme. Ils avaient eu une belle vie malgré l'absence d'enfants, Marguerite et lui, et les années s'étaient envolées.

Il allait maintenant sur ses soixante-dix ans. Jeune homme, il n'aurait jamais cru possible que cela lui arrive. Soixante-dix ans ! Il n'aimait pas y penser.

— Vous devriez sortir plus, monsieur Marchais. Faites un tour à Paris, passez au café, retrouvez des amis, allez à Trouville dans votre maison de vacances ou invitez votre sœur de Montpellier. C'est très mauvais de vous enterrer ici. Vous êtes en train de vous isoler complètement. Tout être humain doit parler de temps en temps à un autre être humain, je trouve.

Marie-Hélène et ses flots de remontrances le rendaient parfois fou.

— Je vous ai, vous, avait-il déclaré ce jour-là.

— Non, non, monsieur Marchais, vous savez bien ce que je veux dire. Vous vous repliez toujours plus sur vous-même. Et votre humeur ne fait qu'empirer, avait affirmé Marie-Hélène qui époussetait avec énergie les étagères de la bibliothèque. J'ai l'impression d'être au service de cet ours, comment s'appelle-t-il déjà, qui traînait toujours chez lui et demandait à sa gouvernante de tout lui raconter…

— Marcel Proust, avait précisé laconiquement Max. Ne vous montez pas la tête, Marie-Hélène, et ne dites pas de bêtises. Je vais parfaitement bien. Et ma vie me plaît comme elle est.

— Ah oui ? avait objecté Marie-Hélène en brandissant son plumeau comme une lance. Je n'en crois pas un mot, monsieur Marchais. Vous savez ce que vous êtes ? Un vieil homme solitaire dans une grande maison vide.

Une phrase puissante qui lui aurait plu, dans un roman, avait songé Max avec amusement.

Simplement, ce qu'il y avait de désagréable, c'était que son intendante avait tapé dans le mille.

Deux heures plus tard, lorsque le téléphone se remit à sonner, Max referma sans ménagement son ordinateur portable et mit définitivement de côté ses notes sur la distraction. Ensuite, il s'empara du combiné, déterminé.

— Allô, j'écoute, fit-il avec agacement.

— Aaah, Marchais, quelle joie de vous entendre enfin ! Vous étiez parti en vadrouille, hein, ha ! ha ! ha ! J'ai essayé de vous joindre toute la journée.

— Je sais, commenta Max en levant les yeux au ciel.

Monsignac, bien entendu, il s'en doutait… La voix du directeur éditorial redoubla d'amabilité.

— Mon cher, mon très cher Marchais, comment allez-vous ? Tous les voyants sont au vert ? Notre fabuleuse Mlle Mirabeau vous a-t-elle déjà parlé du petit service que nous aimerions vous demander ?

— Oui, grommela-t-il. Mais je crains que nous ne puissions pas nous entendre.

— Voyons, voyons, Marchais, ne soyez pas aussi pessimiste, on trouve toujours un moyen. Pourquoi ne pas nous voir la semaine prochaine chez *Les Éditeurs* et discuter de tout ça tranquillement, rien que vous et moi ?

— Épargnez-vous cette peine, Monsignac. Ma réponse est non. Je vais avoir soixante-dix ans, il faut savoir s'arrêter.

— Taratata, je vous en prie, Marchais, ne vous montrez pas puéril. Soixante-dix ans, qu'est-ce que c'est que cet argument ? Vous n'êtes pas vieux. Aujourd'hui, à soixante-dix ans, on est autant en forme qu'on l'était autrefois à cinquante. Je connais beaucoup d'auteurs qui ne commencent à écrire qu'à votre âge.

— Tant mieux pour vous, adressez-vous à eux, alors.

Monsignac jugea superflu de relever cette remarque. Il se remit tout bonnement à parler.

— C'est *justement* parce que vous allez avoir soixante-dix ans que vous devriez encore écrire un livre, mon cher Marchais. Pensez à votre communauté de fans, pensez à tous les enfants que vos histoires ont rendus heureux. Savez-vous combien de lapins au nez en pomme de pin se vendent encore chaque mois ? Vous êtes toujours le grand auteur jeunesse de ce pays. L'Astrid Lindgren français, pour ainsi dire. – Monsignac se mit à rire. – Avec l'avantage imbattable que vous allez seulement avoir soixante-dix ans et que vous pouvez encore écrire. – Sa voix prit un ton exalté. – Un nouveau livre pour enfants que nous publierons pour votre anniversaire. Et voilà, on fait mouche ! Une vraie bombe, je vous dis. Je vois le spectacle d'ici : toute la presse se jette dessus, les droits sont vendus dans trente pays. Ensuite, on boostera tout le fonds de la maison. Je m'en fais déjà une fête !

Max Marchais croyait entendre ce vieux Monsignac se frotter les mains. « Ce vieux Monsignac »… Il sourit malgré lui, tandis que le directeur éditorial euphorique débitait ses prophéties.

En réalité, Monsignac n'était pas si âgé que cela. L'homme grand et imposant avait dans les soixante-cinq ans, mais avec ses cheveux grisonnants et ses éternelles chemises d'un blanc immaculé, qui se tendaient dangereusement sur son ventre quand un de ses accès de colère redoutés le prenait, il avait toujours semblé plus vieux à l'auteur.

Max Marchais connaissait le fondateur des Éditions Opale depuis près de trente ans, maintenant. Et même s'ils avaient déjà eu de violentes disputes, il appréciait ce personnage plein de vitalité, impatient, soupe au lait, têtu, souvent injuste mais au cœur d'or, qui l'accompagnait, éditorialement parlant, depuis tant d'années. Monsignac avait fait signer un contrat à Max Marchais alors que son premier livre n'était qu'une ébauche. Il avait même chargé un des meilleurs illustrateurs jeunesse de traduire par ses dessins l'œuvre d'un auteur totalement inconnu.

Son audace éditoriale, que Max admirait beaucoup, avait été plus que récompensée. Les aventures du lapin au nez en pomme de pin avaient remporté un franc succès et s'étaient vendues dans nombre de pays. Toutes ses autres histoires étaient parues dans cette maison, et certaines comptaient maintenant parmi les classiques de la littérature enfantine.

Lorsque Marguerite était morte, Monsignac avait laissé tomber le Salon du livre et s'était rendu à l'enterrement, au Vésinet, pour lui serrer la main près du cercueil.

— La vie continue, Marchais, croyez-moi, elle continue, lui avait-il soufflé à l'oreille en passant amicalement le bras autour de ses épaules agitées de tremblements.

Max Marchais n'avait pas oublié tout cela.

— Dites, Marchais…, fit le directeur éditorial d'une voix soudain empreinte de méfiance. Vous n'allez pas nous être infidèle, n'est-ce pas ? Il y a un autre éditeur dans le coup ? C'est cela ? Vous n'allez quand même pas nous jouer ce tour-là après tout ce que nous avons fait pour vous, hein ?

— Enfin, Monsignac, pour qui me prenez-vous !

— Bien, dans ce cas, je ne vois aucune raison de ne pas ficeler ensemble ce beau projet, déclara Monsignac avec soulagement.

— Quel projet ? répliqua Max. Je ne me souviens d'aucun projet.

— Ah, allez, Marchais, ne vous faites pas autant prier. Vous en avez encore sous le pied ! Je le sens. Pondre une petite histoire, ça revient à faire des gammes, pour vous.

— Écoutez, Monsignac. Laissez-moi tranquille. Je suis un vieil homme de mauvaise humeur qui n'a plus envie de faire ses gammes.

— Bien dit. Bravo ! Vous savez quoi, Marchais ? Je vous aime bien, vraiment, mais votre auto-apitoiement est insupportable. Il est plus que temps que vous mettiez le nez dehors. Sortez, mon ami. Écrivez. Laissez le champ libre à la nouveauté. Laissez entrer un peu de lumière dans votre vie. Cela fait bien trop longtemps que vous vous terrez derrière vos haies de buis.

— C'est un mur de pierre, le contredit Max.

Il se remit à fixer les buissons d'hortensias qui se dressaient au fond du jardin. C'était le second sermon en une semaine. Manifestement, le directeur éditorial faisait cause commune avec l'intendante.

— Ça fait une éternité que je n'ai plus écrit de livre pour enfants, objecta Max après un silence.

— C'est comme le vélo, ça ne s'oublie pas, croyez-moi. Y aurait-il une autre raison, sinon ?

Monsignac n'avait pas changé. Il n'acceptait pas un refus.

Max soupira.

— Je n'ai plus aucune idée, voilà la raison.

Le directeur éditorial éclata d'un rire tonitruant.

— Elle était bonne, celle-là, confia-t-il après avoir retrouvé son calme.

— Vraiment, Monsignac, je n'ai plus de bonne histoire en stock.

— Eh bien, cherchez-en une, Marchais, cherchez-en une ! Je suis persuadé que vous finirez par trouver un sujet fantastique, assura-t-il comme s'il suffisait de fouiller un tiroir pour pêcher une histoire au milieu des paires de vieilles chaussettes. Alors, on dit vendredi prochain à treize heures chez *Les Éditeurs*, et pas de discussion !

Les touristes s'égaraient rarement chez *Les Éditeurs*. Ce restaurant se situait un peu à l'écart, en retrait de la station de métro Odéon. Les éditeurs y rencontraient leurs auteurs, les responsables des cessions de droits discutaient affaires avec des éditeurs étrangers venus pour le Salon du livre. Assis dans un confortable fauteuil en cuir rouge, sous une immense horloge de gare, entouré de livres, on y mangeait un des plats savoureux de la carte, à moins qu'on boive simplement un café ou une orange pressée.

M. Monsignac, qui se mettait très vite à s'agiter sur les chaises en bois d'autres établissements, savourait le moelleux des sièges. C'était une des principales raisons qui le poussaient à revenir dans les lieux quand il avait un rendez-vous professionnel.

Il remuait son expresso, les yeux posés avec satisfaction sur son auteur qui était entré dans le restaurant, deux heures plus tôt, vêtu d'un costume bleu, ses cheveux gris argent soigneusement peignés en arrière. Nouveauté, ce dernier avait acquis une canne dont il avait soi-disant besoin pour son dos (élégante, naturellement, avec un pommeau en argent figurant une tête de lion), mais Monsignac ne pouvait pas se défaire de l'impression que ce brave Marchais se plaisait parfois à jouer de son âge et à se faire prier. Pourtant, Monsignac trouvait que c'était un homme toujours agréable à regarder. Ses yeux bleu clair, pleins de vie, trahissaient un esprit vif, même s'il était devenu plutôt avare de paroles depuis la mort de sa femme.

Quoi qu'il en soit, lorsque Marchais s'était laissé tomber dans le fauteuil en face du sien avec un sourire étrangement gêné, Monsignac avait aussitôt su que les nouvelles étaient bonnes.

— Très bien, vieil enquiquineur, avait annoncé l'auteur sans détour. Il me reste bien une histoire.

— Pourquoi ne suis-je pas surpris ? avait lancé Monsignac avant de rire d'un air satisfait.

Le directeur éditorial ne s'était pas étonné – pas davantage quand Marchais, une semaine plus tard seulement, lui avait envoyé le nouveau récit par mail, presque avant que l'encre ait séché sur le contrat. Il fallait bousculer un peu certains auteurs, puis ils se mettaient en route d'eux-mêmes, voilà tout.

— Magnifique, cette histoire. Très belle ! s'était-il exclamé dans le combiné après avoir lu le manuscrit et appelé sur-le-champ son auteur qui, cette fois, avait décroché comme s'il attendait juste à côté. Vous vous êtes surpassé, mon cher ami.

Ensuite, Monsignac avait néanmoins dû recourir à son talent de persuasion pour convaincre Marchais qu'il fallait absolument changer d'illustrateur.

— Pourquoi ? avait insisté Max, entêté. Pourquoi ne pas faire appel à Édouard comme d'habitude ? Je l'apprécie beaucoup et notre collaboration a toujours été plaisante.

Monsignac avait poussé un soupir. Les dessins appuyés d'Édouard Griseau, qui allait sur ses quatre-vingts ans et se consacrait désormais entièrement à ses gravures sur bois, n'étaient plus ce qu'on attendait dans un livre pour enfants moderne. Il fallait être en prise avec son temps. C'était ainsi.

— Non, non, Marchais, il nous faut quelque chose de plus léger. J'ai des vues sur une illustratrice, elle a une patte qui me plaît bien. Elle n'est pas encore très connue, mais elle fourmille d'idées. Elle est fraîche et originale. Elle serait idéale pour votre histoire de tigre bleu. Au fait, elle peint des cartes postales.

— Des *cartes postales* ? avait répété Marchais avec méfiance. Griseau est un *artiste*, et vous voulez confier le travail à une dilettante ?

— N'ayez pas autant de préjugés, Marchais. Il faut toujours garder l'esprit ouvert. Elle s'appelle Rosalie Laurent et tient un petit magasin de cartes postales rue du Dragon. Pourquoi ne pas passer voir ce qu'elle fait et me dire ce que vous en pensez ?

C'est ainsi que, quelques jours plus tard, Max Marchais se retrouva devant la boutique de Rosalie, frappant impatiemment avec sa canne à la porte encadrée de bleu, fermée à clé.

Au début, Rosalie n'entendit pas qu'on frappait. Assise à l'étage derrière sa table, en pull et en jean, les cheveux en désordre, elle dessinait en écoutant Vladimir Vyssotski et sa chanson *Moskva-Odessa* dont elle ne comprenait que les mots « Odessa » et « printsessa ». Son pied battait la mesure de la musique entraînante.

Le lundi était le seul jour où *Luna Luna* était fermé, comme tant de boutiques à Paris.

Malheureusement, la journée avait mal débuté. La tentative pour dissuader M. Picard, en des termes aimables, d'augmenter son loyer avait donné lieu à une bruyante altercation. Rosalie n'avait pas su tenir sa langue, et avait finalement traité son propriétaire de rapace capitaliste.

— Je ne vous permets pas, mademoiselle Laurent, je ne vous permets pas ! s'était écrié M. Picard, dont les yeux étincelaient de colère. Ce sont les prix à Saint-Germain, figurez-vous. Si ça ne vous convient pas, vous n'avez qu'à déménager. Je me ferai un plaisir de louer le local à Orange, ils paieront le double sans discuter, il faut que vous le sachiez !

— Orange ? Qui c'est, ça ? Ah, vous parlez de cette société de téléphonie mobile ? Je n'y crois pas ! Vous voulez transformer ma jolie boutique en un endroit où on vend des *portables* ? Vous ne reculez devant rien, hein ? s'était exclamée Rosalie.

Son cœur s'était mis à battre à un rythme alarmant, tandis qu'elle descendait en trombe l'escalier aux marches en pierre usées (M. Picard habitait au troisième étage), furieuse, avant de claquer la porte de son appartement avec fracas, un bruit qui résonna dans toute la cage d'escalier. Ensuite, pour la première fois depuis longtemps, elle avait allumé une cigarette, les mains tremblantes. Elle s'était placée à la fenêtre et avait soufflé la fumée dehors. Les choses se compliquaient. Manifestement, elle ne pourrait pas éviter de donner à M. Picard l'argent durement gagné. Elle espérait juste en avoir toujours assez. Quel dommage que les murs ne lui appartiennent pas ! Il fallait qu'elle trouve une solution. Elle finirait bien par avoir une idée…

Elle s'était préparé un café avant de retourner à sa table à dessin. Travailler en écoutant de la musique l'avait apaisée.

On va voir ce qu'on va voir, monsieur Picard, pensait-elle à présent, en écrivant d'un trait énergique la formule sur la carte achevée. Vous ne vous débarrasserez pas de moi aussi facilement.

On frappait en bas, à la porte du magasin, mais elle n'entendait pas. Elle contemplait son œuvre avec un sourire de satisfaction.

Et le printemps honore parfois les promesses de l'hiver.

— Espérons-le, dit-elle à voix haute.

On frappa de nouveau, plus fort. Cette fois, Rosalie dressa l'oreille. Elle se figea, étonnée, et posa sa plume. Elle n'attendait personne. La boutique était fermée, le facteur déjà passé, et René avait rendez-vous chez ses clientes toute la journée.

— C'est bon, j'arrive ! lança-t-elle.

Elle descendit précipitamment les étroites marches en bois de l'escalier en colimaçon qui menait au magasin. En chemin, elle entortilla sa chevelure, la remonta et l'attacha avec une barrette. William Morris, dans son panier près de l'entrée, releva brièvement la tête et la laissa retomber sur ses pattes blanches.

Devant la porte se tenait un homme âgé, imperméable bleu foncé et foulard à motif cachemire assorti, qui heurtait impatiemment la vitre avec sa canne.

Elle tourna la clé et ouvrit.

— Hé là, monsieur, qu'est-ce qui vous prend ? Pas la peine de casser la vitre, fit-elle sur un ton peu aimable. Nous sommes fermés aujourd'hui, vous ne savez pas lire ?

Elle indiqua le panneau accroché à la porte. Le vieil homme ne jugea pas nécessaire de demander des excuses. Il haussa ses sourcils gris argent en broussaille et la détailla d'un regard critique.

— C'est *vous*, Rosalie Laurent ? demanda-t-il alors.

— Pas aujourd'hui, répliqua-t-elle avec agacement, en replaçant une mèche de cheveux derrière son oreille.

Qu'est-ce que c'était ? Un interrogatoire ?

— Pardon ?

— Ah, rien. Oubliez ça.

L'homme au foulard à motif cachemire paraissait déconcerté.

Il devait mal entendre.

— Il vaut mieux revenir demain, monsieur. Nous sommes *fermés* aujourd'hui, répéta-t-elle plus fort.

— Vous n'êtes pas obligée de crier, s'offusqua l'homme. J'entends encore très bien.

— J'en suis heureuse pour vous, répliqua-t-elle. Au revoir, alors.

Elle ferma la porte et tourna les talons, mais la canne se remit à taper sur la vitre. Elle prit une profonde inspiration et se retourna.

— Oui ? s'enquit-elle après avoir rouvert la porte. Une fois de plus, il lui adressa ce regard scrutateur.

— Eh bien, c'est vous, ou pas ?

— C'est moi, déclara-t-elle.

Les choses commençaient à prendre une tournure intéressante.

— Oh, tant mieux. C'est donc le bon magasin, au moins. Puis-je entrer ?

Il fit un pas à l'intérieur. Rosalie recula, stupéfaite.

— Nous sommes fermés aujourd'hui, en fait, réprécisa-t-elle.

— Oui, oui. Vous l'avez déjà dit, mais voyez-vous, confia-t-il en se mettant à évoluer dans le local et à regarder autour de lui, je suis venu spécialement à Paris pour me rendre compte si vos dessins sont appropriés.

Il continua à avancer et se cogna au bord de la table en bois placée au milieu de la pièce ; un pot en céramique garni de crayons se mit à osciller dangereusement.

— Qu'est-ce que c'est étroit ici, fit-il remarquer sur un ton de reproche.

Alors que Rosalie remettait le pot en place, il prit de sa grande main une carte posée sur la table.

— C'est vous qui avez peint ces fleurs ? interrogea-t-il sévèrement.

— Non, répondit-elle en secouant la tête, perplexe. Il plissa les yeux.

— Heureusement, commenta-t-il en replaçant la carte. Parce que ça ne conviendrait pas.

— Aha.

Rosalie n'y entendait goutte. De toute évidence, ce vieil homme habillé avec soin n'avait plus toute sa tête.

— Mes propres cartes se trouvent dans le présentoir, près de la porte. Vous désirez peut-être passer commande d'une carte de vœux ? se risqua-t-elle à demander.

Il la fixa de ses yeux d'un bleu étincelant, l'air amusé.

— Une carte de *vœux* ? Pourquoi donc ? Je suis chez le Père Noël ?

Rosalie se tut, vexée. Elle croisa les bras devant sa poitrine et le regarda s'approcher du présentoir, sortir les cartes l'une après l'autre, approcher chacune de ses yeux, sourcils froncés, l'étudier un moment et la remettre lentement à sa place.

— Pas mal du tout, l'entendit-elle marmonner, l'air absent. Oui… Ça pourrait aller… effectivement.

Elle se racla la gorge, impatiente.

— Je n'ai pas toute la journée, monsieur. Si vous voulez acheter une carte, faites-le maintenant. Sinon, revenez un autre jour.

— Mais, mademoiselle, je ne veux pas acheter de carte, objecta-t-il en lui jetant un coup d'œil surpris, avant de repousser le sac en cuir brun qu'il portait en bandoulière et de faire un pas en arrière. En réalité, je voulais vous demander si…

Il n'alla pas plus loin. Sans le remarquer, il avait mis sa canne dans le panier de William Morris. Le chien, qui y était couché, aussi paisible et inerte qu'une pelote de laine une seconde plus tôt, poussa un hurlement de douleur et se mit à aboyer furieusement – déclenchant une réaction en chaîne fatale.

Le vieux monsieur prit peur, chancela, son sac s'accrocha dans le présentoir à cartes postales, il perdit sa canne, puis les événements se précipitèrent, si bien que Rosalie ne put empêcher la catastrophe. L'homme au foulard à motif cachemire s'affala de tout son long sur le sol dallé, entraînant dans sa chute un présentoir vide auquel il avait cherché à se retenir et qui fit tomber à son tour le second présentoir, projetant en l'air, telle une explosion, des cartes qui se posèrent sur le sol en douceur.

Un silence de mort s'installa. Même William Morris avait cessé d'aboyer, effrayé.

— Oh, mon Dieu ! fit Rosalie en pressant sa main contre sa bouche.

Une seconde plus tard, elle s'agenouillait près de l'homme. Une carte de vœux bleu ciel avait atterri sur son front. Dessus, on pouvait lire :

Chaque baiser est comme un tremblement de terre.

— Vous êtes blessé ?

Rosalie s'empressa de débarrasser l'inconnu du présentoir vide et ôta prudemment la carte de son front. Il ouvrit les yeux et gémit.

— Aaah… Mon dos, lâcha-t-il en tentant de se relever. Qu'est-ce qui s'est passé ?

Déconcerté, il regarda les cartes éparpillées autour de lui. Rosalie le détailla, soucieuse.

— Vous ne vous en souvenez plus ? s'inquiéta-t-elle, priant pour qu'il ne souffre pas d'un traumatisme crânien. Mon chien a aboyé, et vous avez fait tomber le présentoir avec vous.

— Oui… c'est juste, admit-il en paraissant encore réfléchir. Le chien. D'où est-il sorti ? Ce stupide clébard m'a fichu une de ces frousses !

— Vous lui avez fait peur, vous aussi : en vous appuyant avec votre canne sur sa patte.

— Vraiment ? s'étonna-t-il en se redressant avec un nouveau gémissement, avant de se frotter l'arrière du crâne.

Rosalie hocha la tête.

— Attendez, je vais vous aider. Vous pensez que vous pouvez vous mettre debout ?

Elle lui tendit le bras, et il se releva avec son aide.

— Aïe ! Nom de Dieu ! se plaignit-il en portant la main à ses reins. Fichu dos ! Donnez-moi ma canne.

— Tenez !

Il fit quelques pas hésitants, et Rosalie l'accompagna jusqu'au vieux fauteuil en cuir placé dans un coin, près du comptoir.

— Installez-vous. Vous voulez boire quelque chose ?

Le vieux monsieur s'assit prudemment, étendit ses longues jambes et esquissa un sourire lorsqu'elle lui apporta un verre d'eau.

— Quelle poisse, confia-t-il en secouant la tête. Mais, en tout cas, Monsignac avait raison. Vous êtes celle qu'il faut pour le tigre bleu.

— Euh… Pardon ?

Rosalie écarquilla les yeux et se mit à mordiller sa lèvre inférieure.

Apparemment, la situation était pire qu'elle l'avait pensé. L'homme semblait gravement blessé. Il ne manquait plus que cela ! Elle sentit la panique monter en elle. Elle n'avait pas souscrit d'assurance responsabilité civile pour son chien. Et si l'homme souffrait de dommages corporels ?

Rosalie était la spécialiste de l'anticipation. Lorsqu'il se produisait un événement, quel qu'il soit, elle était capable, en une poignée de secondes, de passer mentalement en revue toutes les choses affreuses qui *pourraient* arriver, jusqu'à l'issue cruelle. Les images défilaient dans sa tête comme si elle regardait un film, mais en accéléré.

Elle voyait déjà un cortège de proches en colère défiler dans sa boutique et désigner d'un doigt accusateur le panier dans lequel William Morris était assis, le regard coupable. Elle entendait déjà la voix nasillarde de M. Picard, qui avait « toujours dit que ce chien n'avait pas sa place dans le magasin ». Seulement, William Morris était doux comme un agneau. Et il n'avait rien fait de mal. Réfugié sous le comptoir, apeuré, il la fixait avec de grands yeux.

— C'est étrange, mais vous me rappelez quelqu'un, reprit l'inconnu. Au fait, vous aimez les livres pour enfants ?

Il se pencha un peu en avant et poussa un gémissement.

La gorge de Rosalie se noua. Cet homme était en pleine confusion, sans aucun doute.

— Écoutez, monsieur, restez bien tranquillement assis, d'accord ? Ne bougez pas. Je pense qu'il vaut mieux appeler un médecin.

— Non, non, ça va, fit-il avec un signe de dénégation. Je n'ai pas besoin de médecin.

Il dénoua son foulard et inspira profondément.

Elle le regarda avec attention. Pour l'instant, il avait l'air parfaitement normal. Mais les apparences étaient parfois trompeuses.

— Vous voulez… Vous voulez que je téléphone à quelqu'un qui puisse venir vous chercher ?

Une fois de plus, il secoua la tête.

— Pas la peine. Je vais juste avaler un de ces cachets à la noix, et ça ira mieux.

Elle réfléchit un moment. « Un de ces cachets à la noix » ? Que voulait-il dire ? Prenait-il des psychotropes ? Il valait peut-être mieux avertir quelqu'un, malgré tout.

— Vous habitez dans le quartier ?

— Non, non. J'étais parisien, avant… Mais il y a longtemps. Je suis venu en train.

Une sensation curieuse envahit Rosalie. Cet homme avait agi bizarrement dès la première seconde. Elle le regardait, perplexe. Après tout, on entendait souvent parler de malades atteints de démence qui s'échappaient et erraient dans les rues, à la recherche de leur ancien domicile.

— Dites-moi, monsieur… Quel est votre nom? Enfin… Vous vous rappelez? s'enquit-elle avec ménagement.

Il la fixa, surpris. Puis il se mit à rire.

— Mademoiselle, ce n'est pas ma tête qui me fait défaut, c'est mon dos, expliqua-t-il avec un sourire amusé, et Rosalie sentit qu'elle rougissait. Pardonnez-moi, j'aurais dû me présenter plus tôt.

Il lui tendit la main et elle la serra, hésitante.

— Max Marchais.

Rosalie lui lança un coup d'œil stupéfait et devint encore un peu plus rouge.

— Ce n'est pas possible, bredouilla-t-elle. Vous êtes Max Marchais? Je veux dire, LE Max Marchais? L'auteur jeunesse? Celui du lapin au nez en pomme de pin et de la fée des glaces?

— Précisément, confirma-t-il. Auriez-vous envie d'illustrer mon nouveau livre, mademoiselle Laurent?

Max Marchais était le héros de son enfance. Petite fille, Rosalie avait lu tous ses récits avec enthousiasme. Elle avait adoré l'histoire de la fée des glaces et connaissait presque par cœur les aventures du lapin au nez en pomme de pin. Les livres, qu'elle avait tant aimé glisser dans sa valise, en vacances, et dans son lit, le soir, portaient les traces d'un usage intensif – entre autres, des pages cornées et, oui, quelques taches de chocolat. Ils se trouvaient toujours dans l'étagère de son ancienne chambre. Pour autant, même en rêve, elle ne se serait pas attendue à faire un jour la connaissance de Max Marchais. Quant au fait qu'on lui permette d'illustrer un de ses ouvrages, cela frisait le miracle.

Même si sa première rencontre avec le célèbre auteur jeunesse s'était déroulée dans l'agitation, pour ne pas dire le tumulte, le reste de la journée s'avéra très réjouissant.

Max Marchais parla à Rosalie de son éditeur, un certain Monsignac, qui s'était intéressé à elle parce que sa femme Gabrielle, lors d'une longue virée shopping à Saint-Germain, avait acheté non seulement un beau sac à main chez Sequoia, rue du Vieux-Colombier, trois paires de chaussures chez La Scarpa, rue du Dragon, mais aussi quelques-unes des cartes de vœux de Rosalie.

Une fois la peur envolée et tous les malentendus éclaircis, Rosalie rassembla les cartes en riant et remit de l'ordre dans le magasin.

Son hôte surprise aurait aimé lui donner un coup de main, mais il était incapable de quitter son fauteuil. En fin de compte, au lieu d'aller chercher un médecin, Rosalie appela René.

— Tour de reins, diagnostiqua celui-ci d'un œil expert, avant de prévenir son ami Vincent Morat qui était chiropracteur et exerçait à quelques rues de là.

Max Marchais, toujours gémissant, s'y retrouva bientôt allongé sur une table en cuir. Sous les manipulations aussi compétentes que déterminées de Vincent Morat, ses vertèbres lombaires craquèrent plusieurs fois, puis l'auteur quitta le cabinet débarrassé de toute douleur, à sa grande surprise.

En retournant rue du Dragon, plein d'entrain, décidé à emmener dîner la propriétaire de la boutique de cartes postales et son petit ami, il se sentait plus jeune de dix ans. Après tout ce qui s'était passé, cette invitation était le moins qu'il puisse faire. Et il nota avec étonnement qu'il se réjouissait vraiment de cette perspective.

Il avait un bon pressentiment concernant cette Rosalie Laurent. Et il était également libéré de ses douleurs au dos.

Voilà sans doute ce qu'on appelait faire d'une pierre deux coups.

Ce soir-là, Rosalie avait du mal à s'endormir. Trop d'excitation ! À côté d'elle, René ronflait doucement, comme un bienheureux. Après une soirée bien arrosée (deux bouteilles de vin rouge) autour d'un excellent coq au vin et d'une des crèmes brûlées les plus riches en calories qu'il ait avalée depuis longtemps, il s'était laissé tomber sur le lit telle une pierre. Derrière la porte de la cuisine, épuisé par tant d'émotions, William Morris, qui n'avait plus quitté le dessous du comptoir du reste de la journée, considérant avec méfiance le présentoir à cartes postales, était couché. De temps à autre, ses pattes tressaillaient.

Rosalie fixait le plafond de la chambre en souriant.

Avant que la fatigue ait finalement raison d'elle, elle sortit son carnet de notes bleu de sous son lit et y inscrivit quelques lignes.

Le pire moment de la journée :
Un vieil homme désagréable entre dans le magasin alors que c'est mon jour de congé, et renverse le présentoir à cartes postales.

Le plus beau moment de la journée :
Ce vieil homme désagréable, c'est MAX MARCHAIS ! Et moi, Rosalie Laurent, je vais illustrer son nouveau livre !

Quelques jours plus tard, par une matinée d'avril printanière, l'histoire du tigre bleu entrait dans la vie de Rosalie Laurent, la changeant à jamais. Au bout du compte, la vie de chacun a une histoire pour clé de voûte – même si rares sont les personnes qui s'en aperçoivent sur le moment.

Ce matin-là, lorsque Rosalie ouvrit la porte de sa boutique et regarda en l'air, comme à son habitude, un ciel de porcelaine s'étendait au-dessus de la rue du Dragon, un ciel tendre et frais comme on n'en voit à Paris qu'après une averse d'avril. La chaussée était encore mouillée, deux petits oiseaux se disputaient un morceau de pain sur le trottoir, quelqu'un relevait un volet roulant en face, les odeurs du matin chatouillaient le nez de Rosalie et, soudain, la jeune femme eut le sentiment que ce serait une de ces journées qui voyaient naître quelque chose de neuf.

Depuis la visite mémorable de Max Marchais, elle attendait le courrier promis. Elle avait toujours peine à croire qu'elle était appelée à illustrer son nouveau livre. Elle espérait ne pas décevoir le célèbre auteur et son éditeur. Elle donnerait tout, quoi qu'il en soit. C'était LA chance à saisir. Elle imaginait la mention imprimée : *Illustré par Rosalie Laurent*, et sentait déjà une fierté irrépressible monter en elle. Sa mère allait ouvrir des yeux comme des soucoupes. Et tante Paulette… Ah, pauvre tante Paulette ! Quel dommage qu'elle ne puisse plus voir !

Personne n'était encore au courant de la tâche qu'on lui avait confiée. Personne à part René, bien entendu.

— Cool, avait-il commenté. Tu vas connaître la célébrité.

Voilà un trait de caractère qu'elle appréciait chez René. Il se réjouissait avec elle de ses réussites, et il n'aurait jamais été jaloux. Ce n'était pas le genre à se comparer aux autres, ce qui constituait sans doute – avec son intense activité sportive – le secret véritable de sa pondération, même s'il n'y réfléchissait sûrement pas en ces termes.

Rosalie entra dans le hall de l'immeuble et son cœur fit gaiement un bond dans sa poitrine. Avant même de s'approcher, elle avait découvert la grande enveloppe blanche dont une moitié dépassait de la boîte, et su aussitôt qu'il s'agissait du manuscrit.

Il y avait des jours si parfaits que même la boîte aux lettres n'avait à offrir que de belles choses !

Rosalie pressa le courrier contre sa poitrine. Brûlant d'envie de lire l'histoire, elle retourna dans son magasin d'un pas rapide. Seulement, ce samedi-là, le beau temps avait attiré les gens dehors de bon matin, et avant même que Rosalie puisse ouvrir l'enveloppe, une jeune femme pénétra dans la boutique ; elle voulait offrir un stylo à son filleul et se fit longuement conseiller, avant de quitter les lieux avec un Waterman marbré vert foncé.

La papeterie ne désemplit pas de la journée. Les clients entraient et sortaient, achetaient cartes postales et papier cadeau, marque-pages et boîtes à musique miniatures, ou chocolats porteurs de citations poétiques. Certains passèrent commande de cartes de vœux. Le carillon argenté fixé au-dessus de la porte d'entrée ne cessait de sonner, et Rosalie dut réfréner son impatience jusqu'au départ du dernier client, le plus jeune de tous : un garçon de dix ans, crinière rousse et taches de rousseur, qui voulait offrir un presse-papiers à sa mère pour son anniversaire et ne parvenait pas à se décider.

— Est-ce que je prends le cœur de roses ? Le trèfle ? Ou alors le voilier ? demandait-il encore et encore, les yeux posés avec envie sur le modèle au trois-mâts. Qu'est-ce que vous en pensez, ça plairait à maman, un bateau ? Il est génial, non ?

Rosalie ne put réprimer un sourire lorsque, au dernier moment, il se décida pour le cœur de roses.

— Un bon choix, assura-t-elle. En matière de femmes, tu es sûr de ne pas te tromper avec des cœurs et des roses.

Le calme revint enfin dans le magasin. Rosalie ferma la porte à clé, abaissa les rideaux de fer et vida la caisse. Ensuite, elle prit l'enveloppe blanche, posée toute la journée sur le comptoir en bois tendre, et monta dans son petit royaume. Elle se rendit dans sa minuscule cuisine, mit la bouilloire à chauffer et prit sa tasse préférée dans l'étagère au-dessus de l'évier, un exemplaire unique de la collection « Oiseau bleu » produite par la faïencerie de Gien, chiné sur un marché aux puces.

Elle s'installa sur son grand lit qu'un large pan de tissu à motifs bleus et blancs et des oreillers assortis transformaient en canapé, le jour venu, alluma le lampadaire et but une gorgée de thé au citron.

L'enveloppe blanche attendait près d'elle, prometteuse. Rosalie l'ouvrit précautionneusement et en sortit le manuscrit, auquel était attachée une carte de visite couverte de quelques lignes tracées à la main.

Chère Mademoiselle Rosalie, ce fut un plaisir de faire votre connaissance. Je suis curieux de voir quelles idées le tigre bleu vous inspirera, et attends impatiemment vos propositions.
Bien à vous, Max Marchais
P.-S. : Saluez William Morris de ma part, j'espère qu'il s'est remis de sa frayeur.

Rosalie sourit. C'était gentil d'évoquer le chien. Et cette formule un peu surannée en introduction – ce *Mademoiselle Rosalie*. À la fois respectueuse et personnelle, trouvait-elle.

Elle retapa quelques coussins et s'y adossa, les feuilles du manuscrit sur les genoux.

Puis, enfin, elle se mit à lire.

Max Marchais

LE TIGRE BLEU

Le jour où Héloïse eut huit ans, il arriva une chose tout à fait étrange. Une chose à peine croyable et pourtant, c'est exactement ainsi qu'elle se passa.

Héloïse était une petite fille pleine de vie avec des cheveux blonds et des yeux verts, un drôle de nez couvert de taches de rousseur et une bouche un peu trop grande. Comme la plupart des petites filles, elle avait beaucoup d'imagination et inventait souvent des histoires riches en aventures.

Elle était persuadée que ses animaux en peluche discutaient en cachette, la nuit, et qu'il y avait des elfes dans les campanules du jardin, si minuscules que l'œil humain ne les distinguait pas. Elle était presque sûre qu'on pouvait voler sur un tapis à condition de connaître le mot magique, et que, quand on prenait un bain, il fallait faire attention à quitter la baignoire avant de tirer la bonde, pour que l'avide esprit des eaux ne puisse pas vous entraîner dans le tuyau.

Héloïse habitait avec ses parents et son petit chien Babou dans une jolie villa blanche au bord de Paris, tout près de l'immense, immense bois de Boulogne. Souvent le dimanche, Héloïse s'y rendait avec ses parents pour pique-niquer ou faire du bateau. Le parc de Bagatelle, un lieu enchanté abritant une magnifique roseraie, était son endroit préféré. Les parfums qui flottaient là-bas ! Héloïse prenait toujours de profondes inspirations quand ils allaient s'y promener.

Dans ce parc, il y avait aussi un château, du rose le plus tendre qu'on puisse s'imaginer. Le papa d'Héloïse lui avait raconté qu'un jeune comte l'avait fait bâtir pour sa reine, voilà bien longtemps, en seulement soixante-quatre jours.

Héloïse, qui aurait beaucoup aimé être une princesse, avait trouvé cela très impressionnant.

— Quand je serai grande, je me marierai avec un homme qui me construira un château en soixante-quatre jours, lui aussi ! s'était-elle exclamée.

Son père avait ri, ajoutant que, dans ce cas, ce serait une bonne idée d'épouser un architecte.

Héloïse ne connaissait aucun architecte mais elle connaissait Maurice, un petit garçon qui vivait avec sa mère au bout de la rue, dans une petite maison entourée d'un jardin à l'abandon, où poussaient de nombreux pommiers.

Un jour, alors qu'Héloïse longeait la rue en sautillant, elle était passée devant Maurice.

— Tu veux une pomme ? avait-il demandé en lui tendant une grosse pomme rouge par-dessus la clôture avec un sourire timide.

Héloïse avait pris le fruit et croqué dedans, puis elle l'avait rendu au petit garçon aux cheveux blonds ébouriffés, pour qu'il puisse également en prendre un morceau.

Depuis ce jour, ils étaient amis et plus encore : Maurice avait juré à Héloïse que, plus tard, il lui bâtirait un château comme celui du parc de Bagatelle, pas de problème ! Il s'était même procuré en cachette quelques briques sur un chantier et les avait cachées dans un coin du jardin, car Maurice, comme on pouvait se l'imaginer, était amoureux de la petite fille aux cheveux d'or qui savait raconter des histoires merveilleuses et aimait tant rire. Si Héloïse avait voulu la lune pour en faire une lampe de chevet, Maurice serait sûrement devenu astronaute pour la lui décrocher du ciel.

Le matin de son huitième anniversaire, donc, Héloïse partit en excursion avec sa classe dans le bois de Boulogne. Comme c'était une journée spéciale pour elle, elle avait eu le droit de choisir leur destination précise et elle avait naturellement voulu se rendre au parc de Bagatelle. Il faisait chaud sous le soleil et l'institutrice, Mme Bélanger, avait demandé aux enfants d'emporter leurs boîtes de couleurs et leurs blocs à dessin. Et tandis que Mme Bélanger s'installait à l'ombre d'un arbre avec un livre de biologie, les enfants, assis sur des couvertures ou dans l'herbe, se mirent à peindre avec application des oiseaux, des buissons de rosiers, le château ou un des superbes paons qui traversaient la pelouse en se pavanant, comme si tout le parc leur appartenait. Héloïse avait du mal à décider de ce qu'elle allait peindre.

Aussi, pendant que les pinceaux des autres se promenaient déjà sur leurs blocs, elle s'allongea sur sa couverture et contempla le ciel bleu, où flottait paisiblement
un épais nuage. Héloïse trouva qu'il avait l'allure d'un
gentil tigre se promenant dans les airs. Alors, elle se
rassit, sortit sa boîte de couleurs de son sac et plongea
son pinceau dans son petit pot d'eau.

Deux heures plus tard, Mme Bélanger tapait dans
ses mains, et chaque enfant montra son œuvre. Lorsque
vint le tour d'Héloïse, elle présenta fièrement un magnifique tigre indigo avec des rayures argentées et des yeux
bleu ciel. Elle s'était donné beaucoup de mal et trouvait
que c'était une des meilleures images qu'elle ait jamais
peintes.

Des enfants se poussèrent du coude et se mirent à
rire.

— Ha! ha! ha! Héloïse, qu'est-ce que tu as peint?
crièrent-ils. Ce n'est pas bleu, un tigre!

Héloïse devint aussi rouge qu'une tomate.

— Le mien, si.

— Un tigre, c'est jaune avec des rayures noires, tous
les enfants savent ça! assena Mathilde, qui était la première de la classe et devait s'y connaître.

— Oui, mais mon tigre est… un tigre des nuages, et
ceux-là sont toujours bleus avec des rayures argentées,
c'est comme ça, rétorqua Héloïse.

Sa lèvre inférieure commença à trembler. Comment
avait-elle pu oublier que les tigres étaient jaunes?!

Mme Bélanger sourit et haussa les sourcils.

— Eh bien, il y a des ours blancs et des ours bruns,
des rouges-gorges, des renards bleus et des léopards

des neiges. Mais je n'ai encore jamais entendu parler d'un tigre des nuages bleu.

— Mais…, protesta Héloïse avec embarras. Il doit sûrement y avoir des tigres bleus quelque part…

Les autres enfants se laissèrent tomber en arrière dans l'herbe, hilares.

— Oui, et des éléphants roses! Et des zèbres verts! Va au zoo, Héloïse! lancèrent-ils.

— Ça suffit, les rappela à l'ordre l'institutrice en levant la main. Même si les tigres bleus n'existent pas vraiment, je trouve que ce qu'Héloïse a peint est très joli.

En début d'après-midi, les invités arrivèrent chez elle pour le goûter d'anniversaire. Il y avait un gros gâteau au chocolat, de la glace à la framboise et de la limonade. Héloïse joua dans le jardin avec ses amis, à la course en sac, à cache-cache et à la balle au prisonnier. Ce n'est qu'après le dîner, alors qu'elle avait déjà dit bonne nuit à ses parents, qu'elle remarqua qu'elle avait laissé dans le parc le sac avec son matériel de peinture et le dessin du tigre bleu. C'était drôlement ennuyeux! Maman allait sûrement la gronder : la boîte d'aquarelle avec les vingt-quatre couleurs était toute neuve.

Héloïse réfléchit un moment, puis elle sortit par la fenêtre de sa chambre et s'esquiva en traversant le jardin, tandis que ses parents regardaient la télévision dans le salon.

Le soleil était déjà bien bas dans le ciel lorsqu'elle se retrouva à l'entrée du parc de Bagatelle, essoufflée. Elle poussa avec détermination la vieille grille qui, par chance, n'était pas fermée à clé, et grinça légèrement.

Elle passa au pas de course devant le château, les parterres de roses et les cascades qui s'écoulaient sur les rochers en clapotant, et rejoignit bientôt la pelouse où toute la classe avait peint, ce matin-là. Elle fouilla les lieux du regard, et… oui! Sous le vieil arbre où s'était installée l'institutrice, elle retrouva son sac en tissu rouge, et le bloc à dessin que quelqu'un avait appuyé contre le tronc.

Seulement, la peinture du tigre bleu avait disparu.

Quelqu'un l'avait-il prise?

Le vent l'avait-il emportée?

Héloïse plissa les yeux pour mieux voir et fit quelques pas en direction du pavillon qui s'élevait sur une butte.

Soudain, elle entendit comme un soupir qui paraissait venir de la grotte en pierre en contrebas, la grotte des Quatre-Vents. Tout le monde ignorait pourquoi on l'appelait ainsi, mais Héloïse, qui s'y était déjà cachée, était convaincue qu'il s'agissait d'un lieu magique.

Lorsqu'on se plaçait au milieu, en regardant la cascade qui se déversait dans un étang couvert de nénuphars, derrière la grotte, et qu'on chuchotait un souhait, les vents le transportaient dans toutes les directions et il se réalisait un jour.

Elle entendit encore le soupir, qui ressemblait plus à un grognement de douleur. Elle s'approcha prudemment de l'entrée de la grotte, que les derniers rayons du soleil déclinant plongeaient dans une lumière dorée.

— Ohé? lança-t-elle. Il y a quelqu'un?

Un bruissement, et voilà qu'il se dressait devant elle.

Un tigre bleu aux rayures argentées. Identique à celui qu'elle avait peint.

Héloïse écarquilla les yeux.

— Eh ben, dis donc! murmura-t-elle, tout de même un peu étonnée.

— Pourquoi me fixes-tu comme ça? gronda le tigre bleu.

Effrayée, Héloïse ne songea pas, dans un premier temps, qu'il était surprenant qu'un tigre parle.

— Serais-tu le tigre bleu? s'enquit-elle finalement, hésitante.

— Ça ne se voit pas? répliqua le tigre. Je suis un tigre des nuages.

Ses yeux d'un bleu vif lancèrent un regard effronté à Héloïse.

— Oh. J'aurais dû m'en douter tout de suite, risqua Héloïse. Est-ce que les tigres des nuages sont dangereux?

— Pas le moins du monde, répondit le tigre bleu avec un sourire en coin. Pas pour les enfants, en tout cas.

Héloïse eut un hochement de tête soulagé.

— Je peux te caresser? demanda-t-elle. C'est mon anniversaire aujourd'hui!

— Alors, tu as même le droit de monter sur moi, assura le tigre bleu. Mais il faut d'abord que tu m'aides. Il se trouve que je me suis bêtement enfoncé une épine dans la patte en marchant dans le parterre de roses, là-bas.

Il s'approcha un peu plus, et elle constata qu'il traînait la patte droite.

— Ouille, fit Héloïse qui avait déjà eu une écharde dans le pied. Je connais, ça fait mal. Laisse-moi regarder, tigre.

Dans la lueur faiblissante du soleil, le tigre tendit sa patte, et Héloïse, qui avait de très bons yeux, vit l'épine et la retira d'un seul coup.

Le tigre bleu poussa un rugissement de douleur et Héloïse bondit en arrière, apeurée.

— Excuse, déclara le tigre bleu avant de lécher sa blessure.

— Il faudrait te bander la patte, jugea Héloïse. Attends, on va prendre ça !

Elle sortit de son sac rouge un chiffon, blanc à l'exception de quelques taches de peinture, et le noua autour de la patte du tigre bleu.

— Désolée pour les taches, mais c'est mieux que rien.

— Les taches de couleur me plaisent énormément, confia le tigre bleu. Là d'où je viens, on dit que c'est la plus belle chose au monde. – Il considéra avec satisfaction le chiffon taché enroulé autour de sa patte. – Ça et les galets bleu ciel, bien entendu ; ceux qu'on ne trouve que dans le lac bleu, derrière les montagnes bleues. Ils sont très précieux parce qu'ils ne tombent du ciel que tous les deux ou trois ans. On dit chez nous que ces galets portent bonheur. Tu en as un ?

Héloïse secoua la tête, surprise. Elle n'avait encore jamais vu de galets tombés du ciel.

— D'où viens-tu ? l'interrogea-t-elle.

— Du pays bleu.

— C'est loin ?

— Oh oui, très loin. Si loin qu'il faut voler.

— En avion ? demanda Héloïse qui n'avait jamais volé de sa vie.

Le tigre leva les yeux au ciel.

— Pas en avion ! C'est bien trop bruyant et trop lent. Sans compter qu'il n'y a aucune piste d'atterrissage chez nous. Non, non, seule la rêverie permet de rejoindre le pays bleu.

— Aha, fit Héloïse, déconcertée.

Le soleil s'était couché, et dans le ciel qui s'assombrissait très vite, on voyait déjà la lune se lever, grosse et ronde.

— Alors ? On fait un tour ? lança le tigre bleu en indiquant de la tête son dos bleu rayé d'argent. Grimpe, Héloïse.

Héloïse ne s'étonna pas une seule seconde que le tigre bleu connaisse son prénom. Elle ne s'étonna pas non plus qu'il sache voler. C'était un tigre des nuages, après tout. Elle monta sur son dos, passa les deux bras autour de son cou et enfouit son visage dans sa douce fourrure, qui brillait d'un éclat argenté à la lueur de la lune.

Ensuite, ils s'envolèrent.

Bientôt, la grotte des Quatre-Vents, le pavillon, le château, les cascades clapotantes et les parterres de roses parfumées se retrouvèrent loin derrière eux. Ils traversèrent le sombre bois de Boulogne et virent au loin Paris, ses milliers et ses milliers de lumières, l'arc de Triomphe qui se dressait majestueusement au milieu des rues en étoile et la tour Eiffel qui, élancée et scintillante dans le ciel noir, veillait sur la ville.

Jamais encore Héloïse n'avait vu Paris d'en haut. Elle ignorait que sa ville était si belle.

— C'est génial ! s'écria-t-elle. Tout est tellement différent quand on le voit d'en haut, tu ne trouves pas, tigre ?

— C'est d'en haut ou de loin qu'on voit le mieux. Il est bon, de temps en temps, de considérer les choses dans leur ensemble, assura le tigre bleu. Ce n'est que dans ces moments-là qu'on s'aperçoit que tout s'assemble parfaitement bien.

Héloïse se colla plus étroitement à sa douce fourrure tandis qu'ils se rapprochaient à nouveau du bois de Boulogne. L'air était chaud, estival, et ses cheveux dorés flottaient au vent. En bas, sur la Seine qui serpentait à travers Paris comme un ruban de velours foncé, les Bateaux-Mouches aux lampions multicolores glissaient, et si quelqu'un à bord avait levé les yeux, il aurait vu un nuage indigo tout en longueur, comme un tigre volant ourlé d'or chatoyant, et aurait peut-être trouvé cela étonnant. D'un autre côté, peut-être aurait-il cru que c'était la queue d'une étoile filante qui jetait un éclair de lumière dans le ciel, et il aurait fait un vœu.

— Je suis tellement contente que tu existes vraiment ! cria Héloïse à l'oreille du tigre, alors qu'ils survolaient le parc de Bagatelle et que le parfum des roses chatouillait son nez couvert de taches de rousseur. Tout le monde s'est moqué de moi, à l'école.

— Et moi, je suis content que tu existes, Héloïse, répondit le tigre bleu. Parce que tu es une petite fille très spéciale.

— On ne va jamais me croire, confia Héloïse au tigre bleu après qu'il eut atterri, posant en douceur ses quatre pattes dans son jardin.

— Et alors ? répliqua-t-il. Ce n'était pas beau ?

— Extraordinairement beau, confirma Héloïse avant de secouer la tête, un peu triste. Mais personne ne croira que j'ai rencontré un tigre des nuages.

— Ce n'est pas grave, insista le tigre bleu. Le principal, c'est que tu y croies, toi. C'est toujours le principal.

Il bondit souplement et se posta sous la fenêtre par laquelle Héloïse était sortie pour aller chercher son matériel de peinture et son dessin.

Il lui semblait que cela faisait une éternité, pourtant, elle ne devait pas être partie depuis trop longtemps car, à travers la porte-fenêtre du salon, elle voyait ses parents qui regardaient toujours leur émission de télévision. Personne n'avait remarqué qu'elle était sortie. À part Babou, peut-être, qui remuait la queue derrière la grande baie vitrée et aboyait avec excitation.

— Tu peux grimper sur mon dos si tu veux, tu rentreras plus facilement dans ta chambre, proposa le tigre bleu.

Héloïse hésita.

— Je vais te revoir?

— N'y compte pas. On ne rencontre un tigre des nuages qu'une fois dans sa vie, expliqua le tigre bleu.

— Oh, fit Héloïse.

— Ce n'est pas la peine d'être triste. Quand je te manquerai, tu n'auras qu'à t'allonger dans l'herbe et attendre qu'un nuage en forme de tigre passe dans le ciel. Ce sera moi. Et maintenant, vas-y.

Héloïse enroula une dernière fois les bras autour du cou du tigre.

— Ne m'oublie pas.

Le tigre souleva sa patte bandée.

— Comment veux-tu que je t'oublie? J'ai ton chiffon aux taches de couleur, maintenant.

Héloïse resta encore un moment à sa fenêtre et suivit du regard le tigre bleu qui traversa le jardin en quelques bonds. Il sauta par-dessus la haie, survola la cime des arbres dont les feuilles frémirent, passa devant le disque clair de la lune avant de disparaître dans le ciel d'un noir profond.

— Je ne t'oublierai pas non plus, tigre, dit-elle à voix basse. Jamais !

Le lendemain matin, lorsque Héloïse se réveilla, il faisait déjà clair dans sa chambre, le soleil entrait par la fenêtre grande ouverte. Ses vêtements et son matériel de peinture traînaient sur le sol.

— Bonjour, Héloïse, dit sa mère, qui trébucha sur son sac rouge. Rien ne t'oblige à toujours tout jeter par terre.

— D'accord, maman, mais c'est différent cette fois, annonça Héloïse en se redressant dans son lit, excitée. Je suis retournée dans le parc hier soir parce que j'avais oublié mes affaires de peinture, mon sac était toujours là mais mon dessin avait disparu, après j'ai rencontré un tigre bleu dans la grotte des Quatre-Vents, il était exactement comme celui que j'avais peint, bleu avec des rayures argentées, et il savait parler, maman, parce que c'était un tigre des nuages, mais il s'était blessé aux buissons de rosiers et j'ai bandé sa patte, et après j'ai pu monter sur son dos et on a survolé Paris, et…

Là, Héloïse dut malheureusement reprendre son souffle.

— Eh bien, eh bien, sourit sa mère en caressant ses cheveux. Tu as fait un rêve drôlement mouvementé. C'est sûrement à cause de tout le gâteau au chocolat que tu as mangé hier.

— Mais non, maman, ce n'était pas un rêve, la contredit Héloïse en bondissant en bas de son lit. Le tigre bleu était dans notre jardin. Là, devant ma fenêtre, avant de repartir en volant.

Elle s'approcha de l'ouverture et se pencha au-dehors pour regarder le jardin, paisible… comme chaque matin.

— C'était un tigre des nuages, insista-t-elle.

— Un tigre des nuages… Bon, bon, répéta sa mère avec amusement. Eh bien, je suis heureuse qu'il ne t'ait pas dévorée. Et maintenant, habille-toi, papa ne va pas tarder à t'emmener à l'école.

Héloïse s'apprêtait à expliquer que les tigres des nuages étaient complètement inoffensifs pour les enfants, mais sa mère quittait déjà la pièce en s'adressant à son père.

— La petite a vraiment une sacrée imagination, Bernard !

Héloïse fronça les sourcils et réfléchit intensément. Se pouvait-il qu'elle ait juste rêvé ? Pensive, elle enfila sa robe et fixa le sac rouge en tissu toujours par terre, devant son lit. Elle le ramassa et regarda dedans.

Il y avait là une boîte d'aquarelle, quelques pinceaux, un bloc à dessin aux pages vierges. Un paquet de biscuits entamé. Il manquait le chiffon blanc avec les taches de peinture. Alors, Héloïse découvrit un objet qui luisait, tout au fond.

Un galet rond et plat, bleu ciel !

— Héloïse, tu viens ? cria sa mère.

— J'arrive, maman !

Héloïse referma ses doigts autour du caillou lisse, et sourit. Les adultes ne savaient pas tout !

Après l'école, elle irait chez son ami Maurice, lui raconterait l'histoire du tigre bleu. Et elle était persuadée qu'il la croirait.

Longtemps après avoir lu la dernière phrase, Rosalie demeura sur son lit, laissant la magie de l'histoire agir. Tandis qu'elle lisait, elle avait tout vu si nettement qu'elle regardait à présent la pièce autour d'elle, un peu étonnée. Héloïse et ses cheveux couleur d'or. Une pomme tendue par-dessus la clôture, le bois aux vieux arbres et le château dans le parc de Bagatelle, du rose le plus tendre qu'on puisse s'imaginer. Le tigre des nuages dans la grotte des Quatre-Vents. Le pays bleu, auquel on n'accédait que par la rêverie. Le survol de Paris en pleine nuit. La chevelure de la petite fille, volant au vent. La promesse de ne pas oublier. Les galets bleus. Le chiffon avec les taches de peinture.

Des images commencèrent à se former dans sa tête, des couleurs se fondirent entre elles, or et indigo, rose et argent, tant et si bien qu'elle eut envie de prendre ses crayons et ses pinceaux sans plus attendre, et de se mettre à dessiner.

Derrière la fenêtre donnant sur la rue, le ciel avait imperceptiblement viré au bleu nuit. Rosalie resta assise encore longtemps, à fixer l'obscurité et à ressentir la profonde vérité servant de socle à l'histoire, mais aussi, malgré ses côtés comiques, cette nostalgie, cette tristesse même, qui l'émouvait de façon inexplicable. Brusquement, elle ne put s'empêcher de penser à son père et à tout ce qu'il lui avait transmis.

— Oui, fit-elle à voix basse, les taches de couleur sont la plus belle chose au monde. Comme la rêverie, qu'on ne doit jamais abandonner. Et la foi en ses souhaits.

Paris l'avait accueilli avec une pluie torrentielle.

Presque comme à l'époque, lors de sa première visite. Adolescent dégingandé aux cheveux blonds mi-longs, il venait d'avoir douze ans ; il avait grandi d'un coup et ses longues jambes flottaient dans l'incontournable jean. Sa mère lui avait offert le voyage pour son anniversaire.

— Qu'est-ce que tu en dis, Robert ? Une semaine à Paris, juste toi et moi, tu ne trouves pas ça magnifique ? Paris est un endroit fantastique. Ça va te plaire, tu verras.

Six mois s'étaient écoulés depuis la mort de son père, l'avocat Paul Sherman du fameux cabinet new-yorkais Sherman & Sons, et il ne trouvait plus rien *magnifique*. Malgré tout, à l'approche de Paris, une étrange excitation avait envahi Robert. Toute sa famille vivait alors à Mount Kisco, une petite ville calme à une bonne heure au nord de New York. Mais sa mère, dont la propre mère était originaire de France, lui parlait parfois de Paris où, jeune femme, elle avait passé un été grâce à ses parents. Elle connaissait très bien la langue de Molière et avait tenu à ce que son fils l'apprenne.

Dans le taxi, tandis qu'ils traversaient la ville à la nuit tombée et que la pluie tambourinait sur le toit de la voiture, il s'était penché pour apercevoir, à travers les vitres couvertes de filets d'eau, la tour Eiffel illuminée, le Louvre, les lampadaires aux lanternes rondes sur un pont somptueux dont il avait aussitôt oublié le nom et les larges boulevards ourlés d'arbres sombres. De petites lampes étaient accrochées aux branches noueuses, sans feuilles, qui s'étiraient vers le ciel.

La pluie brouillait les contours des hauts immeubles en pierre aux balcons ouvragés et les pavés humides reflétaient la lumière des cafés aux devantures éclairées. L'espace d'un court moment, Robert avait eu la sensation d'évoluer dans une ville d'or.

Puis les voies étaient devenues de plus en plus étroites et cahoteuses, jusqu'à ce que le taxi s'arrête devant un petit hôtel. En descendant, Robert avait marché dans une grosse flaque qui avait aussitôt trempé ses chaussures de sport.

Étrange, les détails dont on se souvenait parfois. Des choses qui n'avaient pas la moindre importance, au fond. On les conservait malgré tout dans un coin de sa tête, et ils réapparaissaient subrepticement des années ou des décennies plus tard.

Lors de son premier voyage, ils avaient dû arriver à Paris au début du mois de novembre. Un vent froid balayait les rues et les parcs, et il se rappelait surtout qu'il avait beaucoup plu. Ils avaient été mouillés à plusieurs reprises et s'étaient réfugiés dans un des nombreux bistrots aux drôles d'auvents pour se réchauffer avec un café au lait.

C'était la première fois qu'il buvait un vrai café, et soudain, il s'était senti très grand et adulte, presque un homme.

Il se souvenait bien, aussi, de la femme noire au sourire immense, la tête enveloppée dans un foulard très coloré, imprimé de perroquets, qui avait apporté chaque matin le petit déjeuner dans leur chambre, parce qu'il était parfaitement normal, dans les hôtels français, de prendre ce repas au lit. Il n'avait pas oublié non plus l'assiette de fromages qu'il avait commandée au café de Flore (« Le café des poètes », lui avait expliqué sa mère). Les morceaux de fromage, dont il ne connaissait pas une seule sorte, étaient disposés en cercle du plus doux au plus fort, ce qui l'avait impressionné. Ce soir-là, ils s'étaient rendus dans un jazz club de Saint-Germain à l'éclairage tamisé, où ils avaient dîné et où il avait dégusté la première crème brûlée de sa vie. Elle avait une croûte caramélisée qui s'était brisée dans sa bouche avec un léger *crac*. Il se rappelait Mona Lisa, devant laquelle se pressaient des gens dont les manteaux sentaient la pluie, une promenade en bateau sur la Seine qui les avait conduits à Notre-Dame et le Zippo portant l'inscription *Paris* en lettres cursives, qu'il avait acheté en haut de la tour Eiffel après l'avoir gravie avec sa mère.

— Il faudrait qu'on revienne quand il fait meilleur, avait déclaré cette dernière, alors qu'ils se trouvaient au sommet et que le vent soufflait sur leurs visages. Quand tu auras fini tes études, on trinquera ici au champagne. – Elle avait ri. – J'ai peur de ne plus pouvoir monter à pied, ce jour-là. Heureusement, il y a un ascenseur.

Plus tard, pour une raison quelconque, ils avaient perdu ce projet de vue, comme on perd de vue, avec le temps, les projets spontanés. Et un jour, il avait été trop tard.

En cet après-midi, ils s'étaient promenés dans un vaste parc, il ne savait plus s'il s'agissait du jardin du Luxembourg ou des Tuileries, mais il se souvenait encore avec précision du monument commémoratif sur lequel il avait grimpé. Des lettres dorées indiquaient *À Paul Cézanne*. Cela lui avait soudain évoqué l'inscription sur la pierre tombale de son père dans le cimetière de Mount Kisco, et il lui avait semblé que ce dernier se trouvait avec eux. La photo prise par sa mère, où l'on voyait un adolescent blond avec écharpe et bonnet, un briquet à la main, rire devant la statue de bronze, avait trôné dans la cuisine familiale jusqu'à la mort de celle-ci. Quand il avait dû vider la maison, il l'avait décrochée et avait pleuré.

Il se rappelait aussi précisément le moment où ils avaient acheté, dans une boulangerie, ces énormes meringues qui avaient le goût du sucre, de l'air et des amandes ; leurs manteaux avaient été recouverts d'une poussière rose et sa mère avait éclaté de rire avec entrain. Ses yeux avaient retrouvé leur éclat, pour la première fois depuis longtemps. Mais ensuite, il ignorait pourquoi, l'excitation joyeuse avait cédé la place à une tristesse subite qu'elle avait tenté de dissimuler et qu'il avait sentie malgré tout.

Le dernier jour, ils s'étaient rendus à l'Orangerie et tenus, main dans la main, devant les *Nymphéas* de Monet. Lorsqu'il lui avait demandé, inquiet, si tout allait bien, elle avait simplement hoché la tête et souri, mais sa main avait serré la sienne plus fort.

Robert n'avait pu s'empêcher de penser à tout cela en arrivant à Paris, ce matin-là. Vingt-six ans s'étaient écoulés depuis sa dernière visite. Il avait toujours le Zippo. Seulement, cette fois, il était seul. Et il cherchait une réponse.

Sa mère était morte quelques mois plus tôt. Sa petite amie lui avait posé un ultimatum. Il lui fallait aiguiller sa vie et il s'interrogeait sur le chemin à choisir. Il devait prendre une décision. Brusquement, il avait eu le sentiment qu'il pourrait s'avérer profitable de mettre le plus de kilomètres possible entre New York et lui, de se rendre à Paris pour y réfléchir tranquillement.

Rachel était sortie de ses gonds en l'apprenant. Elle avait secoué sa chevelure acajou et croisé les bras devant sa poitrine. Son corps raidi était l'incarnation du reproche, son petit nez pointu l'accusait.

— Je ne te comprends pas, Robert, avait-elle annoncé. Je ne te comprends *vraiment* pas. On t'offre la chance incroyable de devenir une pointure du barreau chez Sherman & Sons, et au lieu de ça, tu veux accepter ce boulot universitaire minable et sous-payé, un CDD pour enseigner la *littérature*?!

Elle avait craché le mot comme s'il s'agissait d'un cafard.

Le « boulot universitaire minable » était tout de même une chaire de professeur invité à la Sorbonne, mais il pouvait comprendre un peu sa déception.

En tant que fils de Paul Sherman, un homme qui avait été un ardent avocat (comme son père et son grand-père avant lui), le parcours juridique paraissait tout tracé pour lui. Pourtant, pour être honnête, pendant ses études de droit déjà, le désagréable sentiment d'être dans le mauvais train l'avait envahi quand il se rendait le matin à Manhattan. C'est ainsi qu'au grand étonnement de toute sa famille, rien n'avait pu le dissuader de se lancer dans un second cycle, un Bachelor of Arts.

— Si ça peut contribuer à ton bien-être, avait commenté sa mère, qui ne partageait pas sa passion dévorante pour les livres mais possédait assez d'imagination pour comprendre qu'on puisse s'enthousiasmer pour ce domaine.

De son côté, elle adorait les musées. Quand Robert était encore petit, sa mère allait au musée aussi naturellement que d'autres sortaient se promener – et pour les mêmes raisons. Quand elle était de bonne humeur, elle disait à son fils : « Quelle magnifique journée ! Et si on allait au musée ? » Quand elle était triste, qu'elle devait réfléchir ou qu'il s'était passé un événement grave, elle prenait son enfant par la main, s'asseyait avec lui dans le train pour New York et ils parcouraient le Guggenheim, le Metropolitan Museum of Modern Art ou la Frick Collection.

Après la mort de son père, sa mère, rongée par le chagrin, avait passé d'innombrables heures au MoMA.

Jeune homme, Robert avait souvent été en proie aux tiraillements. D'un côté, il ne voulait pas décevoir son père qui, s'il vivait encore, aurait sûrement souhaité que son fils unique poursuive la tradition de Sherman & Sons et devienne un bon avocat. D'un autre côté, il sentait de plus en plus distinctement que son cœur vibrait pour autre chose.

Lorsqu'il avait finalement décidé de quitter Sherman & Sons et de travailler à l'université comme maître de conférences en littérature anglaise, tous avaient pensé que c'était temporaire.

Son oncle Jonathan (également avocat, bien entendu !) avait continué à diriger seul le cabinet après la mort de son frère. Il avait tapoté l'épaule de Robert, la mine déçue :

— C'est trop bête, mon garçon, trop bête ! Tu as le droit dans le sang. *Tous* les Sherman sont avocats ou l'ont été. Enfin, j'espère qu'après ton incursion dans le monde des doux rêveurs, tu retrouveras le chemin du business familial.

Les espoirs de l'oncle avaient été déçus. Robert avait rapidement fait sa place à l'université et s'y sentait très bien, même s'il gagnait nettement moins. Il s'était spécialisé dans le théâtre élisabéthain, rédigeait des essais sur *Le Songe d'une nuit d'été* et les sonnets de Shakespeare, et donnait des conférences qui jouissaient d'une certaine considération même au-delà de New York.

Sur un banc de Central Park, sous la sculpture en bronze à la mémoire de Hans Christian Andersen, il avait un jour fait la connaissance de Rachel, une ambitieuse jeune femme diplômée en gestion d'entreprise, aux séduisants yeux verts, qui avait été très impressionnée de découvrir que le sympathique garçon, capable de se lancer dans des récits passionnants et de réciter des poèmes, était un Sherman de Sherman & Sons. Bientôt, ils emménageaient à Soho, dans un appartement minuscule au loyer exorbitant.

— Tu aurais mieux fait de ne pas quitter le cabinet, disait parfois Rachel.

À l'époque, c'était encore une plaisanterie.

Puis, quelques années plus tard – par une journée ensoleillée, au début du mois de mars, alors que l'univers présentait un visage d'une beauté illusoire –, la catastrophe s'était abattue sur le maître de conférences aux yeux bleu ciel. Alors qu'il furetait comme souvent chez McNally Jackson – écumer la librairie était une de ses occupations préférées, le samedi matin – et s'apprêtait à s'installer à une des petites tables du coin café avec quelques ouvrages fraîchement acquis et un cappuccino (le cappuccino chez McNally Jackson était aussi excellent que le choix des livres), son portable avait sonné.

C'était sa mère. Elle paraissait nerveuse.

— Mon chéri, je suis au MoMA, avait-elle déclaré d'une voix tremblante.

Robert avait senti que cela ne présageait rien de bon.

— Qu'est-ce qu'il y a, maman ?

Elle avait pris une profonde inspiration et poussé un lourd soupir avant de répondre.

— Il faut que je te dise quelque chose, mon trésor, mais promets-moi de ne pas te mettre dans tous tes états. Je vais mourir. Bientôt.

Elle avait condensé la terrible vérité en quatre mots, qui l'avaient percuté comme autant de balles. Elle souffrait d'un cancer du pancréas avancé. Foudroyant. Il n'y avait plus rien à faire. Sa mère jugeait que c'était peut-être mieux. Pas d'opération, pas de chimio. Pas toute cette torture insensée qui n'empêchait pas la fin inévitable mais ne faisait que la repousser.

De la morphine bien dosée et un médecin très compréhensif avaient adouci sa fin de vie. Tout était allé à une vitesse inimaginable.

Trois mois plus tard, sa mère mourait. Elle qui avait toujours été angoissée par la mort s'était montrée très calme, dans ses derniers jours – d'un détachement presque enjoué qui avait troublé Robert.

— Tout va bien, mon garçon, avait-elle assuré en prenant sa main et en la pressant. Ne sois pas malheureux comme ça. Je me rends dans un pays si lointain que même les avions n'y vont pas. – Elle lui avait adressé un clin d'œil et la gorge de Robert s'était serrée. – Mais tu sais que je serai toujours à tes côtés. Je t'aime fort, mon petit.

— Moi aussi, maman, avait-il répondu à voix basse.

Comme du temps où, après l'histoire du soir, elle se penchait au-dessus de son lit, lui disait bonne nuit et l'embrassait. Les larmes s'étaient alors mises à couler sur les joues de Robert.

— C'est dommage, on ne remontera pas sur la tour Eiffel, avait-elle ensuite murmuré, et son sourire l'avait effleuré comme le battement d'ailes d'une colombe. Tu te rappelles ? On avait encore rendez-vous à Paris, tous les deux.

— Ah, maman, avait-il lâché, et il avait souri lui aussi, même si le nœud dans sa gorge grossissait. Au diable Paris !

Elle avait remué la tête de gauche à droite, presque imperceptiblement.

— Non, non, mon garçon, crois-moi : Paris est toujours une bonne idée.

Le soleil brillait le jour de son enterrement. Beaucoup de gens étaient venus. Sa mère était une personne agréable, très appréciée. Elle avait pour plus beau trait de caractère d'avoir conservé une joie et un enthousiasme d'enfant. Il l'avait évoqué dans son discours funèbre. Vraiment, Robert ne connaissait personne qui soit capable de se réjouir comme elle.

Elle était décédée à l'âge de soixante-trois ans. Beaucoup trop tôt, répétaient proches et amis présents aux funérailles qui lui avaient serré la main, bouleversés, et tapoté l'épaule. Mais Robert trouvait que, quand on aimait quelqu'un, la mort venait toujours trop tôt.

Après que le notaire lui eut remis une épaisse enveloppe contenant les dernières dispositions, des papiers importants, quelques lettres personnelles et toutes les choses que sa mère jugeait essentielles, Robert avait traversé une dernière fois les pièces vides de la maison de bois blanc à la grande véranda. Cette maison qui était toute son enfance.

Il était resté longtemps planté devant l'aquarelle aux tournesols que sa mère aimait tant. Il s'était rendu dans le jardin et avait posé sa main contre le tronc rugueux du vieil érable, dans lequel était toujours accroché le nichoir pour oiseaux que son père avait jadis fabriqué. Cet automne-là encore, ses feuilles revêtiraient des teintes magnifiques. C'était étrange et réconfortant à la fois. Il resterait toujours quelque chose.

Une nouvelle fois, Robert avait fixé la cime de l'arbre, à travers laquelle transparaissait un ciel printanier, bleu clair. Il regardait en l'air et pensait à ses parents.

Ensuite, il avait définitivement pris congé. De Mount Kisco. Et de son enfance.

Ce brusque décès avait fait entrer en lice oncle Jonathan, qui commençait à craindre pour l'avenir de Sherman & Sons. À soixante-treize ans, lui-même n'était plus tout jeune, les choses pouvaient aller très vite, impossible de tenir quoi que ce soit pour acquis.

Il avait laissé passer quelques semaines, accordant à Robert un délai pour pleurer sa mère, régler le nécessaire et retrouver le chemin du quotidien. Puis, au mois d'août, il avait invité son neveu pour lui parler sérieusement. Malheureusement, Rachel participait aussi à ce repas.

— Il est plus que temps que tu réintègres le cabinet, Robert, avait commencé oncle Jonathan. Tu es un bon avocat et il faut que tu aies un minimum de respect de la dynastie. J'ignore si je vais pouvoir diriger Sherman & Sons pendant longtemps encore, et j'aimerais te confier sa destinée. On a besoin de toi. Plus que jamais.

Rachel avait hoché la tête, l'air approbateur. Visiblement, elle trouvait très convaincant chacun des mots de l'oncle.

Après s'être agité dans son fauteuil, mal à l'aise, Robert avait sorti une enveloppe de la poche de sa veste, hésitant.

— Vous savez ce que c'est ? avait-il demandé.

La vie est ainsi ficelée que les événements arrivent toujours tout d'un coup, si bien que cette lettre se trouvait dans son courrier, ce matin-là. Et elle renfermait une demande de la Sorbonne.

— Ce n'est qu'une chaire de professeur invité et sa durée est limitée à un an, mais c'est ce que j'ai toujours voulu faire. Je pourrais commencer à donner cours dès janvier, avait-il expliqué avec un sourire gêné, tandis qu'un silence très désagréable s'installait dans la pièce. Tu vois, je ne suis pas un juriste dans l'âme comme Dad, oncle Jonathan, même si tu aimerais bien ça. Je suis un littéraire…

— Mais personne ne veut te priver de tes chers bouquins, mon garçon. C'est certainement un beau hobby, mais rien ne t'empêche de lire un bon livre le soir. C'est ce que faisait ton père. *Après* le travail, avait précisé oncle Jonathan.

Il avait secoué la tête avec un air d'incompréhension lorsque Robert avait réclamé un temps de réflexion.

Ce n'était rien, cependant, comparé aux reproches ulcérés que Rachel lui avait faits ensuite, chez eux.

— Tu ne penses qu'à toi ! lui avait-elle assené, furieuse. Et moi ? Et nous ? Quand comptes-tu devenir adulte, à la fin, Robert ? Pourquoi faut-il que tu foutes tout en l'air à cause de quelques poèmes ?

— Mais… c'est mon métier, avait-il objecté.

— Oh, ton métier, ton métier… Drôle de métier. Tout le monde sait qu'on ne fait pas fortune en étant universitaire. Il ne manquerait plus que tu veuilles écrire des romans !

Tandis qu'elle s'emportait, il s'était surpris à penser que ce ne serait pas une mauvaise idée d'écrire, effectivement. Tous ceux qui gravitaient dans le monde de la littérature y songeaient, au moins une fois. Mais tous ne succombaient pas à la tentation, ce qui valait peut-être mieux.

— Vraiment, Robert, je commence à douter de ton bon sens. Paris ? Tu n'es pas sérieux ! Qu'est-ce que tu veux aller faire dans un pays où les gens, aujourd'hui encore, mangent les jambes des *grenouilles* ?

Elle avait grimacé comme si elle venait de croiser un cannibale en chair et en os.

— Ce sont des cuisses de grenouille, Rachel, pas des jambes !

— Peu importe. J'imagine que, dans ce pays politiquement très incorrect, on n'a jamais entendu parler de la protection des animaux.

— Rachel, il est question d'une année, avait-il protesté sans relever son argument ridicule.

— Non, avait-elle objecté en secouant la tête. Il est question de plus que ça, et tu le sais parfaitement.

Elle s'était approchée de la fenêtre, avant de reprendre plus calmement :

— Robert, regarde dehors. Regarde cette ville. Tu es à *New York*, mon cher, le *nombril* du monde. Qu'est-ce que tu comptes faire à Paris ? Tu ne connais même pas cet endroit.

Il avait pensé à la semaine qu'il y avait passée avec sa mère.

— Tu le connais encore moins, avait-il répliqué.

— Ce que j'ai entendu dire me suffit amplement.

— Et qu'est-ce que tu as entendu dire ?

Rachel avait fait une grimace.

— Eh bien, comme tout le monde ! En France, les hommes se prennent pour les plus grands séducteurs de tous les temps. Les femmes sont de vraies chipies qui se nourrissent de feuilles de salade et sont hyper compliquées. Ils torturent les oies. Sans oublier qu'ils restent au lit jusqu'à midi, et qu'ils osent appeler ça du savoir-vivre.

Il n'avait pu s'empêcher de rire.

— Ça fait beaucoup de préjugés, tu ne trouves pas, *darling* ?

— Ne m'appelle pas *darling*, avait-elle répondu avec hargne. Tu feras une énorme erreur si tu refuses l'offre de ton oncle. Il t'a servi ton avenir sur un plateau, aujourd'hui. Il veut que tu reprennes le cabinet. Tu réalises ce que ça signifie ? Tu serais un homme arrivé. On n'aurait plus jamais besoin de penser à l'argent.

— Donc, c'est une question d'argent, avait-il renchéri.

Ce n'était peut-être pas très juste d'agir ainsi, mais Rachel avait mordu à l'hameçon comme un poisson affamé.

— Oui, c'est *aussi* une question d'argent. Figure-toi que l'argent est important dans la vie, espèce d'idiot ! Tout le monde n'a pas eu la chance de grandir sans souci comme toi !

Rachel, qui avait dû financer elle-même ses études, allait et venait dans l'appartement, déchaînée. Puis elle s'était mise à sangloter tandis qu'assis dans le canapé, il enfouissait sa tête entre ses mains avec un soupir.

Finalement, elle s'était plantée devant lui.

— Fais bien attention, avait-elle déclaré, une expression déterminée dans ses yeux verts. Si tu vas à Paris, c'est fini entre nous.

Il avait relevé la tête, consterné.

— OK, Rachel. Il faut que j'y réfléchisse tranquillement. Quatre semaines. Donne-moi quatre semaines.

Quelques jours plus tard, il était installé dans un avion. Il avait glissé dans son bagage à main un guide de voyage et le vieux Zippo. Les adieux avaient été glacials. Rachel avait tout de même accepté le fait qu'il ait besoin de faire une pause. Ensuite, on verrait bien.

Lorsque le taxi s'arrêta devant l'hôtel, rue Jacob, il pleuvait comme lors de son arrivée à Paris avec sa mère. Seulement, c'était début septembre cette fois, et tôt le matin.

L'averse fit instantanément monter l'eau dans les caniveaux. En sortant du taxi, Robert marcha dans une flaque. Il poussa un juron et, la chaussure gauche trempée (il portait des mocassins en daim, plus des chaussures de sport), tira sa valise qui cahota sur les pavés, et entra dans l'hôtel qu'il avait trouvé sur Internet sous la rubrique « Petit, mais charmant ». Il s'agissait de l'hôtel des Marronniers, ce qui signifiait à sa connaissance « *chestnut tree* » en anglais. Il trouvait que c'était un nom étrange pour un établissement hôtelier, mais les photos et le descriptif lui avaient tout de suite plu :

Situé au cœur de Saint-Germain, un havre de paix avec un jardin dans la cour intérieure et des chambres très joliment aménagées. Meubles anciens.

Un conseil : prenez une chambre donnant sur la cour !

— Paris est toujours une bonne idée, avait affirmé sa mère. Que tu sois heureux ou malheureux, amoureux ou pas.

Robert Sherman, quelques heures seulement après son arrivée, maudissait l'accès de sentimentalité qui l'avait entraîné à Paris.

La chambre donnant sur la cour ? Une source de déception. Lorsqu'il avait poussé avidement les volets de la pièce petite à vous rendre claustrophobe, au quatrième étage de l'hôtel, son regard était venu s'écraser sur un mur en pierre gris. Certes, quand on se tordait la tête vers la gauche et qu'on risquait sa vie en se penchant par la fenêtre, on avait la chance d'apercevoir un minuscule bout de la ravissante cour intérieure où, entre statues et roses, quelques chaises et tables surannées en fer peint en blanc invitaient au petit déjeuner.

Il était descendu se plaindre en empruntant l'ascenseur très exigu qui produisait des bruits inquiétants. La réceptionniste lui avait adressé un regard étonné lorsqu'il avait rendu sa clé et réclamé une autre chambre.

— Monsieur, je ne comprends pas, cette chambre *donne* sur la cour, avait-elle déclaré très aimablement.

— C'est fort possible mais je ne la *vois* pas, avait rétorqué Robert moins aimablement.

La jeune femme brune avait consulté un gros livre pendant quelques secondes, probablement pour le calmer.

— Je suis désolée, avait-elle conclu d'un air de regret. C'est complet.

Après une discussion aussi courte que vaine, Robert, irrité, avait attrapé la poignée de sa valise (il l'avait laissée à la réception, s'attendant à ce qu'une bonne âme la monte – un espoir déçu). Il avait pressé impatiemment le bouton du minuscule ascenseur, mais entre-temps, l'appareil avait manifestement rendu son dernier soupir, et l'employée avait haussé les épaules, toujours d'un air de regret, avant de fixer une pancarte *Hors service* sur la porte.

Robert avait donc traîné sa valise dans l'escalier, à la cage si étroite qu'il aurait été impossible d'y faire passer des bagages plus importants. Arrivé dans sa chambre au quatrième étage, il était resté assis un moment, quelque peu apathique, sur le lit à la courtepointe démodée, puis il avait fixé le mur depuis la fenêtre, et décidé de prendre un bain.

La salle de bains, un rêve de marbre – quoique plutôt destinée à un nain –, était tout à fait charmante avec ses carreaux bleu d'eau désuets couvrant les murs. Robert, accroupi dans la baignoire sabot, jambes repliées, avait laissé le jet tomber dru sur son crâne en se demandant si ce voyage était vraiment une bonne idée.

Peut-être avait-il eu une conception un peu trop romantique de son séjour. Peut-être ses souvenirs étaient-ils auréolés de l'éclat doré de la nostalgie.

Il était un étranger dans une ville inconnue, un Américain à Paris, mais jusqu'alors, les choses ne se révélaient pas aussi fantastiques et amusantes que dans les vieux films avec Gene Kelly et Audrey Hepburn que sa mère appréciait tant.

La pluie avait cessé lorsqu'il était parti explorer Saint-Germain. Dans un café non loin de l'hôtel, un serveur mal luné l'avait ignoré un moment, avant de prendre sa commande et de lui apporter café et sandwich au jambon. Nostalgique, Robert Sherman avait songé aux amicaux baristas des *coffee shops* new-yorkais. Leurs « *Hi, how are you today ?* » ou leurs « *I like your sweater, looks really neat !* » spontanés lui manquaient.

Puis, alors qu'il empruntait la rue Bonaparte, absorbé dans ses pensées, un cycliste avait failli le renverser sans même s'excuser. Il avait ensuite acheté un journal sur le boulevard Saint-Germain et, peu de temps après, avait marché dans une crotte de chien rue du Dragon, à deux pas d'une boutique de cartes postales. Décidément, cette journée était placée sous le signe de la malchance.

Robert Sherman se trompait du tout au tout. Deux pas seulement le séparaient de la plus grande aventure de sa vie. Et comme les plus grandes aventures sont toujours celles du cœur, on aurait également pu dire que deux pas seulement le séparaient de l'amour.

Naturellement, Robert Sherman ignorait tout cela en jetant, au passage, un coup d'œil intéressé à la jolie devanture de la papeterie.

Avant de s'arrêter net, interloqué.

Rosalie était sur un petit nuage depuis deux semaines.

Ce matin-là, tandis qu'elle garnissait le présentoir avec de nouvelles cartes, tout en fredonnant, elle ne pouvait s'empêcher d'admirer la grande affiche accrochée au mur, derrière la caisse.

On y voyait un grand tigre bleu – l'illustration de couverture du *Tigre bleu*, paru deux semaines plus tôt – et, en bas, deux visages et deux noms : Max Marchais et Rosalie Laurent.

Elle sourit fièrement et repensa à la lecture qui avait eu lieu au *Luna Luna*, trois jours auparavant. La papeterie était bondée de personnes venues assister à la présentation du dernier livre de Max Marchais.

Comme l'auteur n'aimait pas trop lire à voix haute et que Rosalie aimait cela passionnément, il lui avait volontiers laissé ce rôle, avant de dédicacer son ouvrage et de répondre à des questions.

Les gens s'étaient montrés enthousiastes. Même la mère de Rosalie se trouvait dans le public, ravie. Après la lecture, elle avait rejoint sa fille et l'avait serrée contre elle avec un soupir de bonheur.

— Ce que je suis fière de toi, ma fille ! Si seulement ton père pouvait voir ça !

La lecture s'était tenue dans la boutique à l'initiative de ce drôle d'éditeur ventripotent. Monsignac avait suggéré que ce serait une belle idée, après l'éclatante présentation dans les locaux de la maison d'édition et quelques lancements dans de grandes librairies, de faire connaître le nouveau livre là où les illustrations avaient vu le jour.

Dans son amusant discours d'introduction, il n'avait pas manqué de mentionner que c'était lui – Jean-Paul Monsignac – qui, avec son flair infaillible (« Un bon éditeur reconnaît immédiatement le talent ! »), avait réuni les deux sympathiques *originaux* (c'était le terme qu'il avait employé, et Rosalie et Max avaient échangé un coup d'œil surpris, puis un sourire de connivence).

Le directeur éditorial avait toutes les raisons d'être de bonne humeur. Depuis que *Le Tigre bleu* était paru, fin août, à temps pour le soixante-dixième anniversaire de Max Marchais, le livre aux illustrations pleines d'imagination s'était déjà écoulé à quarante mille exemplaires. Contrairement à ce que d'aucuns auraient pu croire, l'auteur, qui menait une vie plutôt retirée depuis des années, n'avait pas été oublié par ses fans. Encensé par la critique, aimé des lecteurs petits et grands, son nouveau titre faisait même partie de la sélection pour le Prix de littérature jeunesse.

— Eh bien, si ce n'est pas un cadeau d'anniversaire, mon vieil ami ! s'était exclamé Monsignac, rayonnant, en tapant avec bienveillance sur l'épaule de Max Marchais. Il faut parfois faire le bonheur des gens malgré eux, hein ?!

Ensuite, il avait éclaté d'un rire tonitruant.

Le vieil ami n'avait pas relevé l'allusion et avait souri à son tour, mais la plus radieuse était encore Rosalie, qui avait du mal à croire à sa chance. Depuis la sortie du livre, la jeune illustratrice avait attiré l'attention d'autres maisons d'édition, et elle avait déjà reçu une demande pour un album de cartes postales avec dix motifs différents. Les commandes de cartes de vœux avaient aussi augmenté et beaucoup de clients venaient chez *Luna Luna* après avoir appris son existence dans le journal.

Si ça continue, je n'aurai plus besoin de m'inquiéter des hausses de loyer, pensait Rosalie, réjouie. Il faudra plutôt que je me demande comment suivre le rythme.

— Il faudrait que tu songes à embaucher quelqu'un pour t'aider au magasin, lui avait suggéré René quelques jours plus tôt, alors qu'elle travaillait encore à une heure avancée de la nuit, installée à sa table à dessin. Tu travailles presque vingt-quatre heures sur vingt-quatre, maintenant. Tout le monde sait que les heures de sommeil avant minuit sont les plus réparatrices.

Puis, l'air mi-réprobateur, mi-inquiet, il lui avait tenu un de ses discours sur le corps humain, ce qui lui était bénéfique et néfaste.

Adorable René ! Ces derniers mois, il ne l'avait pas beaucoup vue. Elle s'était attelée avec ardeur à son travail sur *Le Tigre bleu*. Heureusement, toutes les esquisses et tous les dessins préparatoires qu'elle avait réalisés dans un premier temps, sauf un, avaient été retenus – tant par l'éditeur que par l'auteur. Elle avait rendu visite trois fois à Max Marchais, au Vésinet, pour discuter du choix des illustrations. D'une certaine façon, le vieil homme, si grincheux de prime abord, avait trouvé une place dans son cœur. Elle appréciait sa franchise et son humour, même s'ils n'étaient pas toujours tombés d'accord sur les scènes à représenter. Finalement, ils s'étaient installés dans le magnifique jardin aux buissons d'hortensias bleus, sur la grande terrasse, à l'ombre d'un parasol blanc, et avaient dégusté une délicieuse charlotte aux framboises préparée par Mme Bonnier, l'intendante. Sans y prendre garde, ils s'étaient mis à se raconter des choses qui n'avaient plus rien à voir avec l'histoire et ses images. À la façon d'un couple d'amoureux, ils ne pouvaient cesser d'évoquer les circonstances de leur rencontre, et Rosalie avait confessé à Max qu'au début, elle avait pris le client peu aimable, entré dans sa boutique un jour de congé, pour un vieux fou qui racontait des inepties et s'était égaré.

À la suite de quoi, Max lui avait avoué qu'au départ, il n'était pas enthousiasmé par l'idée de donner sa chance à une « dilettante », et qu'il n'était allé rue du Dragon que pour pouvoir annoncer à Monsignac, la conscience tranquille, qu'il trouvait affreux les gribouillis de la propriétaire du magasin de cartes postales.

Tous deux avaient beaucoup ri, puis Rosalie avait confié à Max que le bleu avait toujours été sa couleur préférée, presque « une manie » – pour reprendre le mot de sa mère. Plongeant son regard dans ses yeux clairs, elle avait demandé :

— Croyez-vous aux hasards, monsieur Max ?

(Malgré leur familiarité grandissante, ils continuaient spontanément à se vouvoyer.)

110

Max Marchais s'était adossé en souriant à sa chaise en osier et avait piqué une framboise avec sa fourchette.

— Il n'y a pas de hasard, il n'y a que des rendez-vous, avait-il déclaré, ajoutant avec un clin d'œil : Ce n'est pas de moi. C'est un homme plus important qui l'a dit. Quoi qu'il en soit, c'était la première fois de ma vie que je devais renverser un présentoir à cartes postales pour faire la connaissance d'une belle femme.

— Monsieur Max ! avait lancé Rosalie, amusée. Vous flirtez avec moi ?

— Cela se pourrait. Mais j'ai peur d'arriver des années trop tard. Quelle tragédie ! avait-il lâché en secouant la tête, avant de pousser un profond soupir. Sans compter que vous avez déjà un petit ami, n'est-ce pas ? Ce... René Joubert. Un gentil garçon...

La façon dont il avait prononcé cette dernière phrase l'avait déconcertée.

— Mais ? avait-elle relevé.

— Eh bien, ma chère Rosalie, c'est un gentil garçon, mais vous n'allez pas ensemble.

— Comment pouvez-vous en être aussi sûr ?

— La connaissance du genre humain ? avait-il suggéré, puis il avait ri. Peut-être aussi que je suis juste jaloux. Je suis un vieil homme avec une canne, mademoiselle Rosalie, cela me rend parfois maussade. Mais il faut que vous sachiez que je ne suis pas né ainsi. Enfin, si j'étais plus jeune, je mettrais tout en œuvre pour souffler sa jolie petite amie à ce René. Et je parie une bouteille de Bollinger que j'y arriverais.

— Quel dommage que vous ne puissiez pas perdre ce pari, avait répliqué Rosalie avec effronterie. J'aimerais bien boire du Bollinger.

— C'est un noble breuvage, mademoiselle Rosalie, on ne le boit pas comme cela. Il paraît que, si on n'a jamais savouré une goutte de ce champagne, on a vécu en vain.

— Vous attisez ma curiosité.

— Eh bien, peut-être trouverons-nous une occasion, avait avancé Marchais.

Des semaines plus tard, un matin, par une chaude journée d'août, alors que Rosalie avait oublié depuis longtemps cette histoire de Bollinger, Max Marchais l'avait appelée pour lui demander si elle était disponible ce soir-là, l'occasion étant venue.

— Quelle occasion ? avait-elle demandé, interloquée.

— Le Bollinger, avait-il répondu laconiquement. Il y a quelque chose à arroser !

— Mais ce n'est pas votre anniversaire ! s'était étonnée Rosalie, avant de jeter un rapide coup d'œil au calendrier par acquit de conscience.

L'anniversaire de Marchais tombait le dernier jour du mois d'août, presque deux semaines plus tard.

— Ah, mon anniversaire, mon anniversaire ! avait-il répété avec le ton bourru qu'elle lui connaissait désormais. C'est bon pour les enfants ! Alors… Êtes-vous libre ou non ?

— Mais pourquoi…

— Laissez-vous surprendre, c'est tout, avait-il conclu d'une voix qui ne tolérait pas la contradiction.

Et mettez une jolie tenue, nous allons dîner dans un endroit distingué. Je passe vous prendre en taxi.

Il l'avait invitée au *Jules Verne*. Au *Jules Verne* ! Rosalie avait été trop stupéfaite pour réagir de façon appropriée.

— J'espère que vous ne trouvez pas cela désespérément anachronique, avait glissé Max Marchais d'un air d'excuse tandis qu'elle entrait dans le restaurant à ses côtés, vêtue d'une robe en soie sauvage bleu prune. Je ne sais pas ce qui a la cote aujourd'hui à Paris.

— Anachronique ?! Vous êtes fou ? Savez-vous que je rêve depuis toujours de dîner ici ?

Les yeux brillants, Rosalie s'était approchée de leur table nappée de blanc, près de la fenêtre, et avait contemplé la ville et ses lumières. La vue était vertigineuse, encore plus belle que ce qu'elle avait imaginé.

Un léger tintement s'était fait entendre derrière elle. Un serveur habillé en noir leur apportait un seau argenté garni de glaçons, dans lequel était nichée une bouteille vert foncé ornée d'une étiquette dorée. Le garçon s'était attaqué au Bollinger, le geste expert, et le bouchon avait quitté le goulot avec un doux *plop*. Après qu'on leur eut versé le champagne dans des flûtes taillées, Max avait sorti de son sac un objet enveloppé dans du papier.

Il avait posé le paquet sur la table et Rosalie avait senti son cœur se mettre à battre la chamade.

— Non ! s'était-elle exclamée. Est-ce que c'est déjà… c'est déjà… ?

— Le livre, avait confirmé Max en hochant la tête. J'en ai reçu un exemplaire avant parution hier et je me suis dit que c'était l'occasion parfaite pour trinquer avec vous, ma chère Rosalie. Au Bollinger, comme souhaité. Excusez mes cachotteries, mais je trouvais plus juste de fêter ce moment avec vous seule.

Ils avaient levé leurs verres. Max Marchais lui souriait.

— Au tigre bleu ! Et à la façon insolite dont il nous a réunis !

Ensuite, Rosalie avait précautionneusement déballé l'objet, caressé la reliure brillante sur laquelle on pouvait voir un tigre indigo aux rayures argentées et au large sourire amical, avant de feuilleter l'ouvrage page après page, avec le respect nécessaire. Elle trouvait qu'il était d'une beauté extraordinaire. Voilà donc ce que cela faisait de tenir son premier livre !

— Satisfaite ?

— Oui, très, avait-elle répondu, heureuse. Très, très satisfaite. – Elle avait feuilleté le livre à rebours, jusqu'aux premières pages. – J'aimerais que vous m'écriviez quelques mots. – Alors seulement, elle avait découvert la dédicace et rougi violemment : *Pour R.* – Oh, eh bien… C'est incroyablement gentil de votre part, vraiment. Merci ! Je… Je ne sais quoi dire…

— Ne dites rien, c'est tout.

Rosalie s'était tellement réjouie de ce signe d'estime inattendu qu'elle avait à peine remarqué la gêne du vieil homme, qui la regardait avec un sourire singulier.

La soirée avait été ponctuée de mets raffinés, et une fois la bouteille de Bollinger vide, Rosalie s'était entendue dire, à son grand étonnement :

— Savez-vous que je viens ici chaque année, pour mon anniversaire ?

Max avait haussé les sourcils.

— Comment ça, ici ? Au *Jules Verne* ?

— Non, pas *ici*. Sur la tour Eiffel, je veux dire. Je venais de décider d'arrêter, quand vous êtes entré dans ma vie… ou plutôt, *tombé* dans ma vie.

Elle avait gloussé, éméchée, repoussé ses cheveux qu'elle portait dénoués ce soir-là, et baissé la voix.

— Je vais vous révéler un secret, Max, mais vous devez me promettre de n'en parler à personne. Et vous n'avez pas le droit de vous moquer, même si c'est peut-être un peu puéril.

— Je serai muet comme une tombe, avait-il promis. Et n'oubliez pas que j'écris des livres pour enfants !

C'est ainsi que Max Marchais, créateur d'un tigre des nuages qui savait traverser le ciel en volant et croyait à la magie des vœux, était devenu la première personne à laquelle Rosalie avait confié le secret de ses visites à la tour Eiffel. Elle lui avait aussi confié, tout naturellement, les souhaits intimes qui avaient flotté au vent sur une carte postale. Les mois précédents, de façon soudaine et inattendue, trois d'entre eux avaient été exaucés : on l'avait remarquée en tant qu'illustratrice ; sa mère s'était montrée satisfaite pour la première fois de sa vie ; on l'avait invitée au *Jules Verne* (même si ce n'était pas l'homme de sa vie).

— J'espère qu'il n'y a pas méprise, cher Max, avait-elle conclu joyeusement. Je devrais être attablée ici avec mon petit ami, en fait, mais c'est aussi très agréable comme ça, bien entendu.

— Je vais prendre cela pour un compliment, avait répondu Max Marchais en souriant.

Plus tard, alors qu'ils se séparaient avenue Gustave-Eiffel, il avait encore dit :

— Donc, si je compte bien, il ne manque plus que la maison au bord de la mer et un homme sensible à la poésie, qui vous offre un de ces petits cadenas niais qu'on accroche à un pont, c'est bien cela ? – Il lui avait adressé un clin d'œil. – Je crains que ce ne soit une vraie gageure. Mais n'abandonnez pas tout espoir.

Rosalie regardait en direction de la vitrine où étaient exposés quelques exemplaires du *Tigre bleu*, un sourire aux lèvres en repensant à la soirée passée avec Max Marchais, trois semaines plus tôt. Elle ne recevrait sûrement jamais de sa vie « un de ces petits cadenas niais », mais cela n'avait pas d'importance : cette journée-là était une de celles où l'univers tout entier paraissait en ordre.

Dans la rue, elle remarqua un homme qui essuyait sa chaussure en pestant et avait sûrement, à ce moment précis, un point de vue plus critique sur l'univers. Il était grand, les cheveux blond foncé, et portait un pull en maille fine décontracté, bleu moyen, sous une veste en daim couleur sable. En se remettant en route, il jeta un coup d'œil rapide à l'étalage, puis revint sur ses pas et resta planté un moment à fixer les livres dans la vitrine, comme fasciné. Il avait les plus beaux yeux bleus que Rosalie ait jamais vus – de l'azur le plus pur –, et la jeune femme contempla à son tour l'inconnu avec une fascination au moins aussi grande.

Pas mal…

Telle fut l'idée qui jaillit dans son esprit, et elle se surprit à éprouver une vibration positive, suivie d'une pensée extrêmement agréable.

L'homme figé devant sa boutique plissait le front, à présent. Un pli apparut entre ses sourcils. Il regardait l'étalage l'air irrité, presque choqué, et Rosalie se demanda un instant s'il y avait là quelque chose qui n'avait pas sa place dans une papeterie – une souris morte, par exemple, ou même une grosse mygale.

Puis William Morris émit un léger halètement et elle tourna son regard vers le panier dans lequel dormait son petit chien.

Lorsqu'elle leva les yeux, le séduisant inconnu avait disparu. Fixant la rue vide, Rosalie ressentit un élancement, trahissant une déception qui paraissait tout à fait déplacée.

Si quelqu'un lui avait dit qu'un quart d'heure plus tard seulement, une dispute acharnée l'opposerait à cet homme d'apparence si sympathique, elle ne l'aurait pas cru.

Pendant des années, le petit carillon argenté fixé au-dessus de l'entrée du *Luna Luna* avait rempli son office. Était-ce un hasard s'il fallut qu'il tombe au moment précis où l'homme aux yeux bleu azur, que Rosalie avait encore vu devant sa vitrine, quelques secondes plus tôt, entrait dans la boutique ?

La porte s'ouvrit, le carillon produisit un son clair puis fendit l'air en direction du sol, non sans avoir rebondi sur l'arrière du crâne de l'inconnu qui, effrayé, sursauta, leva instinctivement les mains et s'écarta. Ce faisant, il mit le pied dans le panier à côté de l'entrée. William Morris poussa un hurlement d'épouvante, l'inconnu lâcha une exclamation de surprise et revint sur ses pas en chancelant, droit sur le présentoir à cartes postales.

Stupéfaite, Rosalie vit ce dernier commencer à osciller dangereusement et éprouva une sensation de déjà-vu, mais cette fois, elle fut plus rapide. Elle rejoignit l'armature métallique en quelques enjambées et la retint, tandis que l'homme retrouvait l'équilibre en battant des bras.

— Tout va bien ? s'enquit Rosalie.

— *For heaven's sake*, qu'est-ce que c'était que ça ?! demanda l'homme en se frottant le crâne. – Il avait un accent indéniablement américain et la regardait avec un air de reproche. – Quelque chose m'a attaqué.

Rosalie se mordit la lèvre inférieure pour ne pas rire. C'était vraiment trop drôle, il donnait l'impression qu'il venait de survivre de justesse à une agression extraterrestre. Elle se racla la gorge et reprit contenance.

— C'était le carillon, monsieur. Je suis vraiment désolée, il a dû se détacher.

Elle se pencha et ramassa d'un geste vif la cloche argentée qui avait roulé sous la table.

— Tenez, vous voyez ? Voilà le projectile. La cordelette est déchirée.

— Aha, fit-il. Et qu'est-ce qu'il y a de si amusant là-dedans ?

La gaieté réprimée de Rosalie ne lui avait pas échappé.

— Euh… rien, répondit-elle. Pardonnez-moi, s'il vous plaît. J'espère que vous n'êtes pas blessé.

— C'est bon, déclara-t-il en se redressant de toute sa taille et en lui adressant un coup d'œil méfiant. Mais qu'est-ce que c'était que ce hurlement effroyable ?

— Mon chien, expliqua-t-elle, et elle sentit un nouveau rire monter en elle. – Elle se détourna et indiqua le panier. William Morris y était étendu telle la Belle au bois dormant. – Il est très pacifique, normalement. Vous l'avez effrayé.

— Eh bien, je dirais plutôt que c'est lui qui m'a effrayé, répliqua l'Américain qui condescendit toutefois à sourire brièvement, avant de froncer les sourcils. Dites donc, est-ce qu'il est permis de garder un chien dans un magasin ? Je veux dire, ce n'est pas dangereux ?

Ce matin-là, Rosalie avait décidé que c'était une journée particulièrement belle et qu'elle-même se sentait particulièrement belle. Elle avait enfilé sa robe préférée – un modèle ponctué de minuscules fleurs bleu clair, avec décolleté rond et petit boutonnage sous patte. Elle avait glissé ses pieds dans des ballerines bleu ciel et portait, pour seuls bijoux, des boucles d'oreilles turquoise qui oscillaient à chacun de ses mouvements. Elle n'avait pas l'intention de laisser quiconque, à commencer par un touriste qui avait la phobie des chiens, gâcher sa bonne humeur. Elle se planta donc devant l'homme à la veste en daim, croisa les bras dans son dos et lui offrit un sourire aimable, à savourer avec modération. Les yeux étincelants, elle demanda :

— Vous n'êtes pas d'ici, monsieur, je me trompe ?

— Non, je viens de New York.

— Aaah, lança-t-elle, sourcils arqués. Un Américain ! Monsieur, voyez-vous… À Paris, il est tout à fait normal de garder son chien dans son magasin. Nous voyons les choses avec un peu plus de décontraction, ici. Et si je réfléchis bien, je ne connais que des magasins où un chien est couché dans son panier.

Un pieux mensonge…

— Vraiment ? fit l'homme de New York. Alors, cela explique l'état déplorable de vos rues. J'espère que ce n'est pas votre mignon petit protégé qui a déposé le mignon petit tas dans lequel je viens de marcher.

Rosalie baissa les yeux sur ses chaussures en daim brun et il lui sembla soudain percevoir l'odeur âcre de la crotte de chien.

— C'est vrai, ça sent toujours un peu, confirma-t-elle en souriant plus largement encore. Mais je peux vous assurer que mon chien n'a rien à voir avec ça. Il a déjà fait sa petite affaire dans le parc.

— C'est rassurant. Dans ce cas, il vaut mieux que je n'aille plus me promener dans le parc aujourd'hui.

— À vous de voir. Chez nous, on dit que ça porte bonheur de mettre le pied dans une crotte de chien.

— Personne n'a besoin d'autant de bonheur, répliqua-t-il, et ses commissures se relevèrent sur une expression railleuse. *Anyway…*

Il regarda autour de lui, et Rosalie décida de changer de sujet.

— En quoi puis-je vous aider, monsieur ?

— Vous avez un livre en vitrine, déclara-t-il, avant de prendre un presse-papiers sur la table et de le soupeser. *Le Tigre bleu.* J'aimerais y jeter un coup d'œil.

— Avec plaisir, monsieur, susurra Rosalie qui se dirigea vers le comptoir et prit un exemplaire sur la pile. Tenez !

Elle lui tendit l'ouvrage et montra le fauteuil, dans le coin.

— Asseyez-vous donc.

Il prit le livre, se laissa tomber dans le siège et croisa les jambes. Rosalie vit ses yeux se poser un moment sur la grande affiche, derrière la caisse.

Il la regarda ensuite et haussa les sourcils, surpris.

— C'est *votre* livre ?

— Plus ou moins. C'est une collaboration avec Max Marchais, un auteur jeunesse très connu en France. Je suis l'illustratrice, expliqua-t-elle fièrement, et elle jugea soudain opportun de se présenter : Rosalie Laurent.

Il inclina brièvement la tête dans sa direction et se crut obligé de donner son nom, lui aussi.

— Robert Sherman, dit-il seulement, avant d'ouvrir l'ouvrage.

— Une lecture s'est tenue dans la boutique il y a trois jours. Vous connaissez Max Marchais ? demanda Rosalie avec intérêt.

L'Américain secoua la tête et tourna la première page.

Appuyée au comptoir, Rosalie l'observait à la dérobée. Robert Sherman paraissait stupéfait et tendu à la fois. Il passa la main dans ses cheveux bouclés. Il avait des mains nerveuses aux longs doigts, joliment dessinées. Elle vit ses yeux parcourir les lignes, elle remarqua le pli vertical entre ses sourcils, le nez droit, un peu charnu, la bouche crispée par la concentration et la fossette creusant son menton. La façon dont il lisait donnait l'impression qu'il avait très souvent des livres entre les mains. Peut-être travaillait-il dans une université. Ou dans une maison d'édition. Peut-être était-ce un éditeur comme ce Monsignac, en quête d'un bon livre pour enfants ? Après avoir réfléchi un moment, Rosalie repoussa cette idée. Improbable. Ce n'était sans doute qu'un touriste américain qui avait profité des vacances d'été pour se rendre à Paris, et cherchait maintenant un cadeau pour son enfant.

— Vous cherchez un cadeau pour votre enfant ? demanda-t-elle sans vraiment avoir décidé de poser la question, et elle se hâta d'ajouter : Ce livre est idéal à partir de cinq ans. On y apprend aussi deux ou trois choses sur Paris… – Elle tenta de voir les choses du point de vue d'un touriste. – La tour Eiffel… Le bois de Boulogne…

— Non, non, je n'ai pas d'enfants, l'interrompit-il avec agacement.

Il secoua une fois encore la tête, et elle constata qu'il s'assombrissait à vue d'œil.

L'histoire ne lui plaisait-elle pas ? Mais dans ce cas, pourquoi lisait-il page après page de façon presque compulsive ? Bizarre. Oui, son intuition lui disait que c'était bizarre. Ce Sherman de New York était quelque peu étrange, voilà ce qu'elle venait de conclure lorsque la porte se rouvrit et qu'une cliente entra. C'était Mme de Rougemont, une dame âgée du septième arrondissement qui ne quittait jamais son domicile sans gants et portait son carré court, cheveux teints en blond cendré, toujours impeccablement mis en plis. Si Grace Kelly n'était pas morte avant l'heure, elle aurait sûrement ressemblé à Mme de Rougemont au même âge. Presque chaque semaine, la vieille dame venait rue du Dragon et achetait quelque chose chez *Luna Luna*. Rosalie la salua de façon amicale.

— Oh, fit Mme de Rougemont. Votre carillon ne fonctionne plus.

Elle jeta un coup d'œil intéressé en l'air, où pendait le reste de la cordelette déchirée.

— Oui, confirma Rosalie après avoir fixé avec gêne l'homme installé non loin d'elle. Le carillon… a malheureusement rendu l'âme ce matin et pris son envol. Pour ainsi dire. – Aucune réaction en provenance du fauteuil. – Que puis-je pour vous, madame de Rougemont ?

La vieille dame sourit et ôta lentement les gants en cuir crème ajouré qui couvraient ses mains menues.

— Ah, ma chère, je vais faire un petit tour. Il me faut un cadeau pour mon amie et de jolies cartes. Vous avez toujours de si belles choses qu'on a du mal à se décider.

Elle fit le tour de la table où étaient exposés articles de papeterie, boîtes et accessoires, et coula un regard curieux en direction de l'inconnu en veste de daim qui lisait encore *Le Tigre bleu* avec une grande concentration et n'avait pas le moins du monde noté son arrivée.

— La lecture de mercredi était vraiment un moment merveilleux, déclara-t-elle plus haut que nécessaire. Fantastique, ce livre. Tellement… *magique*, n'est-ce pas ? Je l'ai offert sans tarder à ma petite-nièce. Elle a une imagination aussi fertile que l'Héloïse de votre récit.

Tandis que Mme de Rougemont se dirigeait lentement vers les présentoirs et en sortait quelques cartes, perdue dans ses pensées, Rosalie s'assit sur sa chaise pivotante, derrière le comptoir, et fixa avec espoir son autre client, toujours plongé dans sa lecture. Soudain, l'homme referma bruyamment le livre et se leva.

— Alors… L'histoire vous plaît ? demanda Rosalie.

Elle ignorait pourquoi, mais elle aurait apprécié que l'Américain taciturne se montre enthousiasmé par le texte – et surtout par ses illustrations, naturellement.

Robert Sherman planta ses yeux dans les siens et Rosalie manqua prendre peur en apercevant la colère contenue qui y étincelait.

— Eh bien, mademoiselle… Laurent, répondit-il avec lenteur. L'histoire me plaît beaucoup. Elle me plaît même de façon *inouïe*. Voyez-vous, *j'aime* l'histoire du tigre bleu. Elle est très importante pour moi, pour des raisons que je n'ai aucune envie d'exposer ici. Le hic, c'est juste que je la connais déjà.

— Que… que voulez-vous dire par là ? s'étonna Rosalie, qui ne comprenait absolument pas où il voulait en venir.

— Ni plus, ni moins. Je connais cette histoire depuis de nombreuses années. Depuis que j'ai cinq ans, pour être précis. C'est, si vous préférez, *mon* histoire, précisa-t-il en plaquant l'ouvrage sur le comptoir, derrière lequel Rosalie sursauta. Et je me dis qu'il faut avoir un sacré aplomb pour copier un texte mot pour mot, et le publier ensuite en prétendant que c'est *son* texte !

— Mais… Monsieur Sherman ! C'est tout à fait impossible. Que racontez-vous ? répliqua Rosalie, incrédule. Max Marchais a écrit cette histoire et le livre vient de sortir. Je ne vois donc pas comment vous pouvez déjà la connaître. Je suis persuadée que vous vous méprenez.

— Je me méprends, *moi* ?! répéta-t-il, blême de fureur. Vous voulez que je vous dise comment on appelle ce genre de chose ? C'est du vol de propriété intellectuelle, mademoiselle Laurent !

Rosalie descendit de sa chaise et s'appuya des deux mains au comptoir.

— Minute ! Laissez-moi parler, monsieur. Vous surgissez ici pour traiter Max Marchais de voleur ? Qui êtes-vous au juste ? Est-ce que vous affirmez réellement qu'un des plus célèbres auteurs jeunesse français a besoin de voler ses idées à quelqu'un d'autre ? Pourquoi ferait-il ça ?

— Ma foi, ce ne serait pas la première fois que ça se produit. Ce brave M. Marchais a peut-être perdu l'inspiration.

Rosalie sentit qu'elle rougissait. Elle ne permettrait pas que cet Américain prétentieux insulte son auteur bien-aimé.

— Monsieur Sherman, ça suffit ! Je connais personnellement Max Marchais, et je peux vous assurer que c'est une personne absolument intègre et respectable. Vos accusations sont dénuées de tout fondement.

— Ah oui ? Vraiment ? Alors, j'imagine que vous êtes de mèche, tous les deux.

— Quoi ! s'étouffa Rosalie, avant de rétorquer, fâchée : Vous voulez que je vous dise, monsieur Sherman ? Vous devez souffrir de paranoïa. Les Américains ont tendance à développer les théories du complot les plus farfelues, c'est bien connu.

— Pas de préjugés, mademoiselle ! Vous n'avez qu'à demander au respectable M. Marchais d'où il tient son histoire, persifla-t-il.

Rosalie fixait Robert Sherman avec la même suspicion que si, de Dr Jekyll, il venait de se métamorphoser en Mister Hyde. Comment avait-elle pu, ne serait-ce qu'une seconde, trouver sympathique ce type impudent ?

— Je le ferai, monsieur, sans faute. Et je connais déjà la réponse, asséna Rosalie en repoussant avec irritation sa longue tresse.

— Alors, ne vous étonnez pas de subir une mauvaise surprise. Parce que je peux *prouver* que l'histoire m'appartient.

Rosalie leva les yeux au ciel. De toute évidence, elle avait affaire à une de ces horribles personnes qui voulaient toujours avoir le dernier mot.

— Vous pouvez le prouver. Très bien ! lança-t-elle ironiquement. Puis-je autre chose pour vous ou en avons-nous fini ?

— Non, je crains que nous soyons loin d'en avoir fini. Vous ne vous en tirerez pas à si bon compte. Je vais porter plainte contre vous. Je suis du cabinet d'avocats Sherman & Sons, et vous aurez encore de mes nouvelles !

— Si vous saviez comme j'ai hâte !

Mon Dieu, c'était un de ces *avocats* stupides ! Elle aurait dû s'en douter. Un sourire froid aux lèvres, elle le regarda sortir son portefeuille de la poche de sa veste, en retirer, les doigts tremblants d'énervement, un billet de cinquante euros, le lancer sur le comptoir et reprendre le livre.

— Gardez la monnaie ! lâcha-t-il.

— Pardon ?! Qu'est-ce que vous vous imaginez ? On n'apprend pas les bonnes manières, chez vous ? Je ne vends pas des hamburgers à la chaîne, monsieur. Reprenez votre argent et laissez tomber vos postures impérialistes. Je vous *offre* le livre ! s'exclama Rosalie en lui jetant le billet.

Ce dernier atterrit mollement sur le carrelage.

À cet instant, un bruit s'éleva dans la boutique. Mme de Rougemont, effrayée, venait de lâcher une boîte en carton.

— Ce n'est rien, assura la vieille dame, transformée en statue de sel sous les deux paires d'yeux furieux. Rien du tout. Je vous en prie, ne faites pas attention à moi.

Robert Sherman se retourna une dernière fois vers le comptoir.

— Mes postures impérialistes ? Voyez-vous ça ! Eh bien, je ne sais pas pour vous, mademoiselle Laurent, mais moi au moins, je paie toujours ce qui ne m'appartient pas, rétorqua-t-il avec mordant. – Il la foudroya du regard. – Vous avez déjà entendu parler du droit d'auteur ? À moins qu'en France, on ne voie ça aussi avec un peu plus de *décontraction* ?

— Vous êtes complètement maboul ! Dehors, et en vitesse ! cria Rosalie d'un ton strident.

William Morris ne se sentait plus bien dans son panier. Trop de bruit. Il fit un bond et se mit à aboyer avec excitation en entendant la voix aiguë de sa maîtresse.

Il se peut que Robert Sherman ait pris trop littéralement le « en vitesse ». Il se peut que le petit chien lui ait coupé le chemin en lui tournant autour avec des aboiements hystériques, comme les Indiens encerclaient jadis les chariots des premiers colons. Toujours est-il qu'en essayant de se ruer hors du magasin *et* d'esquiver la bête qui glapissait, l'Américain renversa un des deux présentoirs à cartes postales, qui s'écrasa bruyamment par terre, derrière lui.

— Sale cabot ! jura Sherman sans même se retourner, en ouvrant la porte et en se précipitant dans la rue.

— Fantastique ! s'exclama Rosalie, qui gagna l'entrée en quelques pas. Merci pour le spectacle ! Espèce d'idiot !

Mais l'homme à la veste en daim s'éloignait déjà à grandes enjambées.

Robert Sherman ne se souvenait pas quand, pour la dernière fois, il s'était énervé à ce point. La concentration d'adrénaline dans son corps était phénoménale.

Il prit la direction du boulevard Saint-Germain, furieux, le regard braqué sur le sol. L'avis de Rachel sur les Françaises n'était peut-être pas tout à fait erroné. Quel aplomb, quelle impertinence chez cette petite vendeuse ! *On n'apprend pas les bonnes manières, chez vous ? Je ne vends pas des hamburgers à la chaîne, monsieur.* Comme s'il était un de ces abrutis mal dégrossis du Midwest.

Il secoua la tête. Elle l'avait fixé de ses grands yeux sombres et s'était carrément moquée de lui.

— Nous voyons les choses avec un peu plus de *décontraction*, ici ! marmonna-t-il, excédé.

Cette bonne femme lui avait manqué de respect. Quelle arrogance ! Comme s'il était une espèce de petit-bourgeois coincé et qu'elle, en tant que Française, avait le monopole de la libre pensée. Liberté chérie, hein ? Crottes de chien et plagiats, plutôt – il pouvait facilement renoncer à ce genre de libre pensée !

— Espèce de chipie, imbécile ! lâcha-t-il, toujours sous le coup de la colère, et il faillit entrer en collision avec une femme qui arrivait dans l'autre sens sur l'étroit trottoir, portant un sac de courses et traînant un petit garçon derrière elle.

La femme lui jeta un regard réprobateur et il entendit l'enfant demander :

— Qu'est-ce qu'il a le monsieur, maman ?

Oui, qu'est-ce qu'il avait le monsieur ? Robert pressa l'ouvrage contre sa poitrine et continua de marcher. Cette Rosalie Laurent n'avait même pas jugé bon de lui présenter des excuses. Ni quand la cloche lui était tombée sur la tête, ni quand ce roquet l'avait attaqué. Attaqué *deux fois*. Rendez-vous compte ! Il pouvait s'estimer heureux de ne pas avoir été mordu, comme à l'époque de son enfance où le fox-terrier des Miller, leurs voisins, lui avait sauté dessus et l'avait mordu à la lèvre, et qu'il s'était évanoui pour la première fois de sa vie. Depuis, il se méfiait de ces sales cabots, si sournois.

Nous voyons les choses avec un peu plus de décontraction, ici. Cette phrase le mettait hors de lui. Peut-être parce qu'elle témoignait d'une nonchalance se moquant de toute raison, de toute responsabilité. Cette histoire de livre était tout bonnement incroyable !

Il l'avait aperçu par hasard dans la vitrine et un étrange mélange de curiosité et d'irritation avait fait battre son cœur plus vite. En entrant dans le magasin, il avait manqué tomber pour les raisons que l'on connaît. Ainsi qu'en le quittant avec précipitation. Il aurait pu se blesser grièvement. Sans oublier tout le reste. Mais cela n'avait nullement perturbé la propriétaire de la papeterie, qui, de toute évidence, ne se gênait pas pour se parer des plumes du paon. Elle l'avait même traité d'idiot, il l'avait très bien entendue.

Robert trouvait que les consignes de sécurité laissaient beaucoup à désirer, dans cette ville. Tout comme la politesse.

Il tourna sur le boulevard Saint-Germain et se dirigea machinalement vers la Sorbonne. À l'origine, il avait l'intention d'explorer un peu le campus. Il voulait convenir d'un entretien avec le directeur de la faculté d'anglais, dans les jours à venir. Mais pour l'instant, la Sorbonne ne l'intéressait plus particulièrement. La découverte inopinée du livre l'avait au moins autant bouleversé que la réaction de cette jeune femme l'avait rendu furieux.

Bouger lui faisait du bien. Peu à peu, il ralentit le pas et les battements de son cœur s'apaisèrent. Il quitta le boulevard bruyant et pénétra dans le dédale des rues du Quartier latin.

En arrivant à Paris, il s'attendait à tout. Ce devait être une pause. Il voulait réfléchir tranquillement, sans influence extérieure, à tout ce qui l'agitait. Il voulait partir à la découverte de cette ville qui n'était plus qu'un souvenir d'enfance. En mémoire de sa mère, il voulait gravir une nouvelle fois la tour Eiffel. Il voulait – bien entendu ! – se rendre chez *Shakespeare & Company*, y fureter au milieu des livres et respirer l'odeur de cette époque presque disparue où la littérature faisait encore bouger le monde.

Après les douloureux adieux à Mount Kisco et la scène que lui avait faite Rachel, il avait espéré passer quelques jours d'été insouciants loin de tout, peut-être même vivre un flirt innocent, oui, cela aussi ! Il avait espéré retrouver, dans la ville traversée par la Seine, la légèreté envolée. Il avait espéré obtenir des réponses à ses questions, gagner en clarté, prendre une bonne décision.

Sur tout cela planait, telle une promesse, la phrase de sa mère selon laquelle Paris était toujours une bonne idée.

Oui, je m'attendais à tout lorsque, tôt ce matin, j'ai quitté l'aéroport d'Orly et gagné Paris en taxi, songeait maintenant Robert Sherman en s'installant, pensif, à la terrasse d'un petit café aux chaises en bois branlantes.

Il s'attendait à tout, sauf à finir nez à nez avec le tigre bleu dans la vitrine d'une papeterie de Saint-Germain.

Depuis son enfance, l'histoire du tigre bleu lui était aussi familière que son vieil ours Willie. Quand il était petit garçon, sa mère la lui racontait soir après soir, pour l'aider à s'endormir. Il l'aimait et ne se lassait pas de l'entendre, même s'il savait à l'avance ce qu'allait dire chaque personnage. Lorsque sa mère cherchait à raccourcir un peu le récit parce qu'elle devait sortir dîner avec Dad, Robert le remarquait aussitôt.

— Maman, tu as oublié de dire qu'ils se rencontrent dans la grotte des Quatre-Vents, faisait-il.

Ou :

— Mais, maman, le sac avec son matériel de peinture était rouge, pas vert.

Aucun détail ne devait manquer, il tenait à chacun. De nombreuses années durant, le tigre bleu avait fait partie intégrante du rituel du coucher, et même s'il y avait d'autres livres dans ses étagères, il demeurait son histoire préférée. Lorsqu'ils arrivaient à l'endroit où Héloïse survolait Paris sur le tigre, que ses cheveux dorés flottaient au vent et scintillaient comme une étoile filante, sa mère marquait toujours une pause et lui adressait un regard lourd de sous-entendus.

— Quand on aperçoit une étoile filante, on a le droit de faire un vœu, déclarait-elle. Allez, on fait un vœu !

Alors, ils se prenaient par la main et chacun faisait un vœu en silence.

À présent, Robert songeait qu'il était étrange de constater à quel point les choses que vous aviez vécues enfant vous influençaient encore, des années plus tard. Devenu un homme, voyant approcher la quarantaine, il avait toujours le réflexe de guetter les étoiles filantes, les nuits claires d'été. Simplement, elles étaient difficiles à trouver à Manhattan, ou plutôt, on ne les voyait pas, car les lumières de la ville et les gaz d'échappement ternissaient tant le ciel que les nuits étoilées étaient très rares.

La serveuse, une jeune femme menue avec une queue-decheval, lui apporta son café dans une épaisse tasse blanche et Robert en but une gorgée. Elle lui sourit aimablement en posant un verre d'eau du robinet sur la table ronde et il lui sourit en retour, sans réfléchir.

Non, toutes les Françaises ne sont pas des chipies, se corrigea-t-il, tout en s'adossant à sa chaise et en tendant son visage au soleil.

Puis son regard se posa sur l'ouvrage illustré et il se rappela soudain qu'un soir, petit garçon, il avait demandé si l'histoire du tigre bleu existait aussi en livre. Mais sa mère avait secoué la tête et précisé qu'elle n'appartenait qu'à eux deux et qu'elle la lui offrirait un jour. Ce qu'elle avait fait bien des années plus tard.

Robert repensa à l'instant où il avait trouvé le manuscrit dans l'épaisse enveloppe brune remise par le notaire après sa mort, parmi quantité de papiers, de documents et de vieilles photos. Sa gorge se serra.

Il était protégé par une reliure bleue et la mention *Le Tigre bleu* figurait sur la couverture. Dessous, on pouvait lire : *Pour R.* Sa mère avait agrafé à l'ensemble un bout de papier sur lequel elle avait écrit, de son écriture ronde aux hampes et jambages surdimensionnés :

Pour mon cher Robert, en souvenir des nombreuses soirées que nous avons passées ensemble, avec notre ami le tigre. Elles me sont infiniment précieuses.

Il n'était plus un petit garçon au moment de décacheter l'enveloppe, mais en découvrant le manuscrit, comme un dernier signe de sa mère, les larmes lui étaient montées aux yeux.

Un jour, il était devenu trop grand pour qu'on lui raconte ou lui lise des histoires au lit. C'était alors, probablement, qu'elle avait tout couché sur le papier, jusqu'au moindre détail. Touché, il avait feuilleté les pages tapées sur une machine à écrire démodée, et relu le récit pour la première fois depuis longtemps. Un moment beau et triste à la fois, car il est toujours beau et triste de retrouver un lieu qu'on a beaucoup aimé, et de s'apercevoir que rien n'est resté identique.

Il n'avait pu s'empêcher de penser que sa mère avait justement fait cette remarque à la fin de sa vie.

— Je me rends dans un pays si lointain que même les avions n'y vont pas, avait-elle annoncé.

Mais ce n'est qu'en tenant le manuscrit dans ses mains qu'il avait réalisé que ces mots se rapportaient à un passage de l'histoire. Et voilà que, moins d'une heure plus tôt, dans la vitrine d'une papeterie, au beau milieu d'une ville étrangère, sur un continent étranger, il avait soudain vu ce livre. Ce livre qui ne pouvait exister, parce que seules deux personnes en connaissaient le récit et que l'unique manuscrit se trouvait à près de six mille kilomètres de là, dans une enveloppe brune.

Il en était resté le souffle coupé.

Déconcerté, il avait continué à avancer un peu, puis il était revenu sur ses pas pour en avoir le cœur net.

En demandant à voir l'ouvrage de l'auteur jeunesse – un homme âgé, barbu, cheveux gris peignés en arrière, dont la photo figurait sur la grande affiche derrière la caisse –, il pensait encore qu'il s'agissait d'une histoire radicalement différente qui, par hasard, portait le même titre. Ensuite, il s'était mis à lire, et au bout de quelques lignes seulement, il avait su que c'était le récit que sa mère lui avait laissé.

Il s'était senti volé, oui, volé était le mot juste ! Comme une personne qui rentre chez elle et constate que son appartement a été cambriolé. Impuissant et furieux en même temps.

Quelqu'un s'était emparé de son précieux souvenir et l'avait commercialisé pour en tirer profit. Robert ne s'expliquait pas comment cela avait pu se produire, mais il le découvrirait. Il ferait valoir son bon droit. Nul besoin d'être expert en droits d'auteur pour se rendre compte que cette affaire était un scandale.

Il reprit le livre et le feuilleta. Les illustrations colorées de la jeune femme à la tresse qui l'avait traité d'idiot lui plaisaient, mais cela n'y changeait rien. Quelle que soit la manière dont cet auteur français soi-disant respectable s'y était pris pour avoir accès à l'histoire du tigre bleu, il l'avait honteusement copiée. L'époque voulait malheureusement cela. Les gens ne respectaient plus la propriété intellectuelle. À l'université, on apprenait encore qu'il fallait toujours citer ses sources. Le reste n'était que du copier-coller, et la plupart semblaient trouver le principe tout à fait normal. Mais là, les choses allaient incontestablement trop loin.

— Il ne faut pas tout accepter, répétait souvent son père.

Et il avait raison.

Pour la première fois de sa vie, Robert Sherman se réjouissait d'être issu d'une famille de juristes. Au moins, il s'y connaissait en droit ! Il resta encore un moment assis au soleil et sentit son corps céder à l'épuisement et devenir de plus en plus lourd. La fatigue qui s'emparait de lui était telle que, pour un peu, il se serait endormi sur sa chaise en bois. Le *jetlag* et toutes les émotions de la journée réclamaient leur tribut.

Il finit son café crème devenu froid, prit quelques pièces de monnaie dans la poche de son pantalon, les posa sur la table et décida de retourner à l'hôtel. Il mangerait sur le chemin.

Il était dix-sept heures trente lorsqu'il se mit en route, trop tôt pour dîner à Paris, mais tous ces énervements lui avaient donné faim. Il lui fallait un bon steak et un verre de vin rouge. Il irait se coucher tôt, après avoir prévenu brièvement Rachel qu'il était bien arrivé. Le lendemain, il se pencherait de plus près sur le cas Marchais, même s'il se doutait qu'il ne fallait pas s'attendre à ce que Mlle Laurent soit d'une grande aide.

Tandis qu'il flânait dans la rue Saint-Benoît, une petite voie débouchant rue Jacob où se trouvait son hôtel, il remarqua des gens qui discutaient avec bonne humeur devant un restaurant d'où s'échappait l'odeur alléchante de la viande bien saisie. Sans réfléchir plus longtemps, il se mit dans la queue.

Le Relais de l'Entrecôte était un restaurant de grillades classique. Pour être exact, on ne pouvait y manger que des steaks-frites, mais ils étaient excellents. Robert avait trouvé la sauce citronnée servie avec son plat surprenante, puis totalement addictive. Quant à la viande, elle était tendre et savoureuse, et les frites, dorées et croustillantes. Si l'on faisait abstraction du serveur trop affairé qui lui avait arraché son assiette dès qu'il avait laissé entendre qu'il ne prendrait pas de dessert, on pouvait tout à fait qualifier de réussie la première partie de la soirée. Robert avait bu deux verres de vin rouge, du velours sur sa langue, il avait bien mangé et était impatient de se coucher. C'est alors que débuta la seconde partie de la soirée. Avec une facture aussi abordable qu'exorbitante. Pour quelqu'un dont le portefeuille avait disparu, en tout cas.

Robert palpa toutes les poches de sa veste et de son pantalon avec une nervosité grandissante tandis que le serveur se tenait à côté de sa table, avec un exquis mélange d'impatience et de condescendance, et que les clients suivants attendaient déjà de pouvoir s'asseoir.

— Mais ce n'est pas possible !

À la pensée qu'il y avait dans son portefeuille non seulement son argent, mais aussi la totalité de ses cartes, Robert se mit à avoir chaud. Ce matin-là – n'était-ce vraiment que ce matin-là ? –, après la déception suscitée par sa chambre, suivie de la panne d'ascenseur, il avait complètement oublié de mettre en sécurité dans le coffre-fort une partie de ses effets de valeur et de son argent. Où était passé ce fichu portefeuille ? !

Il était normalement glissé dans la poche intérieure de sa veste, mais celle-ci était vide ! Brusquement, il se sentit remonté comme une pendule. C'était la journée des décharges d'adrénaline, sans conteste. Il tenta de faire comprendre au serveur irrité qu'il n'était pas un aigrefin qui cherchait à manger à l'œil, mais un touriste américain qui jouait de malchance depuis son arrivée à Paris.

— Mon portefeuille a disparu ! expliqua-t-il, le regard paniqué.

Le serveur ne fit pas preuve d'une compassion débordante.

— Alors, monsieur ! se contenta-t-il de répondre en haussant les sourcils.

Il paraissait toujours attendre que *monsieur* sorte son portefeuille de son chapeau, comme par enchantement.

Robert parvint à réunir péniblement un billet de dix euros et quelques pièces perdus au fond de ses poches, pour un total de dix-neuf euros et cinquante centimes.

— Je n'ai que ça ! assura-t-il.

Le serveur demeura impassible. Robert s'apprêtait à lui proposer sa montre – tout de même l'ancienne TAG Heuer de son père – lorsqu'il comprit soudain où il avait égaré l'objet.

Il bondit, décrocha sa veste du dossier de sa chaise et lança au serveur stupéfait :

— Attendez ! Je reviens tout de suite !

Lorsqu'il arriva devant la boutique de cartes postales rue du Dragon, hors d'haleine, il était dix-neuf heures quinze. Les rideaux de fer protégeant la vitrine et la porte d'entrée étaient baissés, mais il y avait encore de la lumière à l'intérieur.

Robert vit une mince silhouette qui se penchait au-dessus de la caisse, et posa un instant le front contre les grosses mailles métalliques, soulagé. Dieu soit loué, elle était encore là ! Il se mit à tambouriner frénétiquement contre la porte.

— Mademoiselle Laurent ! Mademoiselle Laurent ! Ouvrez ! J'ai oublié quelque chose !

Elle releva la tête, se figea, puis s'approcha. En la regardant se diriger vers lui, la démarche légère, sa longue tresse repoussée sur le côté, il éprouva ce qui ressemblait à un sentiment de bonheur.

Lorsqu'elle le reconnut, ses grands yeux sombres se rétrécirent comme ceux d'un chat et elle secoua énergiquement la tête.

— Mademoiselle, vous devez me laisser entrer, c'est important !

140

Elle arqua les sourcils, puis, le sourire triomphant, retourna le panneau accroché à la porte.

Tel un mime, elle haussa les épaules et indiqua l'écriteau de la main. *Fermé*.

Décharge d'adrénaline !

— Mais enfin, je le vois bien que c'est fermé, je ne suis pas stupide ! s'écria-t-il avant de secouer le rideau de fer.

Cette dinde le laissait froidement planté dehors. Il constata qu'elle retournait à son comptoir en toute quiétude.

— Hé ! Ouvrez ! Mon portefeuille est resté dans le magasin. Je veux le récupérer tout de suite, vous entendez ? !

Il était manifeste que Rosalie Laurent n'éprouvait pas la moindre envie de l'entendre. Elle se retourna une dernière fois avec un sourire malicieux, avant d'éteindre la lumière et de monter l'étroit escalier en colimaçon.

Cette nuit-là, Robert Sherman dormit comme une masse. Après être retourné bredouille aux Marronniers et s'être hissé jusqu'à sa petite chambre au quatrième étage, le pas lourd (l'ascenseur était toujours en panne, en contrepartie, on lui avait fait miroiter la perspective d'un petit déjeuner gratuit le lendemain matin), il avait juste eu la force d'envoyer un SMS à Rachel.

Salut Rachel, je suis bien arrivé. Paris est rempli de surprises, d'énigmes et de gens arrogants. J'ai perdu mon portefeuille et fait la connaissance d'une vraie chipie française. Plus demain. Ton Robert, mort de fatigue.

L'atmosphère de la chambre était confinée. Robert avait ouvert largement les deux battants de la fenêtre et éteint la lumière. En face, le mur d'un gris blême faisait l'effet d'un immense écran de cinéma.

Ce soir-là, Rosalie resta longtemps assise sur sa terrasse, jambes ramenées près du corps, un verre de vin rouge à la main, à réfléchir à cette curieuse journée. La nuit était douce et une lune pâle se cachait derrière un nuage gris foncé.

René était déjà parti se coucher.

— Ne te casse pas la tête, cet Américain cinglé va bien finir par se reprendre. Il débloque complètement. Mais si tu n'arrêtes pas d'y penser, appelle Marchais et demande-lui, avait-il conseillé en lui ébouriffant les cheveux. Tu viens bientôt au lit, chérie, d'accord ?

Rosalie avait opiné du chef, puis elle s'était laissée glisser le long du mur et y avait appuyé sa tête. Cela aurait été le moment parfait pour une cigarette, mais sous l'influence bénéfique de René, elle avait arrêté de fumer. Ou tout au moins, elle essayait d'arrêter, ce qui signifiait qu'elle n'avait plus que rarement un paquet chez elle.

Elle soupira et leva les yeux au ciel. Cette journée qui avait si bien commencé avait rapidement pris une tournure étonnante, si bien que son euphorie du matin avait cédé la place à un grand désarroi.

Cet affreux Américain était revenu peu après dix-neuf heures pour faire du grabuge devant sa boutique.

143

Elle n'avait pas saisi grand-chose aux mots qu'il criait, juste compris qu'il voulait entrer à tout prix. Et sûrement pas pour lui présenter des excuses. Peut-être avait-il déjà une plainte écrite en sa possession.

Elle eut un gloussement satisfait en repensant à l'air ahuri de Robert Sherman lorsqu'il avait saisi qu'elle ne comptait pas rouvrir le magasin pour lui.

Après que Sherman eut encore secoué le rideau de fer, et finalement décampé non sans lâcher des grossièretés qui, par bonheur, ne lui étaient parvenues qu'assourdies depuis son appartement, il était devenu clair pour elle que cet individu était un colérique, incapable de se dominer. Eh bien, ce n'était pas son problème.

— Dommage que je n'aie pas été présent, avait regretté René lorsque Rosalie, au dîner, lui avait parlé de l'Américain, ce psychopathe surexcité qui l'avait importunée pour la seconde fois ce jour-là, après l'avoir accusée de plagiat et avoir renversé un présentoir à cartes postales. Je me serais fait un plaisir de montrer à ce type de quel bois je me chauffe !

Oui, dommage…, songea Rosalie en prenant une gorgée de vin.

Une bagarre entre l'athlétique René et ce Sherman dégingandé, qui n'avait pas vraiment l'allure d'un joueur des légendaires Red Sox, aurait sûrement ramené rapidement le calme. Cette affaire était singulière, tout de même. Soit il manquait bien une case à ce type, soit… Ce second cas de figure lui causait un certain malaise. Après tout, aussi improbable que cela paraisse, une profonde indignation, la colère du juste pour ainsi dire, pouvait être à l'origine de la fureur de

144

l'inconnu. Elle devait avouer qu'il ne lui avait pas du tout fait l'effet d'un fou, au premier coup d'œil. Il avait plutôt l'air surpris.

Quoi qu'il en soit, l'accusation était révoltante. Tout comme le ton.

Rosalie ne pouvait pas, avec la meilleure volonté du monde, s'imaginer Max Marchais plagiant un texte. Elle se rappelait parfaitement la soirée au *Jules Verne*, où il lui avait remis le premier exemplaire du *Tigre bleu*, sa fierté et son émotion d'y voir imprimé : *Pour R*. Sa gêne à lui, lorsqu'elle l'avait remercié pour cette dédicace.

Elle secoua la tête. Non, personne n'était capable de simuler ce genre de sentiment. Elle revoyait les yeux du vieil écrivain, où une lueur avait surgi. On n'avait pas cet éclat dans le regard quand on était malhonnête.

Puis quelque chose lui revint à l'esprit, et elle se redressa. Ce Sherman n'avait-il pas dit qu'il connaissait l'histoire depuis de nombreuses années, *depuis que j'ai cinq ans, pour être précis* ? Elle lui donnait pas loin de quarante ans. Le tout dernier texte de Max Marchais pouvait-il être si ancien ? Et que fallait-il comprendre quand cet avocat arrogant prétendait que c'était *son* histoire ? L'aurait-il écrite à l'âge de cinq ans, par hasard ? Tout cela n'avait aucun sens.

Rosalie se pencha en avant et entoura ses genoux de ses bras. À moins que… À moins qu'il existe une source commune à laquelle les deux aient eu accès. Il était tout à fait possible qu'un vieux conte mette en scène un tigre bleu. Elle hocha la tête, pensive, puis plissa le front parce que, même dans ce cas, il était impossible que l'histoire soit identique mot pour mot, ainsi que l'avait affirmé le New-Yorkais furieux.

Rosalie constata que ses pensées commençaient à s'embrouiller. Elle se cassait probablement la tête inutilement, René avait raison. Dès le lendemain matin, elle appellerait Max Marchais pour éclaircir cette affaire. Simplement, il faudrait qu'elle aborde le sujet avec tact – pas question de fâcher le vieil homme.

Elle ne s'attendait pas à ce que le dingue réapparaisse. Mais on ne savait jamais. Elle finit son verre de vin et retourna dans son appartement en passant par la fenêtre.

Lorsqu'elle ferma les yeux, on pouvait lire dans son carnet de notes bleu les quelques lignes suivantes :

Le pire moment de la journée :
Le nombre des inconnus qui entrent dans ma boutique et renversent des présentoirs croît de manière inquiétante. Aujourd'hui, j'ai eu droit à un horrible Américain qui m'a agressée verbalement et veut porter plainte parce que l'histoire du tigre bleu lui a soi-disant été volée.

Le plus beau moment de la journée :
Monsignac a appelé pour me demander si j'avais envie d'illustrer un livre de contes pour sa maison d'édition. C'est un gros contrat ! J'ai dit oui.

Depuis le début de la matinée, Marie-Hélène faisait du vacarme dans la maison. Son affairement excessif était le fruit d'une certaine nervosité due au fait qu'elle serait absente deux semaines. Elle devait se rendre avec son mari à Plan-d'Orgon, son village natal non loin des Baux-de-Provence, où vivait le reste de sa famille, à commencer par sa fille aînée qui venait d'avoir un bébé.

— Vous vous rendez compte, je vais devenir grand-mère, monsieur Marchais !

Max ignorait combien de fois il avait entendu cette phrase les mois passés, associée aux dernières nouvelles sur la santé de la mère et de l'enfant à naître. Trois jours plus tôt, la fille avait mis au monde une petite Claire (« Elle ne pèse que 3 500 grammes, monsieur, et elle sourit déjà »). Marie-Hélène Bonnier, transportée de joie, lui avait annoncé qu'elle partait pour Plan-d'Orgon ce week-end-là et qu'il devrait malheureusement se passer d'elle pendant quatorze jours.

— Vous allez vous en sortir, monsieur Marchais ? avait-elle ajouté, soucieuse, en s'essuyant les mains à son tablier.

Au fil des années, Mme Bonnier avait développé l'illusion qu'il était complètement perdu quand elle ne venait pas remplir son frigo, faire le ménage et cuisiner pour lui, trois fois par semaine.

— Bien sûr que je vais m'en sortir, Marie-Hélène, je ne suis pas un vieux gâteux, si ?

— Peut-être, mais vous êtes un *homme*, monsieur Marchais, et il n'est pas bon que les hommes se retrouvent seuls, c'est connu. Ils ne mangent pas correctement, les journaux s'entassent, la vaisselle s'empile dans l'évier et c'est le début de la fin.

— Vous exagérez, comme toujours, Marie-Hélène, avait commenté Max avant de se replonger dans son quotidien. Je vous assure que la maison sera encore debout dans deux semaines.

Malgré tout, il avait fallu que l'intendante, ce vendredi-là, veille de son départ, revienne pour nettoyer à fond toutes les pièces, lancer une lessive et congeler des plats qu'il n'aurait plus qu'à réchauffer. Sur le buffet, dans la cuisine, quinze boîtes Tupperware au moins, qu'elle avait remplies pour qu'il ne meure pas de faim, attendaient d'être placées au congélateur.

Max avait abandonné la lutte, résigné. Il était vain de discuter avec elle et de lui expliquer qu'il était parfaitement en mesure de se faire cuire un œuf sur le plat ou d'aller en ville pour y manger un morceau au bar du Marché. Ce qui lui permettrait également d'acheter un nouveau tube de gel anti-inflammatoire à la pharmacie, juste à côté.

Ce matin-là, il s'était réveillé tôt et avait ressenti un élancement à l'épaule. Il avait dû rester couché dans une mauvaise position. Ainsi allait la vie. Avec l'âge, on se réveillait plus tôt chaque matin et il y avait toujours quelque chose qui vous faisait mal.

Max Marchais s'étira dans la baignoire avec un sentiment de bien-être, tandis que Marie-Hélène se déchaînait en aspirant les tapis avec ardeur. Dans la salle de bains, au moins, il avait la paix.

Quelques minutes plus tard, Mme Bonnier se mit à aller et venir bruyamment devant la porte.

— Vous en avez pour combien de temps, monsieur Marchais ? lança-t-elle finalement.

En soupirant, il sortit de l'eau aux reflets verts dans laquelle, comme chaque matin, il avait versé deux petites poignées de ses sels de bain préférés, une déclinaison du parfum *Aramis*.

Plus tard, elle le chassa de la cuisine, puis de la bibliothèque. Au milieu de ce remue-ménage, il entendait des claquements, la serpillière qui s'abattait sur le plancher, un objet qui tombait sur le sol de la cuisine avec un bruit métallique. Toute la maison sentait le nettoyant ménager à l'orange, une odeur à laquelle se mêlait le parfum d'un gâteau fraîchement sorti du four. Marie-Hélène paraissait posséder le don d'ubiquité – où qu'il se trouve, elle apparaissait bientôt, armée de son aspirateur, de son seau et de son plumeau.

Quand elle se mit à laver les vitres de son bureau, Max se réfugia dans le jardin et s'installa à l'ombre avec un livre sorti la veille d'une des étagères les plus hautes, à l'aide de la vieille échelle de bibliothèque. Le soleil brillait et l'air était déjà agréablement tiède lorsqu'il s'absorba dans les *Pensées* de Blaise Pascal, dont il relisait toujours avec grand plaisir les réflexions sur la vie. Ce même Blaise Pascal avait affirmé que tout le malheur des hommes venait de leur incapacité à demeurer en repos dans une chambre.

Une sage formule, d'autant plus pertinente qu'on vous empêchait de demeurer en repos, pensait justement Max, à l'instant précis où le hurlement de l'aspirateur s'arrêta.

Quelques secondes plus tard, l'intendante sortait sur la terrasse et explorait le jardin du regard.

— Monsieur Marchais ? lança-t-elle.

Il releva la tête à contrecœur et vit qu'elle tenait un objet à la main.

— Téléphone pour vous !

C'était Rosalie Laurent, dont la voix avait un timbre un peu bizarre, trouva-t-il. Le timbre d'une personne qui s'efforce d'adopter un ton normal.

— Bonjour, Max ! Comment allez-vous ? J'espère que je ne vous dérange pas.

— Nullement. Mon intendante met la maison à feu et à sang depuis sept heures ce matin. Je n'étais plus en sécurité nulle part, alors je me suis replié dans le jardin, à couvert, plaisanta-t-il, et il l'entendit rire. Et vous, comment allez-vous, mademoiselle Rosalie ?

— Très bien ! s'exclama-t-elle, puis elle fit une pause, avant de reprendre : Monsignac m'a appelée hier. Il voudrait que j'illustre un gros livre de contes pour lui.

— Mais c'est magnifique ! Félicitations !

Ayant noté son hésitation, il se dit qu'elle avait peut-être une question.

— C'est à vous que je dois tout ça, poursuivit-elle. Et au tigre bleu, bien sûr.

— Pas de fausse modestie, mademoiselle Rosalie. Vos dessins sont bons, voilà tout.

Il mit Pascal de côté et s'adossa confortablement à sa chaise en osier, tandis qu'elle lui parlait de cette commande et que ses pensées dérivaient un peu.

Chaque fois qu'il discutait avec Rosalie Laurent et que, de façon enjouée, elle lui confiait les détails de son quotidien, le questionnait ou lui demandait conseil, cela le requinquait. Depuis le projet de livre qui les avait réunis, ils se retrouvaient régulièrement ; soit elle se rendait au Vésinet, soit il prenait le train pour Paris et ils buvaient un café ou faisaient une promenade avec son chien.

Après la mort de Marguerite, sa vie était devenue solitaire. Il ne l'avait pas remarqué pendant longtemps, et lorsqu'il l'avait remarqué, cela ne l'avait pas beaucoup dérangé. Il s'était retranché, avec ses livres et ses pensées, derrière une enceinte qui n'était pas sans évoquer le vieux mur de pierre entourant son jardin. Mais, depuis la naissance de son amitié avec cette jeune femme, il sentait que quelque chose de neuf voyait le jour, quelque chose qui remettait peu à peu le passé à sa place et en faisait effectivement une période révolue. Le vieux mur s'était fissuré et la lumière passait maintenant à travers. Cela lui rappelait cette merveilleuse chanson de Leonard Cohen.

There is a crack in everything, that's how the light gets in.

Rosalie était entrée dans sa vie telle une lumière, et Max Marchais avait constaté, à sa grande surprise, qu'il se remettait à se projeter et à forger des plans.

À l'intérieur, le ronflement de l'aspirateur s'éloignait lentement, et Max se mit à promener son regard sur les rosiers de son jardin, toujours en fleur.

— Je me réjouis tous les matins, quand je vois le livre dans la vitrine, disait à présent Rosalie qui s'était remise à évoquer le tigre bleu. Comment avez-vous trouvé cette histoire, au juste ? – Elle se reprit précipitamment. – Je veux dire… comment a-t-on une telle idée ?

Max quitta sa digression mentale et réfléchit un moment.

— Comment ce genre de texte vient-il à l'esprit, ma foi… On voit ou on entend quelque chose, une pensée flotte dans les airs, on va se balader au bois de Boulogne et soudain, on commence à tisser son histoire. Il y a toujours un moment précis qui déclenche le récit, le met en branle. Ce peut être une phrase, une conversation…

— Et qu'est-ce qui a mis *votre* récit en branle ?

— Eh bien…

L'espace d'un instant, il se demanda s'il devait lui avouer la vérité, mais il repoussa cette idée.

— Je dirais que c'est ce brave Monsignac, affirma-t-il, bottant un peu en touche. Sans son insistance, le livre n'existerait sûrement pas.

Elle rit, un peu gênée, lui sembla-t-il.

— Non, non, ce n'est pas ce que je veux dire. Ce que je me demande, c'est… s'il existe un conte à la base de l'histoire du tigre bleu ?

152

Max était plutôt décontenancé.

— Pas que je sache. Et si c'est le cas, je ne le connais pas.

— Ah.

Nouvelle pause.

Max sentit un malaise monter en lui. Quel était le motif véritable de cet étrange appel ? Il se racla la gorge.

— Bon, Rosalie, dites-moi où le bât blesse, fit-il, rompant finalement le silence. Vous ne me posez pas ces questions sans raison.

Alors, prudemment, chagrinée, elle lui relata le fâcheux incident avec l'inconnu entré dans sa boutique qui avait prétendu que l'histoire du tigre bleu avait été volée.

— C'est d'une stupidité scandaleuse ! s'écria Max Marchais. Vous ne le croyez quand même pas ? – Il éclata de rire et secoua la tête, incrédule, tant tout cela lui paraissait absurde. – Écoutez, ma chère Rosalie, oubliez ces sottises sur-le-champ, je vous prie. Je vous assure que je suis l'auteur de ce récit, vous pourrez transmettre le message à ce monsieur de New York s'il revient. Je l'ai inventé, et mot pour mot !

Il l'entendit pousser un soupir de soulagement.

— Je n'en ai jamais douté, Max. Seulement, cet homme affirme qu'il peut prouver que c'est son histoire. Il était hors de lui et a même menacé de porter plainte contre nous.

Max eut un reniflement contrarié.

— C'est inouï !

— Il s'appelle Robert Sherman. Vous le connaissez, peut-être ?

— Je ne connais pas de Sherman, répliqua laconiquement Max Marchais. Et je n'ai aucune envie de me retrouver face à ce détraqué.

Le sujet était clos pour lui.

C'est du moins ce qu'il croyait.

Un rayon de soleil oblique s'invitait dans la chambre et un courant d'air estival gonflait les légers rideaux devant la fenêtre. Robert Sherman cligna des yeux. Il entendait, très loin, un léger cliquetis de vaisselle qui ne troublait pas le calme l'entourant. La sérénité de cette matinée lui faisait penser aux paresseux dimanches de son enfance à Mount Kisco.

Il s'étira et chercha à retenir son rêve, qui s'estompa rapidement. Un beau songe qui l'avait empli au réveil d'une agréable sensation : il se trouvait sur un banc, au milieu d'une petite place, et une femme était assise tout près de lui.

Il tenta de se rappeler ce rêve avec plus de précision, mais les images étaient trop fugaces pour qu'il puisse les saisir. Peu importe. Il se tourna sur le côté, remonta le drap et somnola encore un peu. Le temps d'un moment heureux, l'univers de Robert Sherman fut en ordre.

Puis le son strident d'une perceuse déchira le silence. Robert s'assit dans le lit, bâilla et but une gorgée du verre d'eau posé sur son chevet. Il jeta un coup d'œil à son téléphone portable et remarqua le message.

Eh bien, mon cher, tout ça est palpitant. J'espère que ça te donnera à réfléchir. Je t'avais dit dès le début que c'était une idée farfelue d'aller à Paris. Veux-tu que je te fasse parvenir de l'argent ? Bises, Rachel

Alors, tout lui revint à l'esprit. La sorcière de la papeterie, le livre, le restaurant de grillades, son portefeuille. Le sentiment de bien-être disparut aussitôt. Désormais parfaitement réveillé, il consulta son réveil. Dix heures et demie ! Il avait dormi près de douze heures.

C'était vendredi, il n'avait plus son portefeuille et cette maudite boutique de cartes postales ouvrait à onze heures.

Après un petit déjeuner précipité (un café corsé et un croissant très croustillant avalé à la hâte), il rasa le mur pour passer devant les deux ouvriers qui, dans l'entrée exiguë de l'hôtel, discutaient devant l'ascenseur, leur caisse à outils à leurs pieds. Puis il monta en courant la rue Bonaparte ensoleillée. Soudain, le ton moralisateur du SMS de Rachel le frappa. Même si cela n'avait peut-être pas été la meilleure des idées de s'envoler pour Paris, ce n'était pas une raison pour enfoncer le clou.

Il était un peu plus de onze heures lorsqu'il abaissa la poignée de la porte de *Luna Luna* et pénétra prudemment dans le magasin. Cette fois, aucun carillon ne s'abattit sur son crâne, seul le chien, toujours couché dans sa corbeille, émit un grognement ensommeillé. Par précaution, Robert fit un pas de côté.

Il n'y avait pas encore de clients. Rosalie Laurent, qui réagençait le dessus d'une étagère, se retourna.

— Oh, non… Encore *vous* ! fit-elle en levant les yeux au ciel.

— Oui, encore moi, répliqua-t-il avec mordant. Je vous rappelle que vous ne m'avez pas laissé entrer, hier soir.

Au souvenir de la manière dont, la veille, elle l'avait laissé planté devant la porte fermée, le forçant à se rendre ridicule et à s'époumoner dans la rue, il sentit une colère froide monter en lui.

— Il me semble que nous avons un compte à régler, ajouta-t-il.

— Ah oui ? demanda-t-elle avec un sourire de pure provocation. Qu'est-ce qui vous amène chez moi aujourd'hui, monsieur Sherman ? Avez-vous déjà porté plainte, ou juste envie de renverser un nouveau présentoir ?

Elle haussa ses sourcils sombres, joliment arqués.

Il prit une profonde inspiration. Cela ne servirait à rien de chercher la dispute avec cette petite garce. Il devait rester souverain. Il était professeur de littérature et il connaissait son Shakespeare. *First things first.*

— Ni l'un ni l'autre, répondit-il le plus calmement possible. Je voudrais juste récupérer mon portefeuille.

Elle inclina la tête sur le côté.

— Aha. Intéressant. Qu'est-ce que j'ai à voir là-dedans ?

Elle n'avait pas l'intention de lui faciliter la tâche, de toute évidence.

— Eh bien…, commença-t-il en évitant à dessein de la fixer et en coulant un regard en direction du comptoir, où se trouvait la caisse et où étaient étalés quelques prospectus. Je suppose que je l'ai oublié ici.

— C'est pour cette raison que vous avez failli défoncer la vitre hier soir ? le questionna-t-elle avec un sourire arrogant.

— Ça vous étonne ? Vous m'avez laissé planté dehors. Si c'est la façon élégante qu'ont les Français de…

— C'était déjà fermé, monsieur, trancha-t-elle en faisant un pas vers lui et en le détaillant de ses grands yeux sombres. Savez-vous quel est votre problème ? Vous avez visiblement beaucoup de mal à accepter un refus.

— C'est faux, déclara-t-il avec détermination. Enfin… en règle générale. Mais hier, c'était une urgence. Je vous assure que ce n'est pas drôle de constater, à la fin d'un repas au restaurant, qu'on n'a plus ni argent ni cartes de crédit.

— Oh, ça aussi, c'est ma faute ?

De nouveau ces sourcils haussés. Elle était vraiment douée pour cela.

— Bon, quoi qu'il en soit, ce n'est pas étonnant que j'aie égaré mon portefeuille dans tout ce tohu-bohu.

— Tohu-bohu, c'est le mot. Il m'a fallu pas loin d'une heure pour venir à bout des dégâts que vous avez provoqués ici, lui reprocha-t-elle. Il ne vous serait pas venu à l'idée de m'aider à remettre de l'ordre dans ce chaos !

— Qu'est-ce que j'y peux, si vous gardez dans votre boutique une bête féroce qui se jette sur les clients ?

— C'est ridicule, vous devriez vous entendre parler. C'est la faute de mon gentil William Morris, maintenant ? s'exclama-t-elle avant d'éclater d'un rire sonore.

Entendant son nom, William Morris releva la tête avec un léger gémissement et remua joyeusement la queue.

— Jugez par vous-même. C'est un chien tout ce qu'il y a de plus amical. Il me semble que vous souffrez de paranoïa, monsieur… comment déjà… Sherman, de… New York. Et pas seulement en ce qui concerne la dangerosité canine.

Elle croisa ses minces bras nus par-dessus son chemisier en soie, bleu tendre à pois blancs, et lui adressa un regard éloquent.

Robert Sherman se prit la tête entre les mains. Pourquoi au juste était-il revenu ? Ah oui ! À cause du portefeuille. Il ne fallait pas qu'il se laisse égarer par des broutilles. Cette femme avait l'art de couper les cheveux en quatre. Le principal, c'était le portefeuille.

— Rendez-moi mon portefeuille et je quitte tout de suite les lieux, proposa-t-il sèchement.

— Je ne demande rien d'autre, rétorqua-t-elle d'un ton moqueur. Seulement, je regrette mais votre portefeuille n'est pas ici.

Il la fixa, méfiant. Et se demanda un moment si cette créature récalcitrante aux grands yeux sombres aurait le culot de dissimuler son portefeuille – par pure méchanceté et pour lui causer des difficultés.

Elle secoua la tête, comme si elle avait deviné le cours de ses pensées.

— Non, je ne dis pas ça juste pour vous énerver, bien que l'idée soit très tentante, je dois l'avouer.

— Je vous crois capable de tout, assura-t-il avec mauvaise humeur.

Peut-être mentait-elle, tout de même. Il était sûr à cent pour cent d'avoir égaré son portefeuille dans cette boutique.

— Monsieur ! lança-t-elle en mettant les poings sur les hanches. Cessez vos insinuations. Hier, j'ai rangé tout le magasin, *après* que vous êtes sorti en trombe en renversant le présentoir à cartes postales… Mais je n'ai trouvé aucun portefeuille. Vous l'avez peut-être perdu ailleurs. Ou on vous l'a volé.

— Non, non, impossible… Il *doit* être ici, insista-t-il. La dernière fois que je l'ai sorti de la poche de ma veste, c'était ici. Au moment de… payer ce livre.

— Ah, oui… l'histoire du tigre. Elle aussi, on vous l'a volée. Vous êtes vraiment poursuivi par la malchance, monsieur. Il faut croire que Paris n'est pas votre ville. Vous devriez peut-être vous dépêcher de retourner à New York, déclara-t-elle avant de faire demi-tour et d'aller se poster derrière sa caisse. Mais… si vous voulez vérifier par vous-même en examinant les lieux, ne vous gênez pas.

Elle prit un bloc quadrillé et fit mine d'y inscrire quelque chose, l'air offensé.

Robert regarda autour de lui, essayant de se rappeler le parcours qu'il avait effectué lors de son départ précipité. Avait-il abandonné son portefeuille en cuir brun près de la caisse ? Mais il ne s'y trouvait pas, naturellement. Le tenait-il encore à la main lorsque ce roquet avait tourné autour de lui en aboyant et que, effrayé, il avait trébuché contre le présentoir ?

160

L'avait-il lâché sans s'en rendre compte dans le feu de l'action ?

Il parcourut le moindre recoin, regarda sous la grande table en bois foncé au milieu de la pièce, inspecta l'entrée et jeta même un coup d'œil scrutateur dans la vitrine. Toujours pas de portefeuille.

Rosalie Laurent le regardait faire, tout en nouant ses longs cheveux en un chignon qu'elle fixa avec une seule épingle.

— Alors ? s'enquit-elle avant de bâiller, affichant son ennui.

— Rien, répondit-il en haussant les épaules.

— Je pourrais vous rendre les trente euros que vous m'avez donnés en trop hier, fit-elle, et il aurait peut-être acquiescé si elle n'avait pas aussitôt ajouté : Ce n'est pas une fortune, mais ça devrait suffire pour un Coca et quelques Big Mac.

— J'apprécie cette offre extrêmement généreuse, mais non, gronda-t-il. Je préfère mourir de faim plutôt que d'accepter de l'argent venant de vous.

— Moui. Comme vous voudrez. Dans ce cas, je crains de ne pas pouvoir vous aider, monsieur Sherman.

— Ah, ce qui m'aiderait grandement, ce serait que vous fermiez un moment la bouche, répliqua-t-il. J'essaie de me concentrer, vous savez.

— Charmant, charmant, poursuivit-elle, impassible. Je vous fais volontiers ce plaisir, monsieur. Voyez-vous, j'ai mieux à faire que de discuter avec vous. – Elle eut un sourire triomphant. – Quant à votre portefeuille, vous ne le trouverez pas ici, mal-heu-reu-se-ment.

Robert réfléchissait avec intensité. Manifestement, il allait devoir solliciter Rachel. Il n'avait plus un sou en poche. Il fallait qu'il mette sur pied un plan d'urgence. Qu'il demande à Rachel de faire opposition sur ses cartes, qu'il aille au consulat pour obtenir un nouveau passeport. Il venait d'atterrir dans le cauchemar de tout touriste. Sauf qu'il ne s'était même pas fait dévaliser.

— Bizarre… J'aurais juré que…, marmonna Robert, plus pour lui-même, avant de mordiller les jointures de ses doigts, pensif.

Dans l'espoir insensé d'un miracle, il se planta devant la vitrine et se mit à fixer les carreaux noirs et blancs.

C'est alors que le miracle se produisit.

Dehors, un grand type en short et tee-shirt, l'allure sportive, venait de débouler sur son vélo de course. Il le gara, enleva son casque et ouvrit la porte de la boutique.

Jusqu'à présent, Robert Sherman n'avait connu que de malheureux concours de circonstances. Mais ce jour-là, à Paris, dans le magasin de cartes postales où il se trouvait, peut-être pas par hasard mais assurément à contrecœur, il vécut, pour la première fois de sa vie, un heureux concours de circonstances.

Heureux, le fait que, ce vendredi-là, la cliente d'un certain René Joubert, entraîneur de fitness de son état, ait dû annuler son rendez-vous de coaching pour cause de migraine, si bien que le jeune homme s'était arrêté devant *Luna Luna* au moment même où Robert était sur le point de connaître par cœur le motif du carrelage. Heureux, le fait que le cycliste ait salué sa petite amie d'un chaleureux « Alors, ça boume ? Mon rendez-vous a été supprimé. Du coup, je me suis dit que j'allais passer en coup de vent ! J'ai une nouvelle géniale ! ». Encore plus heureux, le fait que, tandis que Rosalie quittait son comptoir pour accueillir René, le chien se soit aussi cru obligé d'abandonner sa corbeille en remuant la queue pour partir à l'assaut des jambes musclées de l'homme en short vert.

Alors que René se penchait pour grattouiller le dos de William Morris, Robert et Rosalie regardèrent presque simultanément dans la corbeille vide qui, comme on pouvait facilement s'en apercevoir, n'était pas *complètement* vide.

Ils échangèrent un coup d'œil stupéfait, sourirent spontanément, l'un avec un sentiment de soulagement infini, l'autre d'un air légèrement coupable, puis ils prononcèrent, il convient de le souligner, la même phrase :

— Je crois que je vous dois des excuses.

Ce soir-là, Rosalie Laurent partit se promener aux Tuileries avec Robert Sherman ; en parfaite harmonie, à son grand étonnement.

Après la découverte du portefeuille qui avait inexplicablement atterri dans la corbeille du chien, elle s'était excusée avec embarras. De même que l'Américain, pour son comportement inconvenant. Ensuite, un silence gênant s'était installé.

René, assez déconcerté, les avait regardés à tour de rôle. Puis, de façon méritoire, il avait fait le rapprochement entre le portefeuille et l'inconnu à l'accent américain.

— Non ! s'était-il écrié. Pas possible ! C'est le psychopathe ?

Rosalie était devenue rouge écrevisse.

— Euh… oui… En quelque sorte, avait-elle bredouillé. C'est Robert Sherman. – Elle avait jeté un coup d'œil à l'Américain qui paraissait se délecter de son trouble. – Nous… nous avions un point à éclaircir. Laissez-moi faire les présentations : Robert Sherman, René Joubert.

— Enchanté, avait commenté Sherman avec une certaine présence d'esprit.

René s'était redressé de toute sa taille.

— Je ne partage pas ce plaisir, connard ! avait-il tonné. – Menaçant, il avait fait un pas vers Sherman, surpris, qui n'avait manifestement pas saisi le sens du mot « connard », et planté son regard dans le sien. – Écoutez-moi bien, parce que je ne le répéterai pas : si vous importunez encore ma petite amie, je vous romps les os un par un.

Sherman s'était ressaisi à une vitesse surprenante, un sourire subtil aux lèvres.

— Ah, serait-ce votre petit ami ? avait-il demandé à Rosalie, qui souhaitait depuis un moment que le sol s'ouvre et l'engloutisse. Qu'est-ce qu'il fait dans la vie ? Videur dans une discothèque ?

Il s'était baissé adroitement lorsque René avait levé le bras pour le frapper. Le coup avait manqué sa cible et René, en colère, avait fait un tour sur lui-même et lancé à Sherman qui ricanait :

— Viens par ici, espèce de lâche.

— René… arrête !

Rosalie s'était jetée entre les deux hommes avant que débute, dans sa boutique, une bagarre qui aurait sûrement vu plus que quelques cartes postales tomber par terre.

Cela lui avait demandé beaucoup d'efforts de faire comprendre à son petit ami furieux qu'elle n'avait plus besoin d'être défendue et que M. Sherman était revenu uniquement parce qu'il voulait récupérer son portefeuille, qui se trouvait – sans que le doute soit permis – dans la corbeille du chien.

— Rends-toi compte, William Morris était couché dessus depuis le début, c'est pour ça qu'on ne l'a pas trouvé tout de suite, avait-elle expliqué avant de rire pour désamorcer la situation.

René avait plissé le front et jeté un coup d'œil méfiant à l'Américain.

— Un portefeuille ? Comment ça ? Je pensais qu'il était question de ton livre ? Tu m'as raconté que ce fou t'avait offensée et menacée, hier. Il a dévasté ta boutique et fait tellement de grabuge dans la rue, le soir, que tu as failli appeler la police.

Sherman avait haussé les sourcils d'un air éloquent. Rosalie avait cherché un faux-fuyant sous les regards interloqués des deux hommes, mal à l'aise. Peut-être, dans sa colère, avait-elle un peu exagéré en décrivant la scène à René.

— Eh bien… voyons… *Menacée*, c'est peut-être beaucoup dire, avait-elle finalement avoué. Il n'empêche que je n'ai pas vraiment eu l'impression que vous veniez animé d'intentions pacifiques, monsieur Sherman.

— Il se peut que j'aie fait un peu d'excès de zèle, avait concédé Sherman. Hier, la malchance m'a poursuivi et la journée a été plus que déplaisante. Mais pour en revenir à la paternité du livre jeunesse, je suis à cent pour cent dans mon bon droit, et vous comprendrez pourquoi quand vous connaîtrez toute l'histoire.

Rosalie s'était raclé la gorge.

— Ma foi, je suis impatiente de l'entendre, avait-elle assuré, repensant à son coup de fil à Max Marchais. Moi aussi, j'ai encore des choses à dire à ce propos. Pourquoi ne pas parler tranquillement de cette affaire ?

Peut-être pas maintenant, dans le magasin, où un client peut entrer à n'importe quel moment.

En fin de compte, il avait été convenu de se retrouver au café Marly.

— Maintenant que j'ai mon portefeuille, avait ajouté Sherman que le soulagement rendait d'humeur généreuse, nous pourrions poursuivre notre discussion au cours d'un dîner civilisé. Votre ami est également mon invité, bien entendu ; ainsi, il pourra personnellement se convaincre que je ne veux toucher à aucun de vos cheveux.

Vers vingt heures trente, assis sous les arcades du café Marly, ils passaient commande – sans René qui avait rendez-vous avec un ami, ce soir-là.

— Il m'a l'air plutôt normal, si tu veux savoir, avait conclu René après que Sherman eut quitté la boutique.

C'était aussi l'avis de Rosalie qui, à présent, détaillait discrètement l'Américain, tandis que celui-ci admirait la vue sur le Louvre et la pyramide en verre brillamment éclairée.

— Elle n'existait pas encore quand je suis venu à Paris la dernière fois, confia-t-il. Mais ça remonte à loin, maintenant. J'étais encore un petit garçon et tout ce que je me rappelle du Louvre, c'est Mona Lisa et son drôle de sourire. Vous saviez que son regard vous suit partout ? Ça m'a beaucoup impressionné, à l'époque.

Il découpa un bout de son club-sandwich, et Rosalie essaya de se représenter Robert Sherman petit garçon.

— Au fait, comment se fait-il que vous parliez si bien français ? demanda-t-elle. J'ai toujours cru que les

Américains n'apprenaient strictement aucune langue étrangère, parce qu'ils pensaient pouvoir s'en sortir partout dans le monde avec leur anglais.

— Curieux, j'ai entendu dire la même chose des Français, répliqua-t-il, non sans raillerie. Ils se refusent purement et simplement à parler autre chose que leur langue maternelle. Sauf que c'est par pure étroitesse d'esprit, pas parce que leur langue est une langue mondiale.

Il eut un large sourire.

— Nous n'allons quand même pas recommencer à nous disputer, monsieur Sherman, si ? s'enquit Rosalie en trempant un morceau de coq dans sa sauce au vin. Alors, quelle en est la raison ? À moins que ce soit un secret ?

Il rit.

— Non, non, il n'y a aucun secret dans ma vie. Rien de palpitant là-dedans, je le crains. Ma mère voulait absolument que j'apprenne le français parce que sa famille est originaire de France. Elle me parlait déjà en français alors que je n'étais qu'un enfant. J'avoue que, de moi-même, je n'aurais jamais eu cette idée. À l'époque, je trouvais cette langue… comment dire… efféminée, en quelque sorte… Enfin, pour un vrai Américain.

— Qu'est-ce que vous racontez ! s'exclama Rosalie en se redressant sur sa chaise. Vos préjugés ont la vie dure. Moi, je peux vous assurer que ni la langue française ni les hommes français ne sont efféminés.

— Voilà qui me réjouit grandement pour vous, mademoiselle Laurent. Je suppose que c'est l'expérience qui parle, fit-il, les yeux scintillants.

— Ne soyez pas impertinent, monsieur Sherman. Ma vie privée ne vous regarde nullement. Du reste, ça me réjouit aussi pour vous.

— Quoi ? Que les hommes français soient si virils ?

— Non, que votre mère ait eu le dernier mot. On dirait que c'est une femme intelligente.

— Oui…, commenta-t-il en prenant son verre de vin et en le considérant, pensif. Intelligente… Elle l'était, c'est sûr. – Il baissa les yeux. – Malheureusement, elle n'est plus de ce monde. Elle est morte il y a quelques mois.

— Oh, lâcha Rosalie, consternée. Je suis désolée.

Il hocha la tête plusieurs fois et reposa son verre d'un coup.

On voyait bien que la plaie n'avait pas encore cicatrisé.

— En tout cas, aujourd'hui, je suis heureux qu'elle ait insisté. Et pas seulement parce que ça me facilite énormément le séjour dans votre belle ville.

Lorsqu'il évoqua la chaire de professeur invité qu'on lui avait proposée, Rosalie eut du mal à cacher sa surprise.

— Spécialiste de Shakespeare ? Pourtant, je trouve que le métier d'avocat vous convient parfaitement, déclara-t-elle.

— Pourquoi ? Parce que je demande justice ?

— Non, parce que vous ergotez toujours, riposta-t-elle.

— Et vous, vous avez autant de repartie que la Catharina de Shakespeare.

Elle avala la bouchée qu'elle était en train de mâcher. La Catharina de Shakespeare ? Cela ne lui disait rien.

— Aha. Et… c'est positif ou négatif ? l'interrogea-t-elle.

— Vous n'avez jamais entendu parler de *The Taming of the Shrew* ? *La Mégère apprivoisée*, ajouta-t-il en français.

— Bien sûr que si, rétorqua-t-elle. Mais je ne connais pas les détails.

— Je vous ferai lire la pièce à l'occasion, comme ça vous pourrez décider par vous-même. Je parie que Catharina vous plaira beaucoup.

Il sourit comme s'il venait de faire une blague géniale, puis planta son regard dans le sien et redevint sérieux.

— Bon, mademoiselle Laurent, nous avons quelque chose à éclaircir. Qui commence ?

Rosalie mit ses couverts de côté et se tamponna la bouche avec sa serviette.

— Je vais entrer dans le vif du sujet, décida-t-elle. Vos curieuses accusations me tournaient sans cesse dans le crâne, si bien que ce matin, j'ai appelé Max Marchais…

— Alors ? la questionna Sherman en se penchant en avant, attentif.

La couleur de sa chemise est parfaitement assortie à ses yeux bleus, songea brusquement Rosalie.

Elle repoussa la pensée et secoua la tête.

— C'est exactement ce que je pensais. Marchais m'a garanti qu'il avait inventé le récit. « Mot pour mot », je le cite. Par acquit de conscience, je lui ai même demandé s'il existait un conte, une source sur laquelle repose son livre, mais ce n'est pas le cas non plus. Il était dans tous ses états quand j'ai évoqué un éventuel

plagiat. Et le nom de Sherman ne lui dit rien du tout.
C'est l'histoire de Marchais et je le crois, quoi que vous
puissiez dire.

— Mais, mademoiselle Laurent, ce n'est pas possible.

— Quoi, alors ?! Vous voulez sérieusement me faire
croire que c'est vous qui l'avez écrite ? À cinq ans ?

— Je n'ai jamais prétendu que j'en étais l'auteur,
réagit Sherman, surpris. J'ai juste dit qu'elle ne pouvait
pas être de ce Marchais.

— Qu'est-ce qui vous rend aussi sûr de vous ?
s'étonna Rosalie qui posa les coudes sur la nappe
blanche, croisa les mains, y appuya le menton et le
regarda, interrogative. Ce n'est pas parce que vous êtes
le grand spécialiste de Shakespeare, quand même ?

— Très bien, fit Sherman en repoussant son assiette.
Dans ce cas, je vais vous raconter ma version.

Robert Sherman parla assez longuement. Il n'omit
rien. Ni le fait que le récit du tigre bleu était son préféré
quand il était enfant, ni celui que sa mère lui avait dit
qu'il n'existait pas sous forme de livre. Lorsqu'il en
vint à parler de sa mort et du moment où, tout à la fin,
elle avait évoqué un passage du *Tigre bleu* sans qu'il
en prenne alors conscience, les prunelles de Rosalie
devinrent noir d'encre. Ensuite, lorsqu'il lui raconta, la
voix brisée par l'émotion, qu'il avait trouvé le manuscrit dans les documents confiés au notaire – avec la
dédicace et ce dernier mot de sa main –, elle ne put
empêcher les larmes de lui monter aux yeux.

Elle l'écoutait, bouleversée. Quelle histoire triste…
Pourtant, il y avait dedans tant d'amour ! Lorsque

Sherman mentionna la dédicace, alors seulement, elle remarqua que son prénom avait lui aussi un « R » pour initiale. Rosalie… Robert. Curieux.

— Eh bien, et moi qui pensais que ce « R » me concernait, confia-t-elle avec embarras. Mais tel que vous le racontez, ça semble impossible…

Sherman la regarda, étonné, avant de reprendre :

— C'est en effet « R » pour Robert. Ma mère a fixé au manuscrit ce bout de papier qui ne permet pas le doute.

Rosalie l'écoutait, silencieuse, en tentant de dominer son désarroi. Elle était tout naturellement partie du principe que ce *Pour R.* lui était destiné, et Max Marchais ne l'avait pas contesté. Mais, soudain, elle n'était plus sûre.

Elle essaya de convoquer mentalement le moment où elle avait remercié Max Marchais pour cette inscription. Qu'avait-il répondu, précisément ? Elle réfléchit, et cela lui revint.

Ne dites rien, c'est tout.

Elle avait supposé qu'il ne voulait pas s'appesantir sur le sujet, mais peut-être était-il simplement mal à l'aise qu'elle ait cru que le « R » se rapportait à elle. La gêne manifeste de Max Marchais l'avait touchée, parce qu'elle s'était imaginé que son vieux cœur battait un peu trop fort pour elle et qu'il en avait honte, même s'il n'y avait pas de raison : il ne fallait jamais avoir honte d'aimer. Mais à présent, elle se demandait s'il ne pouvait pas y avoir une autre raison à l'étrange réaction de l'écrivain. L'aurait-elle pris en flagrant délit de mensonge ?

Rosalie faisait tourner le vin dans son verre, pensive. Si Robert disait la vérité – et elle ne voyait plus de raison d'en douter –, il existait un vieux manuscrit, légué par sa mère, porteur du récit qu'elle avait imaginé pour lui.

Pauvre Sherman ! Pas étonnant qu'il ait été si choqué de découvrir le livre dans sa vitrine. Si blessé, si furieux de trouver « son » histoire en l'ouvrant.

Lorsque Sherman se tut, le Marly s'était en partie vidé. Les clients encore présents, ici et là, s'entretenaient à voix basse. Rosalie resta silencieuse un moment, laissant les derniers mots du professeur de littérature résonner dans sa tête. Ce qu'elle venait d'entendre la troublait. Elle croyait l'homme assis en face d'elle, un homme qui avait brusquement toute sa sympathie. Mais elle croyait également Max Marchais, dont elle avait jugé l'indignation totalement sincère. Tout cela était plus qu'étrange.

Et s'ils avaient tous les deux raison ? Et s'il y avait deux vérités ? pensa-t-elle soudain.

— Eh bien ? Ne me dites pas que vous en avez perdu la parole, s'étonna Sherman en la regardant attentivement.

Rosalie eut un sourire songeur.

— Si. C'est exactement ce qui vient de m'arriver.

— Vous allez quand même m'aider à découvrir la vérité ? demanda-t-il en prenant spontanément sa main.

Elle hocha la tête.

— Je crois que la clé de tout se trouve dans le manuscrit. Pensez-vous que vous pourriez le faire envoyer ici ?

Il faisait sombre quand ils quittèrent le café Marly. Devant le Louvre, la pyramide brillait dans la nuit tel un mystérieux vaisseau spatial qui se serait échoué à Paris.

Peu après minuit, Rosalie se glissa dans son lit. René marmonna un « Bonne nuit » ensommeillé lorsqu'elle se pelotonna contre lui, et se rendormit aussitôt.

Voici les dernières notes qu'on pouvait lire dans son carnet bleu :

Le pire moment de la journée :
René traite l'Américain de connard, et on évite de peu la bagarre. Heureusement, il n'y avait pas de client dans la boutique ! C'était la journée des instants gênants : d'abord, ce Sherman retrouve son portefeuille dans la corbeille de William Morris, alors que j'avais affirmé qu'il n'était pas dans mon magasin ; ensuite, René demande à tue-tête si c'est « le psychopathe » !

Le plus beau moment de la journée :
René est invité à un séminaire de Zack Whiteman, à San Diego – quelqu'un qui a collaboré avec le célèbre gourou de fitness Jack LaLanne. Jamais entendu parler de lui, mais on dirait que c'est quelque chose de spécial, René en est tout chamboulé. Le séminaire dure quatre semaines, René m'a fait tourner en l'air et il a demandé si on ne prendrait pas un appartement ensemble quand il rentrera. C'est la première fois qu'il me pose la question !

P.-S. : Encore un moment étrangement beau au café Marly :
Sherman me demande si je veux l'aider à découvrir la vérité sur le manuscrit du tigre bleu, et il prend brièvement ma main. La pyramide en verre brille, et tout me paraît irréel.

J'ai accepté, bien entendu, et j'ai brusquement eu le sentiment d'être une bonne personne. Il n'est pas si mal que ça, cet Américain, au fond. Même si l'image qu'il a des Français est scandaleuse. Ce qu'il m'a dit de sa mère m'a beaucoup touchée.

Le portable sonna au beau milieu de la nuit. Tout ensommeillé, Robert Sherman tâtonna dans le noir et finit par trouver, sur le chevet, l'appareil qu'il approcha de son oreille. Chose étonnante, il s'attendait à ce que ce soit Rosalie Laurent, si bien qu'il fut très surpris d'entendre une voix qui, de prime abord, lui parut totalement inconnue.

— C'est moi, disait la voix.

— Qui est-ce ?

— Tu ne reconnais plus ta propre petite amie ? demanda Rachel d'un ton piquant.

— Rachel ! s'exclama-t-il, avant de porter la main à son front et de soupirer. *Sorry*. Je dormais déjà. Ici, il est… – Il jeta un coup d'œil à son réveil de voyage brun. – … Une heure et quart. Qu'est-ce qui se passe ? Pourquoi m'appelles-tu au beau milieu de la nuit ?

— J'ai essayé de te joindre toute la journée, mon cher, mais tu ne décroches jamais.

Grésillement sur la ligne. Rachel semblait attendre une explication.

— Excuse-moi, la batterie était vide.

— Je me suis fait du souci, Robert. Où en es-tu avec ton portefeuille ? N'as-tu pas reçu mon SMS ?

Est-ce que je dois te faire parvenir de l'argent ? J'ai déjà contacté la banque.

C'était du Rachel tout craché. Efficace, comme toujours.

— Ah bon… oui… exact, bredouilla-t-il en s'allongeant. Si, si, j'ai reçu ton SMS. Merci ! Mais j'ai retrouvé mon portefeuille ce matin. Tu te rends compte, je l'avais égaré dans une boutique, j'y étais retourné hier soir mais la propriétaire ne voulait plus me laisser entrer.

Curieusement, il pouvait désormais en rire.

— Et tu n'as pas jugé bon de me prévenir, même vite fait ?

Il entendit Rachel lâcher un petit bruit agacé.

— Je suis désolé, *darling* : j'ai complètement oublié, avec toutes ces émotions…, expliqua-t-il, embarrassé.

— Des émotions ? Quelles émotions ? Je croyais que tu avais récupéré ton portefeuille ?! Depuis ce matin, en plus.

— Ah, il ne s'agit pas que du portefeuille. Tu ne sais pas ce qui se passe ici, Rachel.

— Qu'est-ce qui se passe ? Pour être honnête, je n'ai pas compris la moitié de ton SMS d'hier. Pourquoi Paris est-il rempli d'énigmes ? Et qu'est-ce que c'est que cette histoire de chipie française ?

Robert se rassit dans son lit avec un nouveau soupir. Il devait sans doute une explication à Rachel. Tandis qu'il résumait les événements de la veille, il s'étonna de n'avoir passé que deux jours à Paris.

— Donc, tu imagines à quel point j'étais choqué en tombant sur le récit du tigre bleu dans cette papeterie, rue du Dragon, conclut-il.

— *Choqué*? répéta-t-elle, dubitative. Je trouve que tu exagères un peu, Robert. Ce n'est pas une question de vie ou de mort.

— C'est toi qui le dis. Il faut absolument que je découvre ce qui se cache là-dessous, et Rosalie Laurent a promis de m'aider. Ce qui est bizarre, c'est qu'elle était persuadée que l'auteur lui avait dédicacé le texte à *elle*. Parce qu'elle a peint les illustrations et qu'on peut y lire : « Pour R. » Rien de plus. Mais bien entendu, c'est le « R » de Robert. Tu saisis ? insista-t-il.

— C'est peut-être le « R » de Rachel, va savoir, fit Rachel qui ne paraissait pas partager tout à fait son excitation.

— Tu n'es pas obligée d'en plaisanter. Si ce Marchais a volé le récit, je porterai plainte contre lui.

Rachel poussa un gémissement.

— Mais enfin, Robert ! Tu m'as fait peur ! Moi qui pensais déjà qu'il t'était arrivé Dieu sait quoi ! Pas la peine de te mettre dans tous tes états à cause d'une histoire ancienne, dit-elle avant d'éclater d'un rire soulagé et légèrement réprobateur. Il me semblait que tu étais parti à Paris pour prendre des décisions importantes.

La nonchalance avec laquelle elle traitait cette affaire l'irritait. Comme s'il était un petit garçon, au bac à sable, et qu'on lui avait juste piqué sa pelle.

— Eh bien, cette histoire ancienne aussi est importante pour moi, répliqua-t-il, un peu blessé. Même si tu ne le comprends pas, visiblement.

— *Come on*, ne prends pas la mouche, Robert, réagit-elle. Ce n'est pas ce que je voulais dire. Les choses vont sûrement vite s'éclaircir. Sinon… Ma foi ! Il est rare que remuer de vieilles histoires apporte du positif.

Elle rit encore.

C'est précisément ce que je vais faire, décida silencieusement Robert. Remuer de vieilles histoires.

— Tu peux me rendre un service, Rachel ? s'enquit-il.

— Bien sûr.

— Envoie-moi le manuscrit de ma mère. Il est toujours dans l'enveloppe du notaire. Tu la trouveras dans mon bureau, tiroir du bas. Tu veux bien faire ça pour moi ? De préférence dès demain matin, et par exprès.

Il lui redonna l'adresse précise de l'hôtel et la remercia.

— Pas de problème, commenta Rachel. Le manuscrit partira demain.

Elle lui souhaita bonne nuit, mais avant de raccrocher, elle demanda subitement :

— Et cette chipie française dont tu as fait la connaissance, alors ?

— Ah, c'est la Rosalie Laurent dont je viens de te parler. La propriétaire de la papeterie dans laquelle j'ai trouvé le livre et renversé le présentoir à cartes postales. Mais au fond, elle n'est pas si affreuse que ça, réfléchit-il à voix haute.

Elle est même très gentille, en fait, songea-t-il avant que ses yeux se referment et qu'il glisse dans un sommeil sans rêves.

Même si elle ne connaissait rien à Shakespeare.

La jeune femme qui ne connaissait rien à Shakespeare s'était levée tôt ce matin-là, contrairement à son habitude. C'était lundi, son jour de congé, et Rosalie avait le sentiment de devoir mettre de l'ordre dans ses pensées en faisant une longue promenade avec William Morris. Elle prit la direction de la place Saint-Sulpice, laissa à sa gauche l'église avec ses tours blanches à pavillon carré et emprunta la rue Bonaparte, dont tous les magasins étaient encore fermés, jusqu'au jardin du Luxembourg.

Elle fut accueillie par des odeurs estivales. Les fleurs et le feuillage des arbres exhalaient un délicat parfum, où se mêlaient la poussière du sol et l'humidité du matin. Deux joggeurs solitaires la doublèrent à grandes enjambées sur le chemin longeant la grille ; dans leurs oreilles, des écouteurs dont les fins câbles blancs disparaissaient sous leur tee-shirt. Rosalie prit un chemin sans trop réfléchir. La large allée dans laquelle elle déboucha était encore déserte. Un rayon de soleil faisait chatoyer les frondaisons, inondait de lumière le sol couvert d'un gravier qui crissait agréablement sous ses pieds. De part et d'autre, des chaises et des fauteuils en métal vert, placés sous les arbres, invitaient à s'attarder.

Une fois dans la partie du parc où les chiens non tenus en laisse étaient admis, elle détacha William Morris qui détala, avant de tomber en arrêt devant un tronc qu'il se mit à flairer avec excitation.

René était retourné tôt à son appartement, ce matin-là. Lorsqu'il avait évoqué son invitation au séminaire de Zack Whiteman, les yeux brillants, elle n'avait pas réalisé qu'il devrait s'envoler si vite pour San Diego. Simplement, René n'avait décroché la place si convoitée que parce qu'un ami du club de fitness avait dû se désister. Il fallait qu'il saisisse l'opportunité, ou elle lui passerait sous le nez. Le cours commencerait quelques jours plus tard seulement, et René avait encore des choses à faire.

— C'est un vrai coup de chance, avait-il expliqué. Whiteman, c'est *le* gourou en matière de fitness.

Rosalie avait hoché la tête, un peu distraite. Pour être honnête, depuis la soirée avec Robert Sherman, elle était déboussolée.

— Tu ne trouves pas tout ça étrange ? Je me demande ce qui se cache là-dessous, avait-elle confié le lendemain à son petit ami, en lui rapportant la discussion avec l'Américain.

— Pourquoi te casser la tête à propos des affaires des autres ? avait demandé René alors que, installés sur le toit-terrasse, ils petit-déjeunaient. Ne le prends pas mal, Rosalie, mais tu as juste peint les illustrations. Même s'il devait s'avérer que Marchais a piqué le texte, tu n'es coupable de rien du tout. En quoi ça te regarde ? Laisse donc ce professeur de littérature fou tirer lui-même cette histoire au clair.

— Premièrement, il n'est pas aussi fou que je le pensais – sa version m'a paru assez crédible –, et deuxièmement, c'est un peu mon livre aussi, avait objecté Rosalie. En plus, je ne voudrais pas que Max Marchais rencontre des difficultés.

— Eh bien, s'il est droit dans ses bottes, ton cher auteur ne rencontrera pas de difficultés. Pourquoi ne pas avoir donné le numéro de Marchais à ce Sherman, tout bonnement ? Ça aurait été le plus simple, non ? Ce sont des adultes, ils n'ont qu'à décider entre eux qui porte plainte contre qui.

René avait pris une grande gorgée de son jus carotte-pomme-gingembre et s'était essuyé la bouche. Pour lui, le problème était résolu.

— Écoute, je ne peux pas donner le numéro personnel d'un auteur comme ça, avait commenté Rosalie avec un rire un peu gêné. Et puis, tel que je connais Max, il raccrocherait aussi sec en apprenant qui est à l'autre bout du fil. La dernière fois qu'on a parlé au téléphone, il était tellement en colère à cause de cette affaire qu'il a dit qu'il refuserait de rencontrer un détraqué dans son genre. – Elle avait bu un peu de son café au lait et secoué la tête, pensive. – Non, non. Selon moi, ce n'est pas une bonne idée que ces deux-là se voient. Ça barderait drôlement. Sans compter que cette histoire commence à m'intéresser. Même si je la trouve un peu inquiétante.

Elle avait revu ces yeux bleu azur se poser sur elle, interrogateurs, et s'était refusée à réfléchir plus sérieusement à ce qu'il y avait de réellement inquiétant dans toute cette affaire énigmatique.

— J'ai promis à Sherman de l'aider à découvrir la vérité, avait-elle précisé en repensant à la main de l'Américain qui, l'espace d'une seconde, s'était posée sur la sienne. Il vaut mieux que je rappelle Max. Je ne peux pas imaginer qu'il mente, pourtant, j'ai la sensation qu'il me cache quelque chose. Seulement, quoi ?

Perdue dans ses pensées, Rosalie avait rejoint le grand bassin qui scintillait au soleil, au milieu du parc, devant le palais. Elle s'assit sur une chaise et suivit du regard un voilier télécommandé qu'un petit garçon faisait naviguer sur l'eau. Debout de l'autre côté du bassin, près de son père, il poussa un cri de joie lorsque le bateau aux voiles blanches vira à droite.

Ce que la vie était simple quand on était enfant ! Comment pouvait-elle devenir, plus tard, une entreprise aussi compliquée ? Étaient-ce toutes les phrases non dites, tous les sentiments tus et les choses qu'on gardait pour soi qui troublaient l'admirable clarté de l'enfance, une fois qu'on avait compris qu'il n'y avait pas qu'une vérité dans la vie ?

Détaillant l'air insouciant du petit garçon, dont le visage ouvert trahissait la moindre des émotions, Rosalie se sentit presque envieuse.

William Morris l'avait rejointe et elle lui remit sa laisse. Il s'assit devant elle et la fixa, langue pendante, regard dévoué. Machinalement, elle se mit à caresser son doux pelage tout en continuant à observer le voilier.

Avait-elle dit toute la vérité à René ? Le fait qu'elle soit l'illustratrice du livre ou qu'elle se fasse du souci pour la réputation de Max Marchais constituait-il réellement la seule raison de son intérêt démesuré pour cette histoire qui paraissait l'attirer comme un aimant? Et Robert Sherman, disait-il vrai? Trouveraient-ils un indice dans le mystérieux manuscrit qui devait apporter la preuve de la sincérité de ses paroles? Pouvait-on à la fois être honnête et ne pas dire la vérité?

Et Max, qui revendiquait lui aussi, avec véhémence, la paternité du texte? Aurait-il menti, finalement?

Au cours de leur dîner au Marly, Sherman avait souligné, non sans justesse, que l'auteur n'avait pas publié depuis plus de dix-sept ans. Peut-être parce qu'il manquait d'idées? Se pouvait-il que Max Marchais ait eu recours à une vieille histoire qui n'était pas la sienne?

Et à qui la dédicace s'adressait-elle vraiment?

Durant tout le week-end, Rosalie avait tenté de joindre Max pour lui poser cette importante question. Mais il ne décrochait pas. Ni son téléphone fixe, ni son portable. Elle avait laissé un message sur ce dernier, lui demandant de la rappeler et précisant que c'était urgent. En pure perte.

Ce lundi-là également, elle avait essayé de l'appeler au Vésinet, tôt le matin. Chaque fois, elle avait insisté jusqu'à ce que la sonnerie s'interrompe et cède la place à un signal « occupé » frénétique. Marchais n'avait même pas branché le répondeur, comme il le faisait d'habitude quand il quittait sa maison.

L'écrivain paraissait s'être volatilisé, et Rosalie avait été envahie par une drôle de sensation. Elle aurait aimé se rendre au Vésinet pour s'assurer que tout allait bien, mais ce midi-là, elle devait justement recevoir trois candidates à un poste temporaire dans sa boutique, qui répondaient à l'affichette qu'elle avait placée sur sa vitrine.

Voilà des années déjà que Max Marchais ne partait plus en voyage, et s'il avait prévu de partir, il l'aurait sûrement mentionné. Rosalie se rappelait leur dernière conversation téléphonique, quelques jours plus tôt, les questions désagréables qu'elle avait posées à Max, et la réaction sèche et irritée du vieil homme à la fin.

Lui en voulait-il? Était-ce pour cette raison qu'il ne donnait pas signe de vie? Les accusations de l'Américain, qu'elle lui avait rapportées, avaient-elles un lien quelconque avec sa disparition?

Elle se pencha, ramassa un petit caillou et le jeta loin au-dessus de l'eau. Le fragment de pierre s'enfonça sous la surface argentée qui reflétait la lumière, tel un miroir impénétrable, et laissa derrière lui un point à partir duquel des cercles concentriques s'élargirent, formant des vaguelettes qui atteignirent le bord du bassin.

Le rapport de cause à effet, pensa subitement Rosalie.

Tout mensonge avait ses conséquences, faisait tache d'huile, générait des vagues. À un moment ou à un autre, ses répercussions venaient lécher la rive. Même si le mensonge n'était pas plus gros qu'un caillou.

L'inquiétude qui s'était emparée de Rosalie ne la quitta pas de la journée.

Distraite, elle fit des courses, rangea quelques articles de bureau puis fit passer un court entretien d'embauche à la jolie Mlle Giry qui ne lâchait pas son chewing-gum, à Mme Favrier, une misanthrope qui se plaignit des gens odieux dans le métro et ne sourit pas une seule fois, ainsi qu'à la chaleureuse Mme Morel, la dernière à se présenter. La décision ne fut pas difficile à prendre : elle arrêta son choix sur Claudine Morel, qu'elle avait trouvée sympathique dès le premier instant. Il s'agissait d'une femme légèrement trapue, la petite cinquantaine, avec des cheveux bruns coupés au carré, de belles grandes mains et des taches de rousseur sur les bras. Mère de deux enfants presque adultes, elle avait autrefois travaillé dans une petite librairie, fermée depuis longtemps. Claudine Morel cherchait un emploi trois après-midi par semaine, et elles étaient convenues qu'elle commencerait chez *Luna Luna* la semaine suivante.

Après son départ, Rosalie essaya encore plusieurs fois de contacter Max chez lui. En vain. Elle envisagea même un moment d'appeler Jean-Paul Monsignac. Peut-être savait-il où se trouvait son auteur. Elle avait déjà la carte de visite de l'éditeur en main lorsqu'elle se rendit compte que sa recherche pouvait entraîner de fâcheuses questions qui, si elle y répondait conformément à la vérité, étaient susceptibles de jeter un éclairage défavorable sur l'auteur. Non, ce n'était pas une bonne idée d'impliquer d'autres personnes. Elle allait d'abord parler avec Max, seule à seul. C'était son ami, elle le lui devait bien.

Ce soir-là, le téléphone devait encore sonner à trois reprises. Chaque fois, Rosalie porta précipitamment le combiné à son oreille, s'attendant à entendre la voix de Max Marchais. Mais l'auteur restait aux abonnés absents.

La première fois, ce fut Robert Sherman, qui voulait l'informer que le manuscrit était déjà en route et arriverait sans doute à Paris le jour suivant. La deuxième fois, ce fut René qui lui annonça avec regret qu'il ne pourrait malheureusement pas la rejoindre, parce qu'il devait encore organiser son remplacement au club de fitness et qu'il finirait tard.

— On se voit demain, chérie ! J'ai un rendez-vous place Saint-Sulpice, le matin. Je peux passer te voir juste après.

Lorsque la sonnerie retentit pour la troisième fois, Rosalie avait déjà enfilé sa nuisette. Il n'était pas loin de vingt-deux heures, et la chaleur de la journée s'était accumulée dans le petit appartement.

Toutes les fenêtres étaient grandes ouvertes et Rosalie était sortie s'installer sur le toit avec une cigarette, à son endroit préféré.

— Si c'est maman…, murmura-t-elle en se relevant dans un soupir, avant d'écraser sa cigarette et de rentrer.

Vingt-deux heures, tel était le moment préféré de sa mère, trop occupée pour appeler en journée.

Rosalie décrocha.

— Oui ?

Seulement, ce n'était pas sa mère, mais Max Marchais qui, d'une voix étrangement enrouée, la priait de l'excuser de la déranger si tard.

Ce qu'il lui raconta ensuite la sonna tant qu'elle s'assit sur son lit.

— Oh non, bredouilla-t-elle. C'est terrible. Oui…
Oui… Bien sûr que je viens. Je viens dès demain matin.

Après ce coup de fil qui ne dura que quelques
minutes, Rosalie resta encore un moment sur le lit, le
cœur battant, avant de prendre son carnet de notes
bleu.

Le pire moment de la journée :

*Max vient de téléphoner. Il a eu un accident et il est à
l'hôpital depuis trois jours.*

*Fracture du col du fémur, opération. Apparemment, il
est tombé d'une échelle et il est resté étendu des heures par
terre, sans pouvoir bouger, avant que le jardinier le trouve par
hasard. Quelle idée de grimper aux arbres pour cueillir des
cerises, à son âge ! Les médecins disent qu'il a eu beaucoup
de chance.*

Le plus beau moment de la journée :

*Ce matin, au jardin du Luxembourg, un petit garçon m'a
souri.*

Au fond, Blaise Pascal était responsable de tout.

Si Max Marchais (fuyant Mme Bonnier) n'avait pas sorti le livre de son rayon pour le lire dans le jardin, sous les arbres – seulement troublé par le ronflement de l'aspirateur et une singulière conversation téléphonique avec Mlle Rosalie –, il n'aurait pas eu à le remettre, après sa lecture (qui l'avait bien distrait, comme d'habitude), sur l'étagère en bois qui grimpait au mur de sa bibliothèque. Et si les *Pensées* n'avaient pas eu leur place au sommet de cette étagère, Max n'aurait pas eu à grimper à l'échelle.

Malheureusement, l'ouvrage de Blaise Pascal se trouvait *très* haut perché.

Max, ce samedi-là, en lut les dernières pages lors d'un paisible petit déjeuner sur la terrasse. Ordonné comme il l'était (Mme Bonnier se faisait une idée totalement fausse de lui), il se retrouva peu de temps après devant le mur de livres, en pantoufles de cuir sur le troisième barreau de l'échelle, ses cheveux gris argent frôlant presque le plafond. Alors qu'il se dressait vers la droite pour replacer l'ouvrage dans l'espace qui lui était dévolu, au milieu des philosophes, ce fichu Blaise Pascal lui échappa. Max, essayant d'éviter la chute de l'édition originale, fit alors un mouvement brusque. À cause de cette secousse, l'échelle, qui n'était pas bloquée, se déplaça de côté et il perdit l'équilibre ; sa pantoufle gauche quitta son pied, il tenta de se raccrocher à un barreau, sa main se referma dans le vide et il vint heurter le parquet, quelques secondes seulement après Blaise Pascal.

Il était tombé sur le dos et le choc lui coupa la respiration. Si le sol avait été carrelé, il n'aurait peut-être jamais repris son souffle. Fixant la bibliothèque, il s'efforça de respirer et la panique l'envahit lorsqu'il sentit que sa cage thoracique ne voulait pas se soulever et que ses poumons refusaient l'oxygène.

Une douleur épouvantable jaillit de sa hanche et vint traverser sa jambe droite. Il avait la tête qui bourdonnait, comme si les cloches de Notre-Dame sonnaient les complies dans son crâne.

Au moins, je meurs entouré de livres, pensa Max, avant qu'une syncope miséricordieuse l'enveloppe.

Lorsqu'il revint à lui, la lumière semblait provenir d'un autre coin de la pièce – mais il ne l'aurait pas juré. Trois heures avaient pu s'écouler, ou juste un quart d'heure, il n'aurait pas pu le dire. Par malchance, sa montre se trouvait dans la salle de bains. Il était toujours retourné sur le dos comme un insecte impuissant et tout mouvement, même le plus prudent, le faisait souffrir.

Le téléphone sonna à plusieurs reprises, mais il était dans l'impossibilité de parcourir les quelques mètres le séparant de son bureau ; la douleur était si forte que sa vue s'obscurcissait chaque fois qu'il tentait de se redresser. Plus tard, il entendit la sonnerie un peu stridente de son portable, qui lui faisait invariablement penser au *Crime était presque parfait* d'Hitchcock. Il aurait bien eu besoin de ce satané machin… fourré dans la poche de son trench, accroché dans l'entrée.

Max poussa un gémissement. Avec un peu de chance, le manteau d'été aurait pu encore être posé là où il l'avait laissé la veille en l'ôtant : sur l'accoudoir du canapé, à portée de bras. Hélas, Marie-Hélène Bonnier, qui aimait tant l'ordre, l'avait emporté dans le vestibule – avant de partir en vacances, en milieu de matinée – et rangé dans la penderie. Il y avait de quoi désespérer !

Lorsque la ligne fixe sonna une nouvelle fois, Max essaya de rouler sur le ventre et de progresser sur le parquet, en direction de son bureau. De nouveau, une douleur lancinante le transperça, et il haleta. Il avait sûrement une fracture, sa jambe faisait un angle bizarre à partir de la hanche.

Posséder une villa ancienne au Vésinet était le rêve de quantité de gens. Mais quand vous viviez seul et qu'il vous arrivait malheur, cette demeure pouvait se transformer en piège. Les jardins étaient vastes, les maisons individuelles. La chance d'être entendu par un voisin était faible – à moins de jouer du saxophone ou de la trompette, ce que Max ne faisait pas et n'aurait pas pu faire non plus, à ce moment précis, même s'il avait su.

Marie-Hélène Bonnier ne reviendrait pas avant quinze jours. Elle s'étonnerait de constater qu'il n'avait touché à aucun des plats qu'elle avait préparés, puis trouverait son corps décomposé devant la bibliothèque.

Avant toute chose, elle affirmerait probablement qu'elle avait eu raison : il n'était pas bon qu'un homme se retrouve seul.

Un peu plus tard, lorsqu'un *ding-dong* retentit, une idée s'empara de Max Marchais, l'idée irraisonnée que son intendante était revenue sauver son « Monsieur Proust ». Il avait besoin d'elle comme jamais.

Seulement, aucune clé ne tourna dans la serrure, aucune voix grave ne lança :

— Monsieur Marchais ? Vous êtes là ?

Il appela à l'aide de toutes ses forces, mais manifestement, on ne l'entendait pas. Il lui revint alors à l'esprit que ceux qui sonnaient chez lui ne se trouvaient pas devant la porte d'entrée, mais de l'autre côté du mur entourant le jardin de devant, qui n'était pas petit. On pouvait assez facilement ouvrir le portail en fer forgé qui s'élevait à mi-hauteur, quand on passait la main à travers les barreaux et qu'on abaissait la poignée de l'intérieur… mais qui était au courant ?

Mouais, songea Max avec un certain fatalisme, avant de sombrer encore dans les vapes. Maintenant, il n'y a plus qu'un cambrioleur qui puisse me venir en aide.

Le soleil était déjà bas dans le ciel et des moucherons dansaient devant la grande porte-fenêtre du salon, entrebâillée, lorsque Max perçut le bruit d'une tondeuse à gazon. Il tourna la tête en direction des battants vitrés, qui donnaient sur le jardin.

Un homme en habit de travail vert y allait et venait en poussant la machine. Max ne s'était jamais autant réjoui de voir son jardinier. Sebastiano avait les clés de la porte de derrière du jardin et de la remise, où étaient entreposés les outils. Entre autres, la tondeuse.

Des années durant, Max s'était refusé à acquérir une tondeuse électrique. Pas par avarice, non : il avait toujours fait preuve d'une grande générosité, même à l'époque où, journaliste indépendant, il avait très peu d'argent et tirait le diable par la queue. Simplement, il appréciait l'odeur de l'essence et les bruyantes pétarades du moteur. Cela lui rappelait son enfance à la campagne, près de Montpellier où, tous les samedis, actionnant avec acharnement et force jurons la corde de démarrage, son père lançait la machine dont le *teuf-teuf* satisfait annonçait le début du week-end.

C'était bien la preuve que la nostalgie ne menait à rien – dans certains cas, elle pouvait même s'avérer potentiellement mortelle. Ce soir-là, il était étendu sur le parquet et criait pour couvrir les détonations démentes qui s'éloignaient puis se rapprochaient rythmiquement, tandis que l'air s'emplissait peu à peu de l'odeur de l'herbe fraîchement coupée.

Et soudain, soudain, le silence.

— Au secours ! Au secours ! se mit à hurler Max en direction de la porte-fenêtre. Je suis ici… dans la bibliothèque !

Il se tordit le cou et vit que Sebastiano se figeait et regardait vers la maison. Celui-ci s'approcha, hésitant, et jeta un coup d'œil étonné à la table de la terrasse, où traînait encore la vaisselle du matin.

— Hola ? Señor Marchais ? Hola ? Hola ?

Quelques heures plus tard, allongé sur une table d'opération, dans la proche clinique privée du Port-Marly, Max Marchais glissait dans la douce, l'indolore inconscience d'une anesthésie générale. Outre une légère commotion cérébrale et une large plaie ouverte à l'arrière du crâne, recousue aux urgences, il souffrait de contusions à la hanche et à la jambe, et d'une fracture compliquée du col du fémur.

— Vous avez eu une chance inouïe, monsieur Marchais. Les choses auraient pu se terminer autrement. Quel âge avez-vous ? Il vaut mieux qu'on vous pose tout de suite une nouvelle hanche, avait déclaré le médecin, en traumatologie. Sinon, vous allez rester ici trop longtemps. Et là, clac ! Pneumonie. – Il avait écarquillé les yeux, l'air éloquent. – Avant, les vieilles personnes mouraient les unes après les autres à la suite d'une fracture du col du fémur comme la vôtre. La pneumonie. Mais aujourd'hui, ce n'est plus aussi grave. Une nouvelle hanche, et clac ! Vous pourrez bientôt recommencer à gambader, monsieur Marchais. Y a-t-il quelqu'un à prévenir ? L'homme qui vous a trouvé a dit que vous viviez seul. Avez-vous des proches ?

— Ma sœur. Mais elle habite à Montpellier, avait gémi Max, toujours abruti par la douleur. Je vais si mal que cela ?

La pensée que Thérèse la neurasthénique, son donneur de leçons de mari et leur fils mal élevé pourraient se présenter à la clinique le fit pâlir encore un peu plus.

M. Clac, qui répondait en réalité au nom de professeur Pasquale, avait souri.

— Mais non ! Ne vous en faites pas, monsieur Marchais. C'est une opération de routine. Votre vie n'est pas en danger. Vous serez comme neuf dans quelques heures, je vous le promets.

Eh bien, Max ne se sentait pas comme neuf, à vrai dire. Il avait été opéré trois jours plus tôt, mais son crâne était toujours pris dans un étau, et sa hanche et sa jambe le faisaient aussi souffrir. Heureusement, grâce à la perfusion qui s'écoulait goutte à goutte dans l'étroit tuyau accroché au-dessus de son lit, jusqu'à une canule sur le dos de sa main, son état ne cessait de s'améliorer.

Il faut dire que le quotidien, dans une clinique, n'était pas de nature à permettre à un malade de se rétablir. Max y avait encore moins la paix que les jours où Marie-Hélène Bonnier s'activait dans la maison. Même la nuit, la porte s'ouvrait toutes les deux heures, sa tension était prise, sa poche de perfusion changée, son bras manipulé, son sang prélevé (particulièrement souvent), et s'il n'était pas définitivement réveillé, on lui éclairait le visage avec une lampe de poche à la lumière crue pour voir s'il vivait toujours.

Oui, Max Marchais vivait toujours, mais il ne dormait pas.

Le matin, à six heures, l'équipe de nettoyage débarquait dans sa chambre. Originaires de la Côte d'Ivoire, les dames, silhouettes menues, bavardaient et riaient tout en passant la serpillière sur le sol, sans cesser de heurter le cadre de son lit, s'exclamaient « Oh, pardon, excusez-moi, désolée ! » puis se remettaient à parler, succession d'onomatopées qu'il ne comprenait pas, et à glousser. Les femmes de ménage ont dormi tout leur soûl, facile pour elles d'être bien lunées, avait songé ce jour-là un Max furibond qui se demandait quand un tel bonheur lui serait de nouveau accordé.

Après l'équipe de nettoyage, Julie, élève infirmière, avait fait son entrée avec un sourire, un petit déjeuner frugal et le café le plus allongé qu'il ait jamais bu. En sortant, elle avait indiqué, comme toujours, le petit récipient qui contenait les médicaments.

— Ne les oubliez pas, monsieur Marchais !

Ensuite, cela avait été le tour d'Yvonne, l'infirmière en chef.

— Alors, monsieur Marchais, comment allons-nous aujourd'hui ? On a bien dormi ?

— Je ne sais pas comment *vous* avez dormi, avait grogné Max. Pour ma part, impossible de fermer l'œil, on m'en empêche en permanence.

— Parfait, alors on va se promener un peu aujourd'hui, monsieur Marchais, et on ira tout de suite mieux, avait exposé l'infirmière en chef avec un large sourire.

Sa bonne humeur paraissait inébranlable.

N'avait-elle pas écouté ? Était-elle sourde ? La clinique avait-elle recours à des robots intelligents qui ressemblaient à des femmes, mais débitaient toujours le même programme ?

Max avait jeté un coup d'œil méfiant à l'infirmière aux courts cheveux blonds, qui avait serré le brassard d'un tensiomètre autour de son bras et s'était mise à actionner frénétiquement la pompe. Elle avait plissé les yeux, fixé l'appareil de mesure et pressé encore la pompe.

— La tension me semble toujours un peu haute, mais on va la faire baisser.

Elle avait hoché la tête d'un air déterminé, et Max avait acquis la certitude que sa tension n'oserait pas s'opposer aux directives de l'infirmière en chef. *On va la faire baisser.* En dépit du fait que tous donnaient l'impression de s'être ligués pour le faire tourner en bourrique, cela avait quelque chose de rassurant.

Dix minutes plus tard, il avait vu arriver, incrédule, une kinésithérapeute petite et svelte, coupe courte et frange à la Jean Seberg, venue le chercher pour la « promenade » annoncée.

— Il doit y avoir un malentendu, avait-il déclaré. Je n'ai été opéré qu'avant-hier.

Il avait plissé le front et un pli vertical était apparu entre ses sourcils. On entendait régulièrement parler de patients confondus à l'hôpital. Il pouvait donc s'estimer heureux qu'on lui ait bien posé une prothèse de hanche, et pas une valvule cardiaque artificielle.

— Non, monsieur Marchais, il n'y a pas erreur, avait-elle confirmé en le regardant avec un sourire déluré. De nos jours, on jette les patients du lit juste après l'opération. Vous avez pu vous reposer un peu plus longtemps grâce à votre commotion cérébrale. – Rêvait-il ou y avait-il dans ses yeux un soupçon de sadisme ? – Allez, venez, monsieur Marchais. On va y arriver.

Elle avait dit « on », mais il avait été seul à utiliser le déambulateur qu'elle lui avait présenté.

197

Bref, après trois jours dans cette clinique, Max Marchais n'aspirait qu'à deux choses : être couché dans son propre lit et voir des gens qui ne fassent pas partie du personnel médical. Juste avant que les urgences l'emmènent, Sebastiano avait eu la présence d'esprit de prendre le trench de son employeur, dans lequel se trouvait fort heureusement son téléphone portable, si bien que le lundi soir, Max avait appelé, avant de ne plus avoir de batterie, Rosalie Laurent qui avait promis de passer le voir.

Point positif, M. Clac, alias le professeur Pasquale, lui avait fait miroiter la perspective de rentrer chez lui à la fin de la semaine suivante, s'il s'appliquait à faire ses exercices et que ses analyses étaient bonnes.

— On a toujours une tension un peu élevée, monsieur Marchais, avait-il constaté ce matin-là, pendant la visite.

Il consultait son dossier médical par-dessus ses petites lunettes, l'air préoccupé, et Max avait répliqué :

— Pas étonnant quand on ne peut pas se reposer de toute la nuit, hein ?

Il avait remarqué qu'il commençait à développer des allergies – à l'emploi inconsidéré du pronom « on », aux portes qui s'ouvraient toutes les deux minutes, à la lumière qu'on allumait sans jamais l'éteindre en repartant, et surtout au *scouitch* perfide, omniprésent, des semelles en caoutchouc qui rôdaient autour de lui et paraissaient se fixer à chaque pas au linoléum collant (avec quoi lavait-on le sol dans cette clinique ?), avant de se détacher à contrecœur avec un bruit plein.

Scouitch, scouitch, scouitch. Scouitch, scouitch, scouitch. Scouitch, scouitch, scouitch. Scouitch, scouitch, scouitch.

Julie, l'élève infirmière, s'affairait maintenant dans sa chambre. Tout en débarrassant son plateau, elle s'assura que le déjeuner lui avait plu et qu'« on » avait pris ses cachets. Ensuite, elle entrouvrit la fenêtre, tira les rideaux pour qu'« on » puisse faire une petite sieste, et quitta la pièce. La porte se referma doucement derrière elle.

Alors que Max, fatigué, laissait s'enfoncer sa tête dans l'oreiller et fermait les yeux dans l'espoir de sommeiller, il entendit se mêler, aux images fugaces préfigurant un rêve, un charmant claquement de talons féminins qui remontaient le couloir et s'arrêtaient devant sa porte.

— Qu'est-ce que c'est que ces histoires, cher Max ?
Comment allez-vous ? Que faisiez-vous sur une échelle,
pour l'amour du ciel ? Et qu'est-ce qui est arrivé à votre
tête ?

Rosalie déposa le petit bouquet de roses thé sur
la table de chevet et se pencha au-dessus de Max
Marchais, soucieuse. Son vieil ami avait l'air éprouvé,
trouva-t-elle, avec son bandage autour du crâne et les
cernes foncés sous ses yeux.

Un sourire réjoui glissa furtivement sur le visage
chiffonné.

— À quelle question dois-je répondre en premier,
mademoiselle Rosalie ? s'enquit Max. Je suis un vieil
homme, vous m'en demandez trop.

Il avait tenté de prendre un ton joyeux, mais sa voix
était enrouée.

— Ah, Max ! lâcha-t-elle en pressant sa main
osseuse, qui reposait sur la mince couverture. Vous
avez vraiment une mine affreuse. Vous souffrez encore ?

— Les douleurs sont supportables. J'ai même fait
quelques pas aujourd'hui, grâce à un gentil dragon qui
se dit infirmière. C'est juste que je n'arrive pas à dormir. La porte ne cesse de s'ouvrir, et une de ces blouses

blanches fait son entrée. Elles posent toujours les mêmes questions. Je me demande s'il leur arrive de se concerter.

Il poussa un profond soupir, lissa la couverture et indiqua du doigt une chaise, dans un coin.

— Installez-vous. Je suis très heureux que vous ayez pu venir. Vous êtes la première personne normale que je vois depuis des jours.

Rosalie se mit à rire.

— Ne soyez pas aussi impatient, Max. Vous êtes ici depuis quelques jours seulement, et les médecins et les infirmières ne font que leur boulot.

Elle approcha la chaise du lit, s'assit et croisa les jambes.

— Oui, j'ai bien peur d'être un patient très impatient, concéda-t-il, et son regard s'arrêta sur les coquettes sandales, bride bleu clair et petit talon, dans lesquelles étaient glissés les pieds aux ongles vernis de Rosalie. Jolies chaussures.

Décontenancée par cette absence de transition, elle haussa les sourcils.

— Oh, merci ! Ce sont des sandales très ordinaires.

— Vous savez, on apprend à beaucoup apprécier l'ordinaire quand on atterrit de l'autre côté du fleuve, répondit-il avec philosophie. J'espère pouvoir bientôt quitter les lieux.

— Je l'espère aussi. Vous m'avez fait sacrément peur. J'ai essayé de vous joindre tout le week-end, mais je ne m'attendais vraiment pas à vous retrouver à l'hôpital.

— Oui, j'ai entendu retentir les sonneries de mes deux téléphones, le fixe et le portable. Malheureusement, je n'étais pas en mesure de décrocher. Qu'y avait-il de si urgent ?

Mince ! Rosalie se mordit la lèvre inférieure. Ce n'était pas le moment d'évoquer le livre et de poser la question de l'énigmatique dédicace. Cela attendrait, le temps que Max se soit un peu remis.

— Ah... Je voulais simplement vous proposer de venir déjeuner avec moi à Paris la semaine prochaine, inventa-t-elle. J'ai maintenant une intérimaire au magasin trois après-midi sur cinq, et René part suivre un séminaire de perfectionnement à San Diego à la fin de la semaine. Donc, je m'étais dit qu'on pourrait passer un moment ensemble.

Les deux dernières phrases étaient fidèles à la vérité, au moins. Quel dommage que Mme Morel n'ait pas pu commencer ce jour-là ! Rosalie avait dû accrocher un panneau à la porte de sa boutique : *Fermé aujourd'hui pour raisons familiales pressantes.*

Elle ignorait s'il s'agissait bien d'une affaire de famille au sens strict du terme, mais elle en avait l'impression. Elle fixa l'homme aux sourcils en broussaille, qui soudain lui apparaissait terriblement sans défense et usé. La preuve que les signes du caractère éphémère de la vie rôdaient toujours, prêts à faire surface.

Ce que la façade s'effrite vite chez une vieille personne, quand elle est précipitée en dehors de son orbite et n'est plus capable de veiller sur elle-même ! songea-t-elle.

Elle considéra sa fine chemise d'hôpital, son visage au teint gris, remarqua qu'il n'était pas rasé et découvrit, dans le contre-jour, plusieurs poils blancs qui l'émurent. Curieusement, ce vieil homme lui était aussi familier qu'un grand-père. Il faut dire qu'en cet instant, il ressemblait à un grand-père. Rosalie était heureuse qu'il vive encore, soulagée qu'il ne lui soit rien arrivé de pire. Elle n'allait pas l'importuner avec l'histoire de Sherman alors qu'il n'était pas en grande forme.

— Ma foi, je crains qu'il ne me faille renoncer pour l'instant à un repas parisien, chère mademoiselle Rosalie, aussi séduisante que soit l'idée, reprit Max, comme s'il avait lu dans ses pensées. Quand je pense que, si je n'avais pas cette hanche artificielle, il faudrait que je passe des semaines au lit !

Il montra la couverture, sous laquelle ses jambes se dessinaient. Au bout, son pied droit dépassait un peu.

— Oh non, vous vous êtes cassé le petit orteil, en plus ? s'étonna Rosalie en regardant ce pied.

— Quoi ? Non ! s'exclama Max en remuant les orteils. Je suis en chantier à différents endroits, mais mon petit orteil est intact. Il a toujours été brun, c'est une tache de vin.

— Vous êtes vraiment plein de surprises, Max, commenta Rosalie en s'adossant à sa chaise. Et maintenant, expliquez-moi ce que vous fabriquiez sur une échelle. Vous étiez en train de cueillir des cerises ?

— Cueillir des cerises ? répéta-t-il, stupéfait. Qu'est-ce qui vous fait penser cela ? Non, non, j'étais sur mon échelle de bibliothèque et je voulais remettre un livre à sa place… Les *Pensées* de Pascal.

Rosalie dodelina de la tête, songeuse.

— Je n'aurais jamais cru que ce pouvait être une lecture aussi dangereuse.

Après avoir relaté son histoire, dans laquelle les pensées d'un philosophe, une vieille échelle en bois, un jardinier costaricain et une tondeuse à essence contribuaient à la nécessaire intensité dramatique, Max Marchais remit à Rosalie la clé de sa propriété du Vésinet, en la priant d'aller lui chercher quelques affaires.

— Je suis désolé de devoir vous mettre à contribution, Rosalie, seulement, Marie-Hélène est absente, comme vous le savez. Sebastiano l'a prévenue et je pense qu'elle rentrera plus tôt que prévu – ne serait-ce que parce qu'elle veut toujours avoir raison –, mais je ne sais pas quand exactement, précisa-t-il en haussant les épaules. Sebastiano m'a sauvé la vie, ce dont je lui suis infiniment reconnaissant, mais il ne me paraît pas très doué pour rassembler le nécessaire. Sans compter qu'il ne connaît pas du tout la maison. Ne vous méprenez pas, je ne veux pas me montrer ingrat. Après tout, il a pensé à prendre mon manteau, dans lequel se trouvait mon portable. Sans cela, je n'aurais pas pu vous appeler. Enfin, j'espère que cela ne vous embête pas de réunir deux ou trois choses pour moi.

Rosalie secoua la tête.

— Aucun problème. Je suis venue en voiture, vous n'avez qu'à me dire ce dont vous avez besoin, et où le trouver. Je passerai vous l'apporter plus tard. J'imagine que votre départ avec l'ambulance a dû être plutôt précipité.

— Vous l'avez dit, je crois que je n'ai jamais quitté ma maison aussi vite. Je n'ai même pas pu emporter de pyjama ou de peignoir, regardez quelle chemise de nuit je suis condamné à porter !

Il eut une grimace comique au moment où la porte s'ouvrait et où une infirmière aux cheveux blonds coupés court entrait, un haricot à la main.

— C'est l'heure de votre piqûre anti-thrombose, monsieur Marchais, claironna-t-elle. Oh ! On a de la visite ? – Elle regarda brièvement Rosalie, affairée, avant de remplir la seringue. – Il faut malheureusement qu'elle sorte un moment. C'est votre petite-fille ?

— Non, ma petite amie, rétorqua Max en adressant un clin d'œil à Rosalie qui s'était levée. Dites-moi, madame l'infirmière en chef, pourrez-vous mettre les fleurs dans l'eau ?

L'infirmière en chef laissa échapper un cri de surprise et Rosalie quitta la pièce en réprimant un éclat de rire.

Ce jour-là, en début d'après-midi, elle abaissait la poignée du portail donnant accès à la villa de Max Marchais. Le soleil chauffait l'étroite allée de gravier bordée de buissons d'hortensias, de lavande et d'héliotrope odorants.

La maison carrée aux murs blancs, au toit de tuiles rouges et aux volets vert foncé se dressait paisiblement devant elle, évoquant un dessin d'enfant.

Rosalie ouvrit la porte d'entrée, nullement préparée à ce qu'elle allait y trouver.

Entrer dans une maison vide était toujours singulier. Rosalie traversa doucement différentes pièces en regardant un peu autour d'elle ; les talons de ses sandales claquaient sur le parquet, rompant un silence digne d'un musée. Même si elle avait déjà été invitée quelques fois chez Max, elle ne connaissait que la bibliothèque avec sa grande cheminée et ses deux immenses canapés, ainsi que la terrasse pavée de dalles rondes tirant sur le roux, qui se trouvait juste devant et donnait sur le jardin.

Les traces du départ hâtif étaient encore visibles partout.

Dans la cuisine, dont le sol carrelé avait une teinte laiteuse, la vaisselle sale du petit déjeuner attendait sur un plateau, à côté d'un évier blanc. Le jardinier l'avait sans doute rentrée avant de verrouiller la grande porte-fenêtre. Rosalie rangea rapidement le tout dans le lave-vaisselle. Dans la bibliothèque, le livre qui avait provoqué la chute de Max se trouvait toujours par terre, à côté de la haute échelle en bois. Elle le posa sur la table basse rectangulaire, entre les deux canapés.

Cet après-midi-là, le soleil inondait la pièce de lumière. Un écureuil grignotait quelque chose sur la terrasse, mais effrayé par les mouvements derrière la vitre, il traversa la pelouse et fila en haut d'un arbre.

Près d'un des larges canapés de couleur claire, encadré de lampadaires démodés jaune safran à socle en marbre, Rosalie trouva une pantoufle masculine solitaire, en cuir. Elle avait déjà ramassé son pendant dans le vestibule, après avoir trébuché dessus.

Elle passa devant le mur de livres et déboucha, à droite, dans la pièce où travaillait l'auteur. Placé devant sa fenêtre offrant également une vue sur le jardin, un bureau au plateau recouvert de cuir vert foncé. À côté de la lampe posée dessus, elle nota le portrait encadré d'une femme souriante aux yeux chaleureux. Sans doute la femme de Marchais. Parcourant des yeux le bureau, Rosalie repéra vite le livre que Max lui avait demandé de rapporter, *Le Diable au corps* de Raymond Radiguet. Ensuite, elle ouvrit le tiroir droit, où était rangé le chargeur du téléphone portable.

Elle consulta la liste qu'ils avaient dressée ensemble, à la clinique. Avant de quitter la bibliothèque, elle remarqua une vieille Remington noire trônant sur un secrétaire, près d'un chandelier à cinq branches et d'un plateau rond en argent qui accueillait une carafe et des verres assortis. Au-dessus, entre deux lampes sur pied, était accrochée une grande huile représentant un paysage du sud de la France dans des tons bleus et ocre, une œuvre qui aurait pu être de Bonnard.

Rosalie se pencha, intéressée, mais ne put déchiffrer la signature de l'artiste. Elle recula et s'absorba un moment dans la contemplation de la toile, qui avait si bien su capturer le maquis et la roche descendant en pente douce vers une crique scintillant au soleil d'été qu'il lui sembla presque entendre le chant des grillons.

Lorsque la sonnerie de son portable retentit, elle sursauta comme un voleur pris sur le fait.

— Allô ? fit-elle, détachant son regard du tableau.

C'était Robert Sherman qui appelait d'un café. Le manuscrit était arrivé.

— Où êtes-vous, mademoiselle Laurent ? Je suis passé à votre boutique mais elle était fermée. Il est arrivé quelque chose à un membre de votre famille ? s'enquit-il d'un ton préoccupé.

— C'est peu de le dire. Je suis chez Max Marchais. Il a eu un accident.

Sans s'attarder sur les détails, elle rapporta à Sherman la chute malheureuse de l'écrivain et conclut :

— J'avais l'intention d'interroger encore une fois Max à propos du tigre bleu et de cette dédicace, mais j'ai peur que nous devions attendre qu'il aille mieux. Je ne voudrais pas le presser de questions ou risquer qu'il s'énerve, vous comprenez, n'est-ce pas ?

— Oui… naturellement, assura-t-il d'une voix déçue.

— C'est l'affaire de quelques jours, Robert. On en saura plus ensuite. Écoutez, il faut que je rassemble des affaires et je n'ai pas beaucoup de temps. Je vous contacte quand je suis de retour à Paris. On se verra et vous me montrerez votre manuscrit, d'accord ?

— D'accord.

Ce n'est qu'en remettant le téléphone dans sa poche que Rosalie se rendit compte que, pour la première fois, elle avait appelé Sherman « Robert ».

Une demi-heure plus tard, elle avait réuni tout ce qui figurait sur la liste. La trousse de toilette, la lotion après-rasage *Aramis* (elle avait fini par la trouver dans la chambre, sur le chevet), un pyjama rayé bleu et blanc, un peignoir léger, bleu foncé avec un motif cachemire, des sous-vêtements, des chaussettes, une paire de mocassins en cuir souple, des pantoufles, des vêtements et des livres. En revanche, elle n'avait pas encore mis la main sur le sac de voyage en toile qui devait être fourré tout au fond de l'armoire de la chambre. Une fois de plus, elle partit en exploration dans le meuble à trois portes en bois poli et entreprit de fouiller le moindre rayon, écartant habits, boîtes de chaussures et cartons.

En fin de compte, elle abandonna et promena son regard dans la pièce. Où le sac pouvait-il se cacher ? Elle inspecta le dessous du large lit sur lequel était négligemment jetée une courte-pointe à motif de roses sur fond clair, le petit débarras qui, à côté de la salle de bains, accueillait des produits d'entretien. Allait-elle devoir passer jusqu'à la cave en revue ?

Elle consulta sa montre et voulut appeler Max, mais il avait éteint son portable. Il devait tenter de faire enfin une sieste. Elle soupira et retourna dans la chambre. Se demandant où elle rangerait elle-même un sac de voyage, elle leva instinctivement les yeux vers le dessus de l'armoire.

Bingo ! Entre des boîtes de chaussures, elle découvrit deux poignées en cuir marron.

Elle prit une chaise, près de la commode surmontée d'un grand miroir, et la plaça devant l'armoire. Debout sur la pointe des pieds, elle attrapa les poignées, et alors qu'elle tentait de tirer le sac, un très gros carton glissa et tomba par terre. Son contenu se répandit sur le parquet.

— Zut ! pesta-t-elle, avant de descendre de la chaise et de se mettre à ramasser papiers, lettres, clichés et cartes éparpillés sur le sol.

Elle ne put s'empêcher de détailler une ancienne photo en noir et blanc montrant Max Marchais jeune homme, et sourit. Il était sacrément séduisant, assis en toute décontraction devant un café parisien, chino clair et chemise blanche déboutonnée au cou, tenant sa cigarette entre pouce et index. Adossé à sa chaise tressée, il riait devant l'objectif.

Quelque chose dans ce cliché la déconcertait. Elle l'examina de plus près. Était-ce l'absence de barbe, le fait de voir Max avec une cigarette ? Elle ignorait que le vieux monsieur avait fumé un jour.

Précautionneusement, elle replaça la photo dans le carton, avec les autres, et classa les lettres. La plupart semblaient avoir été écrites par la femme de Marchais, Marguerite, et sur une enveloppe, elle nota le nom de Thérèse. Un jour, Max avait brièvement mentionné l'existence d'une sœur vivant à Montpellier, et Rosalie en avait déduit qu'ils n'étaient pas très proches. Elle vit également Max en culottes courtes, quelques clichés jaunis de ses parents, Max jeune journaliste devant sa machine à écrire, dans une salle de rédaction.

Tandis qu'elle ordonnait hâtivement ces souvenirs, ces fragments de vécu, son regard s'attarda sur la photographie aux couleurs pâlies d'une jeune femme. Dans un parc, sous un grand arbre, elle portait une robe d'été à encolure ronde, rouge à pois blancs. Elle avait dû être surprise par une ondée passagère car ses cheveux blonds, qui lui arrivaient aux épaules, retenus par un serre-tête, étaient mouillés. Légèrement penchée en avant, elle avait les bras croisés et paraissait frissonner. Pourtant, elle riait franchement, sa bouche rouge largement étirée, et l'espace d'un instant, Rosalie crut se reconnaître. Le cliché tout entier dégageait une joie de vivre contagieuse. Pouvait-il s'agir de Thérèse ? Rosalie retourna la photo et découvrit une date griffonnée au crayon :

Bois de Boulogne, 22 juillet 1974.

Elle sourit, songeuse, en remettant le portrait de la jolie femme dans le carton. Peut-être une petite amie que Max Marchais avait eue dans sa jeunesse ?

— Je n'ai pas toujours été un vieil homme, lui avait-il confié un jour.

Effectivement, on avait tendance à oublier que les vieilles personnes avaient été jeunes. Cela semblait presque aussi inconcevable que la perspective de sa propre vieillesse. Il n'y avait sans doute qu'avec les gens qu'on avait connus jeunes qu'on serait toujours capable de remonter le cours du temps, pour voir encore passer dans leurs yeux l'éclat de l'espérance.

Rosalie vérifia que plus rien ne traînait sur le parquet. Puis, par acquit de conscience, elle jeta un coup d'œil sous le lit et remarqua une liasse de feuilles maintenues par un élastique usé. Elle se mit sur le ventre, tendit le bras et tira le tas de papier à elle. C'était un vieux manuscrit, ou plutôt la copie carbone d'un vieux manuscrit, sur laquelle les lettres bleu pâle d'une machine à écrire avaient imprimé leurs traces délicates.

Rosalie se redressa, la liasse à la main. Prudemment, elle lissa les pages dont la texture lui évoquait du parchemin et écarta l'élastique rouge desséché pour ne pas le casser.

Considérant la première page, elle sentit que son cœur se mettait à battre de manière irrégulière. Alors, ses pensées s'emmêlèrent tant qu'au bout du compte, elle se retrouva dans l'impossibilité de penser tout court.

Elle resta assise là un moment, sur le parquet de la chambre que le soleil de l'après-midi plongeait dans une lumière chaude, à fixer les lettres qui se détachaient légèrement sur le papier jauni.

Sur le mince feuillet, on pouvait lire : *Le Tigre bleu*. Et dessous : *Pour R.*

Paris commençait à lui plaire. Il trouvait vivifiant de flâner dans les rues de Saint-Germain, qui – à la différence de Manhattan – bifurquaient subitement à droite ou à gauche et vous faisaient longer d'innombrables commerces et boutiques, cafés et bistrots. Tout était coloré et contrasté, empreint de gaieté et de vitalité. Oui, Robert Sherman se sentait particulièrement vivant ce dimanche-là, sous le soleil.

Cela tenait peut-être à l'entretien enthousiasmant qu'il avait eu la veille avec le directeur de la faculté d'anglais. Le petit homme fluet, aux mains toujours en mouvement, lui avait fait comprendre qu'il n'appelait qu'une chose de ses vœux : que Robert, dès le semestre à venir, dispense à la Sorbonne ses cours magistraux sur Shakespeare.

— Je vous suis avec grand intérêt depuis que j'ai découvert vos travaux sur *Le Songe d'une nuit d'été*, Mister Sherman, avait confié le professeur Lepage dans son anglais cocasse. Non, non, ne soyez pas si modeste. Nous brûlons tous de vous entendre. J'espère que vous allez répondre favorablement à notre proposition.

Remarquant l'air hésitant de Robert, il avait ajouté :

— Ne vous inquiétez pas, nous vous aiderons à trouver un logement, bien entendu.

Peut-être aussi Robert devait-il l'énergie soudaine qui l'avait envahi comme une brise fraîche au simple fait que, pour la première fois depuis son arrivée, il avait remarquablement bien dormi. Et peut-être, en fin de compte, avait-il tout bonnement succombé au charme de la ville traversée par la Seine, qui, comme sa mère l'avait affirmé, était toujours une bonne idée.

Ce matin-là, assis à l'ombre, Robert avait eu le plaisir de prendre son petit déjeuner en toute tranquillité dans l'agréable cour intérieure de l'hôtel, tout en lisant *Le Figaro*.

Le café crème – vivifiant. La baguette croustillante qu'il tartinait généreusement de confiture de fraises – vivifiante. Le délicat parfum de rose qui embaumait la cour des Marronniers – vivifiant. Le charmant sourire de la réceptionniste – vivifiant.

Ensuite, alors qu'il prenait le chemin de *Luna Luna* avec le manuscrit arrivé le matin même à l'hôtel, il avait dû s'avouer, à sa grande surprise, que la perspective de revoir la propriétaire de la boutique à la longue tresse brune, jolie quoiqu'un peu revêche, était aussi vivifiante, en quelque sorte.

Curieusement, le magasin était fermé – pour raisons familiales pressantes –, et lorsqu'il avait joint Mlle Laurent sur son portable, il s'était avéré que cet écrivain louche, pour couronner le tout, était tombé d'une échelle et se trouvait à l'hôpital. Au moment où ils parlaient, elle était chez lui, occupée à rassembler quelques affaires.

Elle lui avait paru très soucieuse.

Une fracture du col du fémur ? La belle affaire ! Que trouvait-elle à ce vieil homme, qui n'était même pas un parent et mentait, selon toute probabilité ? Robert avait ressenti une pointe de jalousie. Il était contrarié que l'enquête – avait-il vraiment pensé au mot *enquête* ? – s'interrompe.

Robert s'était remis à marcher, sans véritable but. Il tourna dans la rue de Buci, une voie animée où les bistrots s'alignaient et où les gens mangeaient et bavardaient dehors, au soleil. Il passa devant des boulangeries, des magasins de fruits et légumes, des étals d'huîtres et des rôtissoires, et constata qu'il avait de nouveau faim. Finalement, il acheta chez un traiteur un sandwich garni de thon, de salade et de rondelles de pomme de terre fondantes. Une association intéressante au goût délicieux.

Il jeta un coup d'œil à sa montre. Mlle Laurent avait promis de se manifester quand elle serait rentrée du Vésinet, mais cela pouvait encore durer.

Il sortit alors son plan de la ville et décida d'aller chez *Shakespeare & Company*, la légendaire librairie anglophone située rive gauche, dans laquelle Sylvia Beach avait jadis accueilli des écrivains de la « génération perdue ». Elle existait toujours, même si elle avait changé de propriétaire et quitté la rue de l'Odéon pour la rue de la Bûcherie. Robert avait lu que, comme dans le passé, jeunes auteurs ou écrivains en herbe y trouvaient toujours un matelas pour dormir quand ils étaient disposés à donner un coup de main au magasin.

Étonnamment et de façon totalement anachronique, l'esprit de *Shakespeare & Company* avait perduré au fil des décennies. Même si l'époque où de grands noms – T. S. Eliot, Ezra Pound ou Ernest Hemingway – en franchissaient régulièrement le seuil était bien révolue.

Tout en empruntant la rue Saint-André-des-Arts, Robert ne put s'empêcher de penser aux mots d'Hemingway selon lesquels, quand on avait eu la chance de vivre jeune homme à Paris, la ville ne vous quittait pas pour le reste de votre vie, où qu'on aille ensuite. Si Robert n'avait jamais vécu à Paris, il s'y était tout de même rendu enfant, ce qui n'était pas évident pour un Américain. Si bien qu'il transportait peut-être, lui aussi, un bout de Paris dans une poche de son pantalon.

Plein d'entrain, il suivit un moment les quais, puis tourna à droite avant de rejoindre la rue de la Bûcherie. Quelques pas plus loin, il s'arrêtait en face de la librairie, devant laquelle un banc en bois usé et quelques petites tables et chaises en fer étaient disposés à l'ombre d'un arbre, et jetait un coup d'œil par les fenêtres à croisillons peints.

L'impressionnante profusion de livres qui s'offrit alors à son regard déclencha en lui un agréable sentiment familier. Il franchit le seuil du pas du flâneur, se réjouissant de pouvoir fouiner dans les lieux.

Plus facile à dire qu'à faire.

Les étroits couloirs, qui serpentaient entre les hautes bibliothèques fixées aux vieux murs, étaient bondés.

La magie de cette librairie si particulière, qui avait soutenu et hébergé de grands écrivains, était frappante quand on possédait assez d'imagination pour la percevoir. Tous les gens qui s'y pressaient y parvenaient-ils ? On pouvait se poser la question, mais on aurait au moins dit que chacun voulait emporter chez lui un peu de l'éclat de ces jours disparus – ne serait-ce qu'un *tote bag Shakespeare & Company* ou un livre de poche portant le tampon du magasin.

Robert se faufila devant trois jeunes Japonaises qui gloussaient. Chacune tenait un ouvrage anglais à la main et faisait mine de lire, tandis qu'un Japonais plus âgé, le nez chaussé d'épaisses lunettes en écaille, les photographiait – en dépit des panneaux indiquant qu'il n'était pas autorisé de prendre des photos à l'intérieur. Pour autant, nul ne critiquait ce manquement à la règle. Pas même l'étudiant à l'accent britannique, de bonne humeur malgré son air fatigué, qui se tenait derrière la caisse – peut-être un de ceux qui prêtaient main-forte en échange d'un matelas.

Robert se fraya un chemin jusqu'au fond du magasin et découvrit un escalier en bois permettant d'accéder au premier étage, d'où s'échappait une mélodie jouée au piano. Les notes isolées s'unissaient pour composer le *Prélude à l'après-midi d'un faune* de Claude Debussy. Robert laissa passer les visiteurs qui descendaient puis, curieux, il monta et tourna à droite pour entrer dans la pièce d'où venait la musique légèrement métallique. Une femme d'un certain âge, épaules étroites et cheveux blond cendré coupés au carré, était assise devant un piano ancien, dos à la porte, nullement dérangée par les gens venus chercher un livre qui faisaient quelques pas dans une direction, puis dans une autre, avant de disparaître. Quittant silencieusement la pièce, Robert songea que la pianiste lui évoquait la nonchalance audacieuse d'une Djuna Barnes.

Juste en face de l'escalier, deux pièces en enfilade accueillaient des ouvrages d'occasion. Autour, des tables où trônaient des machines à écrire anciennes, des canapés élimés. Aux murs étaient accrochées de vieilles photographies de l'ancien propriétaire avec sa petite fille blonde. Dans les niches se trouvaient des matelas sur lesquels on avait jeté des couvertures usées.

Dans ces lieux, nul n'aspirait à courir après le temps. La sérénité ambiante semblait gagner les clients qui, comme Robert le constata en souriant, se déplaçaient avec un peu plus de discrétion qu'ailleurs.

Ce n'est qu'en regagnant l'escalier et en regardant une fois encore autour de lui qu'il remarqua la citation, inscrite en grosses lettres noires au-dessus d'une porte : *BE NOT INHOSPITABLE TO STRANGERS. LEST THEY BE ANGELS IN DISGUISE*, autrement dit : « Ne sois pas inhospitalier avec les étrangers. Ce sont peut-être des anges déguisés. »

Robert se sentit soudain le bienvenu. Dans la librairie. Et dans Paris.

Pensif, il descendit l'escalier et se dirigea vers une étagère, à l'arrière du magasin, où s'alignaient des pièces de théâtre.

Il était en train de chercher une édition de *La Mégère apprivoisée* lorsque son portable sonna.

C'était Rosalie Laurent. Sa voix tremblait d'excitation et elle avait des nouvelles sensationnelles.

Paris défilait devant ses yeux. Après le tunnel obscur qui semblait sans fin apparurent à Nanterre quelques immeubles affreux, séparés par des murs de béton couverts de graffitis – tentative touchante pour braver la tristesse de la banlieue. Sur le dernier tronçon de voie ferrée seulement, le paysage se fit plus vert et il aperçut des maisons anciennes et leurs ravissants jardins, blottis contre les rails menant à Saint-Germain-en-Laye.

Assis dans un train qui devait marquer un arrêt à la gare du Vésinet-Centre, Robert Sherman regardait par la fenêtre. Il tenait sur ses genoux son sac à bandoulière en cuir et s'assurait régulièrement, obéissant à une impulsion maladive, que l'enveloppe qu'il y avait glissée s'y trouvait toujours. Pas question de perdre le manuscrit, maintenant que Rosalie Laurent avait trouvé son pendant.

— Je ne comprends pas, avait-elle répété en lui faisant part de sa découverte, d'une voix fiévreuse. Max m'a donc menti. Mais avant que je le confronte à son mensonge, j'aimerais qu'on compare les manuscrits. On ne connaît peut-être pas tout le contexte de cette histoire.

Il était attendrissant de constater qu'elle continuait à protéger la vieille fripouille. Après s'être concertés, ils étaient parvenus à la conclusion qu'il valait mieux que Robert prenne un train pour la rejoindre – le trajet durait trente petites minutes –, tandis que Rosalie retournerait à la clinique pour apporter ses affaires à Marchais, avant de revenir au Vésinet.

La clé de la maison posait un problème. La jeune femme pouvait difficilement la garder sans raison. Et elle refusait avec véhémence de demander des explications au vieux monsieur pour l'instant.

— Ah, vous savez quoi ? Je vais laisser la porte-fenêtre de la terrasse entrebâillée, avait-elle tranché. On peut facilement faire coulisser la baie vitrée, et depuis le jardin, on pourra accéder à la maison sans se faire remarquer.

Robert n'avait jamais douté de son bon droit. Pourtant, il sentit l'excitation monter en arrivant au Vésinet et en voyant Rosalie Laurent dans sa robe claire, debout sur le quai. Elle était un peu pâle et une expression difficile à interpréter agitait ses yeux d'un bleu profond. Elle lui tendit la main, hésitante.

— Je suis garée par là.

Ils roulèrent en silence à travers les rues tranquilles de la petite ville. Alors qu'ils avaient échangé avec animation au téléphone, cet après-midi-là, une gêne étrange flottait dans l'air. Rosalie regardait droit devant elle, sans jamais tourner la tête, et mordillait sa lèvre inférieure. La voiture était exiguë pour un homme de grande taille et Robert ressentait la nervosité de la conductrice muette, comme si on piquait sa peau avec des dizaines d'épingles. Puis Rosalie passa une vitesse, sa main frôla son genou et elle s'excusa aussitôt.

— Ce n'est rien, assura-t-il avec un sourire, pour détendre l'atmosphère.

Le soleil était déjà bas dans le ciel lorsque, se glissant le long d'arbustes et de buissons, ils traversèrent le jardin de la villa ancienne pour arriver à la terrasse. Jetant un coup d'œil derrière elle, Rosalie s'assura qu'on ne les observait pas, puis elle s'appuya contre l'encadrement de la baie vitrée qui glissa silencieusement sur le côté.

— Il ne faut pas faire de bruit, rappela-t-elle.

Une précision parfaitement superflue.

— Pas de problème, je n'ai pas l'intention de me lancer dans un solo de trompette, répliqua Robert en étouffant sa voix.

C'est alors que la mélodie de *Fly me to the moon* déchira soudain le calme vespéral, et ils sursautèrent tous les deux.

Rosalie fit volte-face.

— Qu'est-ce que c'est ? lança-t-elle entre ses dents.

— *Fly me to the moon*, répondit automatiquement Robert.

— Comment ?! lâcha-t-elle en le regardant comme s'il lui manquait une case, pendant que l'appareil serinait sa rengaine. Mais enfin, vous allez éteindre votre portable ! Vous voulez alerter le voisinage ?

— Tout de suite, tout de suite, assura-t-il en glissant la main dans son pantalon, mais dans sa précipitation, il appuya sur « Décrocher ».

— Robert ?

La voix claire de Rachel prenait des accents métalliques en sortant du téléphone, qu'il tenait à hauteur de hanche.

— Allô... Robert... Tu m'entends ?

— Je ne peux pas maintenant, Rachel, le moment est très mal choisi, murmura-t-il. Je te rappelle plus tard.

— Qu'est-ce qui t'arrive, Robert ? Tu parles comme si tu étais au confessionnal. Pourquoi chuchoter comme ça ?

Sentant le regard irrité de Rosalie, il leva la main, un geste d'apaisement.

— On est sur le point de s'introduire dans une maison, siffla-t-il de façon audible. C'est à propos du manuscrit. Je dois te laisser, Rachel, je suis désolé.

— Quoi ?! s'écria Rachel, qui perdait apparemment son sang-froid. Vous allez vous introduire dans une maison ? Tu es complètement maboul ou quoi ? Et c'est qui, *on* ? Robert ? *Robert ?!*

Sans tenir compte des cris de protestation de l'autre côté de l'Atlantique, Robert raccrocha tandis que Rosalie l'entraînait à l'intérieur, dans la bibliothèque.

— Et voilà, fit-elle avec soulagement en refermant vite la porte-fenêtre. Mon Dieu, mais qui était cette hystérique ?

— Ah… c'était juste… Rachel. Une connaissance ! se hâta-t-il de dire, se demandant aussitôt, avec une pointe de culpabilité, pourquoi il reniait sa petite amie.

Mais n'était-ce pas Rachel qui l'avait menacé de le quitter s'il acceptait ce poste à Paris ? Leur relation était donc en suspens, en quelque sorte, et on pouvait tout aussi bien qualifier de connaissance une petite amie qui serait peut-être bientôt une ex, décida-t-il de façon un peu fallacieuse.

— Robert ?

Rosalie lui avait manifestement posé une question.

— Euh… oui ?

— Le manuscrit !

Il ouvrit son sac, en sortit l'enveloppe brune et l'ouvrit.

— Tenez, dit-il en lui tendant la liasse de papier. Rachel… eh bien, la femme qui vient d'appeler, me l'a envoyé.

Elle feuilleta les pages, y jeta un coup d'œil et secoua la tête.

— Ce n'est pas possible. Attendez ici !

Robert se laissa tomber dans un des deux canapés et entendit Rosalie monter un escalier en courant.

Elle revint peu de temps après, une autre liasse de papier à la main, et s'assit à côté de lui.

— Regardez, lui enjoignit-elle, avant de prendre une profonde inspiration et de poser son manuscrit près du sien, sur la table basse. On dirait bien que les deux versions sont parfaitement identiques.

Robert se pencha en avant et étudia chaque texte, dans un grand état d'excitation.

— Sans aucun doute, confirma-t-il en prenant deux pages pour mieux les comparer. Le même alignement, jusqu'aux mêmes caractères. Et regardez ici… – Il indiqua différents endroits. – Le « o » minuscule présente toujours un petit pâté dans l'arrondi, en haut à gauche. Où dites-vous que vous avez trouvé le manuscrit ?

— Dans la chambre, à l'étage, expliqua Rosalie, les joues rougies. J'ai fait tomber un carton de l'armoire à vêtements, il se trouvait au milieu de lettres et de vieilles photos. – Elle joignit les mains et les plaça sous son menton. – Je ne comprends toujours pas. Comment votre mère pouvait-elle être en possession d'un manuscrit de Max Marchais?

Robert haussa les épaules et la fixa d'un air lourd de sens.

— La bonne question est plutôt la suivante : comment Marchais peut-il être en possession du manuscrit de ma mère?

Il remarqua que Rosalie se mettait à jouer avec sa tresse, mal à l'aise.

— Je ne veux pas vous froisser, mademoiselle Laurent, mais on voit tout de suite lequel est l'original, et lequel est la copie carbone.

Elle se racla la gorge.

— J'ai peur que vous ayez raison, annonça-t-elle avant de le regarder de côté, les yeux étincelants. Ça doit vous faire plaisir, hein?

Il eut un large sourire.

— Évidemment que ça me fait plaisir. Je suis le fils d'un célèbre avocat, vous avez oublié?

Il nota qu'elle tentait de réprimer un sourire, et se réjouit de l'avoir déridée. Puis sa mine se fit à nouveau songeuse.

— Non, très sérieusement, il ne s'agit pas d'avoir raison ou tort. Pas seulement, en tout cas. Bien sûr, il est blâmable que le vieux Marchais ait présenté l'histoire de ma mère comme étant la sienne. Que ça vous plaise ou non, insista-t-il, voyant que Rosalie secouait la tête avec énergie. Mais par ailleurs, je commence à m'interroger sur l'histoire derrière l'histoire. Comment Marchais s'est-il procuré le double? Connaissait-il ma mère? New York ne se trouve pas vraiment au coin de la rue.

— Vous m'avez raconté que votre mère avait de la famille française, non ? Qu'elle avait déjà été à Paris avant votre visite commune ?

— Peut-être, mais avant ma naissance. À l'époque, le tigre bleu n'existait pas encore. Je vous rappelle que maman l'a inventé pour moi.

Ils se turent un moment, perdus dans leurs réflexions respectives, et ne remarquèrent pas que le ciel, de l'autre côté de la grande baie vitrée, commençait à se teinter de tons lavande.

Rosalie rompit soudain le silence :

— Vous ne trouvez pas inhabituel que votre mère ait tapé le récit en français ?

Il la considéra, surpris.

— Non, absolument pas. Après tout, elle parlait couramment la langue. Au contraire, lorsque j'ai hérité du manuscrit, j'ai plutôt eu le sentiment qu'il devait me rappeler Paris. Elle avait veillé à ce que je puisse lire moi-même l'histoire en français, n'est-ce pas ?

Il eut un sourire incertain et se passa brusquement la main dans les cheveux.

Rosalie s'était levée et avait gagné le secrétaire près de la porte, autour duquel se dressaient deux lampes sur pied. Elle alluma la lumière.

— Et si on ne creusait pas toute cette affaire ? proposa-t-elle en effleurant, hésitante, les touches de l'ancienne machine à écrire noire qui se trouvait également sur le meuble. Pour être franche, Robert, j'ai une drôle de sensation. Nous allons peut-être réveiller le chat qui dort. Convoquer des fantômes…

— C'est absurde ! l'interrompit-il avant de se redresser. Vous ne pouvez pas exiger ça de moi, Rosalie. Non, il faut que je découvre la vérité, je le dois à ma mère. Je suis désolé, mais si vous ne parlez pas à Marchais, je le ferai.

Les épaules de Rosalie s'affaissèrent.

— Pourquoi n'a-t-il jamais mentionné que c'était une vieille histoire ? dit-elle avec regret. À l'entendre, on aurait dit qu'il venait d'avoir l'idée.

Robert quitta les coussins moelleux et se dirigea vers elle.

— Vous n'y pouvez rien, Rosalie. Mais, malgré toute votre sympathie pour votre ami, vous devez aussi me comprendre.

Elle acquiesça. Absorbée dans ses pensées, elle restait là, tandis que ses doigts caressaient inlassablement la vieille Remington – comme si celle-ci, à la manière de la lampe merveilleuse d'Aladin, pouvait faire apparaître un génie capable d'exaucer tous les vœux. Puis elle se détourna et rejoignit d'un pas déterminé le bureau. Elle prit une feuille vierge et revint.

— Attendez un peu, demanda-t-elle en engageant la feuille dans la machine à écrire.

Elle se mit à taper à deux doigts un court texte. Robert la regardait faire, surpris. Ensuite, elle examina les quelques lignes et donna une pichenette au papier avec un petit cri de triomphe.

— Je le savais, lâcha-t-elle, soulagée, avant de hocher la tête à plusieurs reprises et de lui montrer son œuvre.

Il reconnut les premières phrases du *Tigre bleu*.

— Et alors ? s'enquit-il, décontenancé. Vous comptez établir une troisième version ?

— Regardez mieux, insista-t-elle avec ardeur, les yeux brillants. Que voyez-vous ?

Cette fille était un peu exaltée, mais admettons ! Robert poussa un soupir résigné et inspecta la feuille. Une devinette, pourquoi pas ? Au point où il en était…

Alors, Robert, pensa-t-il, que vois-tu ? Concentre-toi !

Il avait envie de rire.

Un moment plus tard, il fronçait les sourcils. Son regard ne cessait de parcourir les quelques lignes bleu pâle qui contrastaient légèrement avec le blanc du papier.

— Vous le voyez aussi, maintenant ? demanda Rosalie.

— Oui, je le vois aussi, maintenant, répéta Robert, stupéfait. Il voyait tout : les caractères anciens, l'encre bleue, le « o » minuscule et son petit pâté, en haut à gauche.

Ce texte ressemblait comme deux gouttes d'eau au manuscrit de sa mère. En d'autres termes : l'histoire du tigre bleu avait été tapée sur la vieille Remington devant laquelle il se trouvait. Il secoua lentement la tête en comprenant ce que cela impliquait.

— Voilà qui bouleverse drôlement votre théorie, Robert, je me trompe ? s'enquit finalement Rosalie, sourcils arqués.

— Mais… l'original… se trouvait bien à Mount Kisco, objecta-t-il.

— Je vous en prie ! s'exclama Rosalie dont les yeux lançaient des éclairs d'indignation. Vous n'allez quand même pas prétendre que Max Marchais, en plus de voler l'histoire à votre mère, lui a pris sa machine à écrire ? C'est ridicule !

Robert se taisait. Il ne savait plus du tout où il en était.

— C'est la vieille Remington de Max, reprit Rosalie. Aucun doute là-dessus. Je l'ai même vue sur un cliché ancien. Qui que soit la personne qui a écrit le récit, une chose est sûre : elle l'a tapé sur *cette* machine. Et ça ne peut signifier qu'une chose…

Elle cessa de parler, un peu désemparée.

Robert essaya de terminer sa phrase. Oui, qu'est-ce que cela pouvait signifier ? Sa mère avait retranscrit cette histoire pour lui quand il était petit garçon – sur une machine qui se trouvait alors à Paris et appartenait à un Français ? Balivernes ! Il se mit à réfléchir intensément. Et si le texte n'était pas l'œuvre de sa mère, mais de Marchais, tout de même auteur de nombreux livres pour enfants ? Pourtant… cette histoire semblait tellement faite pour lui, Robert, et sa mère avait toujours dit qu'elle n'était que pour eux deux. Elle aimait le conte du tigre bleu autant que lui. Pourquoi lui aurait-elle menti ?

D'un autre côté… Sa mère avait-elle jamais affirmé explicitement qu'elle était à l'origine du récit ? Qu'elle l'avait *inventé* ? Il se creusa la tête, mais fut incapable de se le rappeler. En revanche, il l'entendait encore déclarer qu'elle lui offrait l'histoire. Et, mis à part la question de la paternité intellectuelle, qui se voyait de plus en plus reléguée à l'arrière-plan, *quid* de la question véritable, bien plus intéressante, de savoir comment ce Marchais et sa mère pouvaient posséder le même manuscrit s'ils ne s'étaient jamais rencontrés ? Se seraient-ils rencontrés ?

Percevant sur lui le regard de Rosalie, il leva les yeux.

— Je me demande toujours ce que veut dire le « R », déclara-t-elle, pensive.

Il ne comprit pas immédiatement.

— Comment ?

— Eh bien, la dédicace ! Je croyais que c'était le « R » de Rosalie. Vous croyiez que c'était celui de Robert. En l'état actuel des choses, ce ne peut être ni l'un ni l'autre, si ?

Il pressa les lèvres et opina du chef. Elle avait raison, elle avait tout à fait raison. La dédicace ne lui était pas destinée, même si ce constat emplissait son cœur de mélancolie.

Alors, il sentit un léger contact sur son bras. Rosalie y avait posé la main. Ses yeux lui parurent plus grands que d'habitude.

— Robert, fit-elle. Comment s'appelait votre mère, au juste ?

Il lui fallut un moment pour saisir le sens de son interrogation. Puis il se frappa le front du plat de la main.

— Ruth. Ma mère s'appelait Ruth.

Voyant Robert Sherman blêmir, Rosalie songea que l'aveuglement avec lequel on pouvait passer à côté de l'évidence la surprendrait toujours. Ils avaient eu beau souvent évoquer la dédicace et tenter d'associer une personne à l'énigmatique initiale, il ne lui était manifestement pas une seule fois venu à l'esprit que le prénom de sa mère commençait lui aussi par la lettre « R ».

Robert était tellement perplexe qu'il se tut un moment. Alors qu'il s'apprêtait à parler, ils entendirent le bruit.

On aurait dit une clé qui tournait dans une serrure. Quelques secondes plus tard, la porte d'entrée s'ouvrait, puis se refermait avec un léger claquement.

Des pas lourds traversèrent le vestibule. Bruit de froissement. Grincement, sans doute la penderie, entrechoquement de cintres.

Figés devant le secrétaire, ils se regardaient. Les pas se rapprochèrent et Rosalie sentit son cœur battre à une allure plus folle encore. Qui était là ? L'espace d'un instant insensé, elle n'exclut pas que Max puisse être rentré et les prenne sur le fait. Puis elle entendit une voix grave, mais indiscutablement féminine, qui marmonnait. Les pas passèrent devant la porte du salon et atteignirent la cuisine, où quelque chose fut déposé.

Paniquée, Rosalie attrapa la main de Robert.

— Venez ! souffla-t-elle. En haut !

Tandis que des cliquetis de vaisselle s'échappaient de la cuisine, ils s'emparèrent en toute hâte des deux manuscrits, se glissèrent hors de la bibliothèque et grimpèrent furtivement l'escalier qui partait du vestibule.

— Par ici !

Rosalie entraîna Robert dans la chambre, où le carton contenant les lettres et les photos se trouvait toujours par terre. Silencieux, ils écoutaient les légers bruits qui montaient du rez-de-chaussée.

Rosalie se demandait qui pouvait bien venir le soir dans la maison de Max Marchais. Une voisine ? Le jardinier ? Pour autant qu'elle sache, seule l'intendante avait une clé et elle était loin, en Provence, chez sa fille.

— Attendons un moment. Qui que ce soit, il va sûrement bientôt partir, chuchota-t-elle à Robert.

Il hocha la tête, tenant toujours les deux manuscrits.

— Je ne comprends pas pourquoi je n'y ai pas pensé tout seul, dit-il à voix basse. C'est « R » comme Ruth. Ruth Sherman. Comment ai-je pu être aussi stupide ?

— L'arbre cache parfois la forêt, fit-elle doucement. Ce genre de chose arrive. Sans compter que vous n'appeliez sans doute pas votre mère par son prénom.

Il hocha la tête et posa soudain l'index sur ses lèvres.

— Nom d'un chien, elle monte l'escalier !

Le bois des marches gémissait sous le poids d'une personne forte. Rosalie fouilla la pièce du regard, tendue. La chambre, un espace dégagé, n'offrait pas vraiment de cachette, et ils ne pourraient plus atteindre le petit débarras à côté de la salle de bains sans être vus.

— Sous le lit ! siffla-t-elle en plaquant au sol un Robert Sherman stupéfait.

Lorsque la porte s'ouvrit et que Mme Bonnier – Rosalie avait acquis la certitude que c'était l'intendante – entra en grommelant, ils avaient disparu, dissimulés sous un grand lit ancien en bois, un refuge sombre et poussiéreux qui les avait engloutis. Ils étaient si proches que seule une feuille de papier aurait pu se glisser entre eux. Retenant leur souffle, ils se regardaient dans les yeux comme deux conspirateurs et percevaient les battements de leurs cœurs respectifs. Ce moment immobile, qui paraissait ne jamais devoir prendre fin, recelait danger et intimité à la fois.

Les pas de l'intendante s'approchèrent, ils virent ses sandales plates et ses mollets vigoureux aller et venir, pendant que Marie-Hélène Bonnier, pestant, se mettait à lisser draps et couvre-lit, à secouer les coussins.

Rosalie fixait les prunelles bleu azur de Robert Sherman, si près des siennes que c'en était dérangeant. Une fois de plus, elle s'étonna (réflexion parfaitement inappropriée à la situation) de la couleur extraordinaire des yeux de cet homme, une particularité qui l'avait déjà frappée lorsqu'il s'était tenu pour la première fois devant sa vitrine. Elle sentit un picotement, comme si une colonie de fourmis se mettait à courir sur sa peau.

Elle aurait certainement été surprise d'apprendre que les pensées du New-Yorkais suivaient un cours très similaire – à savoir qu'il n'avait encore jamais vu des yeux bleu nuit comme ceux de Rosalie Laurent.

Aussi ne fallait-il pas s'étonner si ni l'un ni l'autre, dans un premier temps, ne put identifier le bourdonnement qui s'éleva soudain entre eux.

Mme Bonnier l'avait aussi entendu, car les sandales qui s'éloignaient du lit s'immobilisèrent, offrant à Rosalie une vue de choix sur le creux rose des genoux de l'intendante.

Mme Bonnier semblait tendre l'oreille tandis que le bourdonnement répétitif perçait le silence tel le vrombissement d'une énorme mouche.

Rosalie adressa à Robert un regard chargé de reproche. Sa bouche articula silencieusement le mot « idiot » et il lui demanda pardon de la même façon, la mine coupable, parce que c'était son portable qui se manifestait, celui-là même qu'il s'était bêtement contenté de mettre sur vibreur. Hélas, Rosalie réalisa qu'il ne pouvait pas sortir ce téléphone de sa poche sans faire plus de bruit que nécessaire.

Heureusement, Marie-Hélène Bonnier ne possédait pas assez d'imagination pour concevoir que des gens puissent se tenir sous le miraculeux lit de M. Marchais.

Elle se dirigea pesamment vers la lampe de chevet, l'examina dans le détail, la secoua et actionna l'interrupteur, l'allumant et l'éteignant plusieurs fois.

— Foutue électricité ! Une chance que je sois venue ce soir m'assurer que tout allait bien, marmonna-t-elle lorsque le bourdonnement cessa finalement. Tout est allumé et des cartons traînent par terre, on n'est pas loin du chaos. Ce jardinier aurait pu éteindre les lumières, au moins !

Elle se pencha pour ramasser le carton contenant lettres et photos, et pendant un instant terrible, Rosalie fut persuadée que l'intendante allait découvrir leur cachette.

Elle arrêta de respirer.

Seulement, Mme Bonnier avait mieux à faire. Il fallait qu'elle mette de l'ordre. Aussi, elle alla chercher un escabeau dans le débarras, prit le carton et le remit en gémissant à sa place. Sur l'armoire à vêtements.

Lorsqu'elle disparut dans la salle de bains et entreprit de saupoudrer le lavabo de poudre à récurer, ils quittèrent tel un commando en opération spéciale le dessous du lit et descendirent l'escalier, chaussures à la main.

— Attendez ! Mon sac est toujours dans la bibliothèque, chuchota Robert, alors que Rosalie se dirigeait vers la porte d'entrée.

— Bon. On va s'éclipser par le jardin.

Ils se glissèrent dans la bibliothèque, longèrent le mur de livres et les deux canapés, écartèrent la porte-fenêtre et la refermèrent de l'extérieur.

Quelques secondes plus tard, tandis qu'ils couraient sur la pelouse comme Bonnie and Clyde après un coup réussi, et disparaissaient entre les buissons d'hortensias, Rosalie fut submergée par l'impérieux besoin de rire.

— *Foutue électricité !* lança-t-elle avec entrain, et cherchant à reprendre son souffle, elle s'appuya au tronc d'un cerisier qui se dressait devant le vieux mur entourant le jardin.

Robert se pencha en avant, les mains sur les cuisses, et se joignit à son hilarité réprimée.

Ensuite, Rosalie n'aurait pas pu dire comment cela arriva précisément, il l'embrassa.

Ce soir-là, elle écrivit dans son carnet de notes bleu :

Le pire moment de la journée :
Le fichu portable de Robert s'est mis à vibrer alors que Mme Bonnier se trouvait devant le lit sous lequel nous nous cachions. J'ai failli faire dans ma culotte. Je n'ose pas imaginer ce qui se serait passé si elle nous avait découverts !

Le plus beau moment de la journée :
Un baiser le soir, sous un cerisier, qui nous a laissés tous les deux assez troublés.
« Pardon, je n'ai pas pu m'en empêcher », a dit Robert. Et j'ai répondu, pendant que mon cœur accomplissait un salto arrière : « Pas de problème, c'est sûrement toutes ces émotions. » Ensuite, j'ai ri comme si de rien n'était.
Pendant le trajet retour dans la voiture, nous n'avons plus parlé que de notre découverte, et essayé de deviner ce qu'elle pouvait signifier. Je parlais et parlais encore pour couvrir les battements de mon cœur. Puis Robert a fait une remarque stupide, et nous nous sommes tus. Le silence est devenu gênant, presque désagréable. Adieux précipités devant l'hôtel. Pas d'autre baiser. Je suis soulagée. Et, curieusement, un peu déçue aussi.
René ne dormait pas encore quand je suis rentrée. Il n'a rien remarqué, et il ne s'est rien passé non plus. Un simple dérapage. C'est tout !

Il s'était passé quelque chose.

Robert Sherman n'entendait pas par là les événements surprenants qui lui étaient arrivés depuis que, une semaine plus tôt, il avait fait une découverte remarquable dans une vitrine, rue du Dragon. Une découverte déconcertante qui l'avait déboussolé, repoussant au second plan le but véritable de son voyage (y voir clair quant à son avenir professionnel et privé).

Non, il pensait à tout autre chose : ce baiser dans un enchanteur jardin du Vésinet, ce baiser subit, inattendu, totalement déraisonnable, ne lui sortait pas de la tête.

Tôt ce matin-là, alors qu'il longeait la rue de l'Université pour se rendre au musée d'Orsay où il voulait admirer les toiles impressionnistes, les images de la veille au soir déferlaient sur lui telles les vagues dans un tableau de Sorolla y Bastida. Il ne cessait de voir Rosalie surgir devant ses yeux. Vêtue de sa robe d'été cintrée de couleur bleue, riante, à bout de souffle, elle se tenait, les joues rougies, sous le cerisier déployant ses branches à la manière d'un dais. L'air embaumait la lavande, et le crépuscule s'était étendu sur le jardin, faisant s'estomper arbustes et buissons. Ses cheveux s'étaient dénoués, sa voix avait des accents délicieusement détendus, et l'espace d'un moment grisant, en dehors du temps, la femme au rire charmant avait été pour Robert la créature la plus désirable sur terre.

Elle avait été trop étonnée pour s'opposer à son geste. Il l'avait prise au dépourvu et elle avait consenti à ce baiser fougueux qui avait projeté une myriade de particules lumineuses à travers le corps de Robert et avait le goût suave d'une fraise des bois.

Sans le vouloir, il se passa la langue sur les lèvres, les pressa brièvement l'une contre l'autre, comme si cela pouvait faire revenir le goût du baiser qui, désormais, lui apparaissait irréel, presque comme s'il l'avait rêvé. Mais il n'avait pas rêvé. C'était arrivé, et ensuite, brusquement, tout avait mal tourné.

Robert enfouit les mains dans les poches de son pantalon tout en continuant de marcher le long de la rue étroite, sourcils froncés.

Elle avait dû juger son geste désagréable, il ne fallait pas qu'il se fasse d'illusions. Une fois l'instant envolé, il avait senti qu'elle reculait, gênée. « C'est sûrement toutes ces émotions », avait-elle dit avant de rire, comme si rien ne s'était passé.

Apparemment, son baiser n'avait pas été spécialement renversant et elle avait eu la gentillesse de dissimuler la situation embarrassante derrière un rire, pour qu'il ne se trouve pas idiot.

Robert poussa un profond soupir. D'un autre côté… Pendant qu'ils étaient allongés sous ce lit, parfaitement muets et immobiles, comme dans un cocon… n'y avait-il pas quelque chose dans ses yeux ? N'avait-il pas lu dans son regard fixe un penchant soudain ? Une proximité inopinée, qui lui avait totalement fait oublier la dureté du parquet et la peur d'être découvert, n'était-elle pas née ?

S'était-il imaginé tout cela ? Était-ce le fruit de ce moment particulier ? Il n'en savait plus rien.

Il savait juste qu'il aurait pu rester éternellement sous ce lit. Jusqu'à ce que le léger bourdonnement de son portable résonne dans ses oreilles comme les trompettes de Jéricho. Il s'en était fallu d'un cheveu qu'ils se fassent pincer.

Il sourit en repensant aux pas pesants de l'intendante, à la façon méfiante dont elle avait manipulé la lampe de chevet.

Le retour à Paris avait été bizarre. À peine assise dans la petite voiture, Rosalie s'était transformée en moulin à paroles, le bombardant de questions (« Et vous êtes sûr que votre mère n'a jamais évoqué le nom de Max Marchais ? Peut-être est-il venu un jour à Mount Kisco et lui a-t-il rendu visite ? Ils se sont forcément connus puisqu'il lui a dédié l'histoire, de toute évidence ! »). Elle était restée au « vous » en dépit du baiser et n'avait cessé de développer de nouveaux scénarios, imaginant Max Marchais tantôt en frère perdu, tantôt en amant secret de sa mère.

Robert s'était brusquement senti très mal, et enfermé de plus en plus dans le silence. Toutes ces découvertes et les interrogations qu'elles soulevaient le dépassaient. Il aurait été plus simple de poursuivre pour plagiat un écrivain français vieillissant, quelque peu arrogant. Mais Rosalie avait trouvé le manuscrit chez Marchais, puis la machine à écrire, et tout à coup, plus rien n'avait été simple. Depuis qu'il était clair – ou qu'il paraissait clair – que sa mère n'avait pas inventé le récit du tigre bleu pour Robert, mais que celui-ci, on pouvait le supposer, lui avait été dédié par un Français (il fallait que ce soit un Français !) dont elle ne lui avait jamais parlé, il éprouvait une certaine fébrilité. Pour autant, il ne s'était pas mis à réfléchir concrètement à la question, ou, pour être honnête, il n'avait peut-être pas voulu le faire non plus.

Après tout, il s'agissait de sa mère. Quels que soient les dessous de cette étrange histoire, elle l'affecterait profondément. Elle toucherait moins durement la femme qui, échafaudant des hypothèses avec insouciance derrière son volant, l'agaçait et le troublait tout à la fois.

Il en avait eu assez.

— Vos spéculations sont bien sympathiques, Rosalie, mais elles ne nous font pas avancer d'un pouce. Il est plus que temps que nous ayons une discussion avec Max Marchais, l'avait-il sèchement coupée. Il ne va pas tomber raide mort si nous l'interrogeons un peu.

— Oh, très bien. *Très* bien. Excusez-moi d'avoir essayé de vous aider, avait-elle répliqué. Je vais rester bouche cousue à partir de maintenant.

Elle s'était tue, vexée, même s'il lui avait aussitôt assuré qu'il ne voulait pas dire cela. Ensuite, un silence oppressant s'était installé dans l'habitacle exigu.

Lorsqu'elle l'avait déposé devant l'hôtel, il n'avait pas osé la toucher de nouveau. Ils avaient pris congé d'un rapide signe de tête et Rosalie avait promis de l'appeler dès que Max Marchais serait en état de répondre à certaines questions.

— Il faudrait au moins attendre qu'il soit rentré chez lui, avait-elle déclaré, et Robert avait soupiré intérieurement. Ensuite, nous pourrions aller le voir ensemble, cela simplifierait sûrement beaucoup les choses, vous ne pensez pas ?

Elle avait souri, hésitante.

— Tout me va, tant qu'on ne se retrouve pas sous un lit poussiéreux, avait-il répondu, tentant d'être drôle.

Raté. À l'instant même, il aurait pu se gifler pour avoir fait une remarque aussi stupide.

Elle s'était refermée comme une huître. Bien sûr. Malheureux, il avait contemplé son visage pâle et impassible.

— Eh bien… Il faut que j'y aille, maintenant, avait-elle finalement lâché avec un curieux petit sourire, en triturant sa ceinture de sécurité. René m'attend sûrement déjà.

René ! Elle avait fait mouche.

Robert shoota avec mauvaise humeur dans un caillou qui roula jusqu'au caniveau. Il avait complètement oublié que Rosalie avait un petit ami – ce garde du corps tout disposé à la défendre avec ses gros poings. Robert eut un sourire en coin en repensant à sa première et, espérait-il, dernière rencontre avec ce géant français qui avait voulu le rouer de coups, soi-disant parce qu'il avait importuné sa petite amie. (« C'est un professeur de sport diplômé d'État et il enseigne le yoga », lui avait expliqué gravement Rosalie au café Marly. « Il a même déjà travaillé comme coach personnel pour une célèbre actrice française. ») Et alors ? D'accord, avec sa taille et son regard de velours, ce type ne passait certainement pas inaperçu aux yeux des femmes. D'accord, il n'était pas mal. Mais qu'avait-il d'autre à offrir ? se demandait Robert avec un certain orgueil buté. Il avait du mal à imaginer ce qui réunissait Rosalie et le pragmatique René, et il *préférait* ne pas l'imaginer non plus – il n'avait remarqué aucune affinité, en tout cas, et trouvait que ces deux-là n'allaient pas ensemble, c'était clair comme de l'eau de roche.

Ensuite, curieusement, il songea à Rachel.

Rachel la raisonnable, la performante, la compétitive, la superbe, toujours tirée à quatre épingles. C'était elle qui avait rappelé alors qu'il se trouvait sous le lit avec Rosalie. Au moment le plus défavorable. Elle n'avait laissé aucun message, ce qui indiquait qu'elle était fâchée. Il décida de lui téléphoner cet après-midi-là. Ce serait le matin à New York.

S'il lui parlait des deux manuscrits et qu'il lui expliquait qu'il s'était introduit dans une maison inconnue pour suivre la piste d'un secret le concernant, elle lui pardonnerait sûrement de lui avoir raccroché au nez. En revanche, il valait mieux ne pas préciser qu'il était allongé sous un lit avec Rosalie Laurent lorsqu'elle avait tenté de le joindre une seconde fois. Il n'évoquerait pas non plus le baiser, naturellement. Toute cette affaire était assez compliquée comme cela.

Il accéléra le pas et atteignit le musée d'Orsay. Tandis qu'il prenait place dans la queue qui s'était formée devant le bâtiment et avançait patiemment, il revit surgir l'image de Rosalie riant sous l'arbre, telle la Titania de Shakespeare. Il s'efforça de la chasser de sa tête, mais il ne pouvait s'empêcher de se demander s'il avait jamais vu Rachel rire avec autant d'exubérance que cette femme lunatique, prompte à le contredire, originale et – il devait l'admettre – extrêmement ravissante. Une femme à laquelle, tout bien considéré, il n'était malheureusement lié que par l'histoire d'un tigre bleu.

Était-ce peu ou beaucoup ? Peut-être même était-ce l'essentiel ? *Combien certains mortels sont plus heureux que d'autres !* Telle fut la citation qui jaillit dans son esprit. Serait-il en train de vivre son propre songe d'une nuit d'été ?

Le fait que ce soit cette jeune dessinatrice française qui ait illustré son récit préféré et qu'il ait fait sa connaissance par ce biais lui apparaissait soudain providentiel.

Et tandis qu'ils s'efforçaient d'élucider ensemble une histoire ancienne, une nouvelle histoire, bien plus excitante, n'avait-elle pas débuté ?

Perdu dans ses pensées, il s'approcha du guichet, dans le hall du musée, et prit son billet d'entrée.

En rangeant son portefeuille, il tomba sur le livre relié de lin rayé rouge et blanc qu'il avait acheté la veille chez *Shakespeare & Company*, puis totalement oublié. *La Mégère apprivoisée.* L'ouvrage se trouvait toujours dans le sac qu'il portait en bandoulière.

Il avait prévu de le remettre à Rosalie au moment approprié, avec une remarque amusante. Mais l'occasion ne semblait pas vouloir se présenter. Robert poussa un soupir. Pour l'instant, les signes n'étaient pas très favorables à Petruchio, apparemment.

Après plus de deux semaines à la clinique, Max Marchais appréciait follement son retour chez lui. Il était si heureux qu'il supportait même avec le sourire les remontrances de Marie-Hélène Bonnier.

— Grimper à une échelle avec des mules en cuir, non mais vraiment, monsieur Marchais ! Quelle imprudence ! Vous auriez pu vous briser les cervicales !

— Vous avez raison, Marie-Hélène, comme toujours, répondit Max en découpant joyeusement un morceau du confit croustillant qu'elle avait disposé sur un lit de salade. Vraiment délicieux, ce canard, personne ne le prépare mieux que vous. – Repensant à la nourriture diététique, sans goût, qu'on lui servait à l'hôpital, il mâcha avec délice la chair tendre et savoureuse du volatile que son intendante avait acheté au marché du Vésinet. – Tout bonnement divin !

Il avala sa bouchée et prit une grande gorgée du saint-émilion qui miroitait dans son verre bombé.

Mme Bonnier rougit de fierté. Elle recevait rarement de telles louanges de son employeur.

— Eh bien, je sais que c'est votre plat préféré, monsieur Marchais. Et nous nous réjouissons tous que vous soyez rentré.

Assez embarrassée, Mme Bonnier se retira dans la cuisine, tandis que Max se demandait avec amusement à qui correspondait ce *tous*, au juste. Ce n'était pas comme s'il connaissait une ribambelle de gens à qui il aurait amèrement manqué, lui, le vieux grincheux.

Cela l'avait touché que Marie-Hélène ait tenu à revenir avant l'heure, quittant fille et petite-fille, pour s'occuper de la maison et superviser quelques aménagements urgents. Elle avait assuré qu'elle ne le laisserait pas tomber alors qu'il avait besoin d'elle, ajoutant qu'on ne pouvait se fier au jardinier qui avait laissé toutes les lumières allumées, et négligé de fermer correctement la porte-fenêtre coulissante du salon. N'importe qui aurait pu entrer !

Étrange, car Sebastiano jurait ses grands dieux d'avoir fermé chaque porte. Ma foi, il se pouvait bien qu'il ait oublié, avec toute cette agitation ; Max ne lui en serait pas moins éternellement reconnaissant, et ce, pas uniquement pour son entretien impeccable du jardin. C'était encore Sebastiano qui était passé à la clinique pour le ramener chez lui en voiture.

— Clément aurait pu s'en charger, avait protesté Mme Bonnier, froissée.

Clément était son mari, et Max, souriant et un peu surpris, avait pris acte de la petite rivalité manifestement née entre intendante et jardinier.

En arrivant dans sa villa, il avait trouvé un bouquet de fleurs que Rosalie Laurent lui avait fait livrer. Quelle délicate attention ! Sur la sympathique carte dessinée par ses soins, elle lui souhaitait bon rétablissement et écrivait qu'elle se réjouissait de bientôt lui rendre visite au Vésinet.

Après son premier passage, Rosalie était revenue le voir à l'hôpital à deux reprises. Chaque fois, elle avait patiemment attendu que l'énergique kinésithérapeute qui le harcelait chaque jour (on ne savait jamais avec précision quand elle ferait son apparition) ait fini de le faire travailler.

Elle avait apporté des tartelettes Ladurée et lui avait raconté qu'elle avançait bien dans l'illustration du livre de contes, que l'intérimaire qui travaillait à la boutique était une vraie perle. Elle avait également parlé de son petit ami René qui, semblait-il, se sentait parfaitement bien sous le soleil de Californie et se montrait enthousiasmé par le séminaire et la mentalité des gens du cru (tous très sportifs, tous très soucieux de leur santé).

Malgré cela, Max n'avait pas manqué de remarquer les regards scrutateurs que Rosalie lui lançait de temps à autre, quand elle croyait qu'il ne s'en rendait pas compte.

— Il y a un problème ? J'ai un air si affreux ? avait-il fini par demander.

Elle avait secoué la tête, gênée, et ri.

— Non, non, que voulez-vous qu'il y ait ? Je suis juste heureuse que vous alliez si bien.

Il avait tout de même senti que quelque chose ne tournait pas rond. Rosalie lui paraissait plus songeuse qu'à l'accoutumée, plus introvertie. Comme si elle attendait… quoi ?

Peut-être son petit ami lui manquait-il, tout simplement. Lui-même avait pris l'habitude de vivre seul, et il appréciait énormément les agréments qu'il y avait à ne devoir rendre de comptes à personne. Pourtant, ces derniers temps, il avait constaté avec une irritation croissante que sa vie était incomplète.

Étendu dans sa chambre d'hôpital, il avait eu du temps pour réfléchir. Quelques années plus tôt encore, sa tranquillité était sacrée, les gens le dérangeaient ou l'ennuyaient vite ; il songeait régulièrement qu'il ne se sentirait jamais seul parce qu'il aurait toujours des livres intéressants à lire.

Mais aujourd'hui, au plus profond de son être et en dépit de toute l'arrogance dont il pouvait parfois faire preuve, Max regrettait de ne pas avoir de famille. Rien à voir avec sa râleuse de sœur, qui avait appelé à la clinique car Mme Bonnier, sans lui demander son avis, l'avait mise au courant de son accident (« C'est tout de même votre sœur, monsieur ! »). Comme il fallait s'y attendre, la discussion s'était avérée plutôt déplaisante. Pour commencer, Thérèse (par souci des convenances) s'était enquise de sa santé, puis elle n'avait rien trouvé de mieux à faire que de lui rapporter qu'un voisin, un vieillard décati qu'il ne connaissait pas, était mort peu auparavant des suites d'une fracture du col du fémur.

Un comportement typique de sa sœur qui, quoi qu'il vous arrive, avait toujours en réserve une histoire pire encore. Après ce récit d'épouvante, elle s'était plainte qu'il ne vienne jamais lui rendre visite. Et elle avait employé tout le temps restant à lui détailler l'*abominable* dégât des eaux qu'ils avaient connu ce printemps-là.

— Tu n'imagines pas ce que ça a coûté au bout du compte, et cet idiot d'assureur n'a rien payé du tout, soi-disant parce que les tuyaux étaient dans un état lamentable.

Non, avoir de la famille n'était pas nécessairement positif, s'était dit Max en reposant le combiné un autre quart d'heure plus tard, excédé. Il n'empêche, il se surprenait parfois à penser que l'âge serait bien plus facile à supporter s'il existait quelqu'un avec qui il puisse aller de l'avant – avec espérance, et la certitude que la vie continuerait après lui et qu'il resterait quelque chose.

Une fois de plus, il avait songé que c'était une grande chance qu'il ait cédé à l'insistance de son éditeur.

Sans *Le Tigre bleu*, il n'aurait sûrement jamais rencontré Rosalie Laurent, qui occupait un peu dans son cœur la place d'une fille. Si Monsignac n'y avait pas autant tenu, il n'aurait jamais mis les pieds dans le magasin de cartes postales, rue du Dragon.

Ce brave Monsignac ! Il avait été présent aux moments importants de sa vie, bons ou mauvais. Ainsi, cette fois, il était passé le voir à l'hôpital.

Sans s'annoncer, comme d'habitude, il avait surgi un matin dans une chemise d'un blanc immaculé qui se tendait dangereusement sur son ventre.

— Alors, il faut toujours que vous inventiez une excuse pour ne pas répondre au téléphone, hein ? l'avait-il gentiment sermonné. Puis il s'était assis près de lui, avait signifié à l'infirmière en chef (Yvonne) de sortir, d'un geste impérieux, et après que celle-ci eut quitté la pièce, la semelle bruyante, le regard méfiant,

il avait tranquillement sorti de sa poche une petite bouteille de pastis.

— Ne me refaites jamais ça, Marchais, mon vieil
ami ! Vous m'avez fichu une de ces frousses ! Tous les
espoirs de notre maison d'édition reposent sur vous,
avait-il confié en versant le pastis dans deux verres à
eau. Santé !

— Je me disais bien que vous ne veniez que quand
vous aviez besoin de moi, l'avait raillé Max en tentant
de masquer son émotion. Si vous manigancez encore
quelque chose, Monsignac, oubliez tout de suite ! Je
n'écrirai plus une ligne pour vous, je préfère encore
tomber de l'échelle.

— Eh bien, nous verrons. Ne mettons pas la charrue
avant les bœufs, dirais-je. Vous allez commencer par
faire gentiment vos exercices avec cette… charmante
infirmière, avait déclaré Monsignac en indiquant la
porte, et vous requinquer rapidement, n'est-ce pas ?
– Une lueur amusée avait traversé ses yeux. – Mais,
imaginez, une petite histoire de Noël illustrée par votre
amie Rosalie Laurent… Vous me pondez ça entre la
soupe et le flan !

— Pas si les deux ont un goût aussi horrible que
dans cette clinique.

— Vous êtes trop gâté, mon cher Marchais.
J'aimerais que ma femme cuisine aussi bien que votre
Mme Bonnier. Malheureusement, elle préfère lire.

Ils avaient ri.

Max était de retour chez lui depuis quelques jours.
Il quitta ses pensées pour savourer la généreuse crème
brûlée que Marie-Hélène Bonnier venait de lui apporter

dans la salle à manger. Puis il reposa sa cuillère avec un soupir de bien-être, s'essuya la bouche avec sa serviette en tissu et prit le chemin de la bibliothèque à pas prudents, appuyé sur ses béquilles. Il était étonnant qu'il puisse se déplacer aussi bien après l'opération. Le mot de « progrès » acquérait ainsi une toute nouvelle dimension. Même le professeur Pasquale avait été surpris de voir à quel point « la hanche de la chambre 28 » se portait bien. Sur l'insistance de Max, il avait finalement consenti à ce que la phase de rééducation, nécessaire après le séjour hospitalier, se déroule en ambulatoire.

Max se rendait donc chaque jour en taxi non loin de la clinique, chez un kinésithérapeute qui lui faisait faire les indispensables exercices. Un arrangement un peu compliqué, peut-être, mais largement préférable à la perspective de végéter dans un centre de rééducation et de sombrer dans la dépression. Le professeur Pasquale lui avait aussi conseillé de supprimer tous les pièges susceptibles de le faire trébucher dans la maison, d'installer des barres d'appui et un siège de douche dans la salle de bains, et d'éviter les échelles pendant un temps.

Max mit ses béquilles de côté et s'assit en gémissant dans son fauteuil de bureau. Il contempla le jardin ensoleillé que rien ne troublait, puis décrocha son téléphone et composa le numéro de Rosalie Laurent.

Elle était dans sa boutique et avait des clients, mais elle se réjouissait manifestement de son appel. La conversation fut courte, mais assez longue pour mener à bien l'essentiel : inviter Rosalie à prendre le café au Vésinet, ce samedi-là.

— Quelle joie que vous soyez de nouveau chez vous, Max, je viendrai avec grand plaisir. Vous voulez que j'apporte le dessert ?

— Ce n'est pas nécessaire, Marie-Hélène nous préparera une tarte Tatin. Votre simple présence suffira.

Max reposa le combiné en souriant et resta assis à son bureau, perdu dans ses pensées. À la fin du coup de fil, Rosalie avait ajouté qu'elle aimerait discuter avec lui de quelque chose quand elle viendrait au Vésinet. Qu'est-ce que cela pouvait bien être ?

Max réfléchit un instant, puis nota qu'une agréable lassitude s'emparait de lui. Depuis son séjour hospitalier, il avait pris l'habitude de faire une petite sieste. Par bonheur, pendant ce moment-là, la sérénité régnait dans la villa et personne ne le dérangeait. Il se saisit de ses béquilles et se leva péniblement de son siège. Monsignac avait probablement suggéré à Rosalie de le persuader d'écrire cette histoire de Noël. Le vieux renard !

Il se dirigea vers la porte en secouant la tête. Alors qu'il passait devant le secrétaire ancien et jetait un coup d'œil satisfait sur sa toile préférée représentant un beau paysage du sud de la France, un bord de mer, il remarqua soudain un « détail » qui le fit s'arrêter net.

Une feuille était glissée dans la vieille Remington noire qu'il n'utilisait plus depuis des dizaines d'années et conservait par nostalgie.

Max fit tourner le cylindre avec étonnement et sortit le papier. Ce qu'il y vit le plongea dans une étrange agitation. Les lignes bleu pâle lui paraissaient transmettre un message du passé. Comment se pouvait-il ?

Son cœur battait la chamade et il se faisait l'effet d'un voyageur remontant à vive allure le cours du temps.

Sur la feuille qu'il tenait figuraient les premières lignes de l'histoire du tigre bleu. Écrites près de quarante ans plus tôt. Avec cette vieille Remington.

— Dans la vie, il arrive parfois des choses auxquelles on ne s'attendait pas du tout, avait-il déclaré alors que, comme chaque vendredi, ils discutaient via Skype.

Sa voix était empreinte d'une légère culpabilité, mais aussi très décidée, comme les traits de son visage qui lui parvenaient avec un léger différé et qui, sous le soleil californien, avaient pris une couleur ambrée.

— J'ai pensé qu'il valait mieux te l'annoncer tout de suite, avait-il ajouté franchement avant de lui adresser son sourire juvénile. J'espère qu'on restera amis.

En fait, Rosalie s'attendait à beaucoup de choses. Mais certainement pas à ce que René mette un terme à leur relation par l'intermédiaire de Skype. Pourtant, elle aurait dû le voir venir, et si elle n'avait pas été autant accaparée par les récents événements et les désarrois émotionnels de sa propre vie, elle aurait sûrement reconnu les signes plus tôt.

Près de trois semaines s'étaient écoulées depuis qu'elle avait emmené son petit ami à l'aéroport. Depuis le début, elle avait eu le sentiment qu'il était comme un poisson dans l'eau à son séminaire. À chacun de ses appels, la voix de René déraillait d'enthousiasme. Zack Whiteman – un dieu. Les autres participants – ouverts, cool et avec le bon esprit. Les longues plages dorées – incroyables. Le climat – fantastique. Tout était parfait, elle avait compris, merci.

— La dernière tendance, c'est le roga, lui avait expliqué René. Le mieux que tu puisses faire pour ton corps.

— Le *roga* ? avait-elle répété avec méfiance, tandis que, assise sur son lit avec sa tasse de café, elle espérait ne jamais devoir pratiquer un sport dont le seul nom était si fatigant à prononcer. Qu'est-ce que ça peut bien être ?

— Un mélange de running et de yoga, avait-il précisé. Je te montrerai quand je serai rentré.

Elle avait ri, pensant : Oh non, pitié.

Lorsqu'il lui avait parlé de la coureuse de fond blonde avec laquelle il faisait son « footing à jeun » de bon matin, avant de partager avec elle une papaye et un jus de limette, elle avait mis cela sur le compte de l'enthousiasme sportif et n'y avait pas davantage prêté attention.

Au cours des échanges suivants, le nom d'Anabel Miller avait encore été prononcé quelques fois, puis la coureuse de fond avait subitement disparu des conversations. Pas, en revanche, de la vie de son petit ami amateur de roga, semblait-il.

Rosalie n'avait plus eu de nouvelles pendant plusieurs jours, et la veille, alors que le visage de René, visiblement gêné, se matérialisait sur son écran d'ordinateur, elle avait vu qu'il avait quelque chose sur le cœur. Son enthousiasme permanent avait cédé la place à un certain embarras et ses yeux noisette fixaient la caméra, un peu troublés.

— On peut parler ? avait-il demandé.

— C'est ce qu'on est en train de faire, non ? avait-elle répondu sans comprendre.

— Alors… Je ne sais pas trop comment te le dire… pfou ! avait-il lâché en se grattant l'arrière du crâne. Pas facile. Tu es… une femme merveilleuse, Rosalie… Même si tu manges beaucoup trop de croissants. – Il avait eu un sourire incertain. – Mais bon, tu peux te le permettre, tu as un excellent métabolisme…

— Euh… et donc ? avait fait Rosalie en se penchant en avant avec ahurissement, tentant de donner un sens aux bredouillements de son petit ami.

— Eh bien… ça n'a rien à voir avec toi, et je ne voudrais surtout pas te blesser, tu es trop importante pour moi… Et même si on… euh… comment dire… Même si on n'a pas vraiment les mêmes centres d'intérêt, avait-il repris, tournant autour du pot, j'ai toujours beaucoup aimé être avec toi…

Cela avait enfin fait tilt dans la tête de Rosalie.

— La coureuse de fond, avait-elle commenté. Il avait opiné du chef, soulagé que ce soit dit.

Ensuite, il avait prononcé cette phrase où il était question des choses qui arrivaient parfois dans la vie, même si on ne s'y attendait pas du tout.

Curieusement, cela n'avait pas fait mal. Pas beaucoup, en tout cas. Bien entendu, elle avait trouvé bizarre de voir défiler, comme les images d'un film, les années passées avec René. Il y avait certaines choses qu'elle n'aurait pas voulu manquer, à commencer par leur première nuit sur le toit de son appartement, et même leur unique jogging commun, tôt le matin, dans le jardin du Luxembourg.

Rosalie sourit en y repensant. Elle n'était ni effondrée ni furieuse après l'aveu de René, tombé amoureux en quatrième allure d'une blonde sportive du nom d'Anabel Miller qui mangeait des papayes au petit déjeuner et avec laquelle il pourrait désormais s'adonner à cœur joie au roga ou à quoi que ce soit d'autre.

La franchise de René était désarmante, comme toujours, et elle était incapable de lui en vouloir. Certes, elle était surprise de la vitesse à laquelle il s'était épris, mais tandis qu'elle s'habillait après leur discussion, puis appliquait un peu de rouge sur ses lèvres, debout devant le miroir de sa salle de bains, elle constata avec étonnement qu'elle était presque un peu soulagée. Cela tenait peut-être au fait qu'il lui était également arrivé des choses auxquelles elle ne s'attendait pas.

Le mardi précédent, Robert lui avait fait la surprise de passer au magasin pour connaître « les derniers développements ». C'était la première fois qu'ils se revoyaient depuis leur mémorable équipée au Vésinet et leurs adieux ratés devant l'hôtel. Apercevant la silhouette dégingandée à la tignasse blonde dans l'entrée de sa boutique, ce midi-là, elle avait senti une sorte de frayeur joyeuse parcourir ses membres.

— Je dérange ? s'était enquis Robert en lui adressant un sourire plein d'espoir auquel il était difficile de résister.

— Non… non, bien sûr que non. Il faut juste… que j'encaisse, avait-elle bafouillé en repoussant une mèche de cheveux de son visage, troublée.

Elle s'était tournée vers sa cliente, les joues rougies.

— Alors… qu'avons-nous là ? Trois rouleaux de papier cadeau, cinq cartes, un tampon à motif de rose…

— Oh, vous savez quoi ? Je crois que je vais aussi prendre un de ces jolis presse-papiers en vitrine, avait déclaré la cliente, une rousse vêtue d'une élégante robe chemisier jaune – une Italienne, manifestement.

Elle avait traversé la boutique, perchée sur des talons vertigineux.

— Là… Avec l'inscription, avait-elle précisé en désignant les objets de l'index.

— Bien entendu, avec plaisir, avait assuré Rosalie avant de la rejoindre, passant devant Robert qui était adossé à la porte d'entrée. Lequel préférez-vous, *Paris* ou *Amour* ?

— Hum…, avait réfléchi l'Italienne. Les deux sont *molto bene*…

Elle avait fait une moue indécise, pendant que Rosalie sortait de l'étalage les presse-papiers en forme d'œuf, et les lui tendait.

— Pourquoi ne pas prendre les deux ? avait soudain retenti une voix près de la porte.

Les deux femmes s'étaient retournées, surprises. Robert Sherman souriait, bras croisés sur son polo bleu d'eau.

— Excusez-moi de m'immiscer dans la conversation, mais Paris et l'amour s'accordent parfaitement, vous ne trouvez pas ?

L'Italienne avait répondu à son sourire, flattée. On devinait sans mal que l'intervention de ce séduisant inconnu lui plaisait énormément. Son regard s'était perdu un moment dans ses yeux, avant de glisser sur les bras bronzés aux poils blonds, le pantalon en drap de laine clair un peu trop ample et les mocassins en daim marron.

Ce qu'elle voyait lui plaisait beaucoup, apparemment.

— *Sì, signore*, c'est une bonne idée, avait-elle admis sur un ton langoureux. Après tout, Paris est la ville de l'amour, non ?

Elle avait ri, renversé la tête en arrière et battu des cils, qu'elle avait noirs et denses, interprétant sans nul doute la remarque de Robert comme une invitation au flirt.

— Emballez-moi les deux, s'il vous plaît ! avait-elle lancé en direction de Rosalie, puis elle s'était tournée vers Robert, lui accordant de nouveau toute son attention. Vous n'êtes pas d'ici non plus, n'est-ce pas ? D'où venez-vous ? Non, laissez-moi deviner ! – Encore ce rire de gorge. – Vous êtes… *américain* !

Robert avait haussé les sourcils et acquiescé, amusé, tandis que Rosalie, derrière sa caisse, enveloppait les presse-papiers dans du papier de soie sans mot dire et suivait l'échange en plissant le front. Qu'est-ce que c'était que ces roucoulements ridicules ? *Luna Luna* n'était pas un café où l'on pratiquait le speed-dating.

— Un Américain à Paris, comme c'est romantique ! s'était exclamée l'Italienne avec ravissement, avant de baisser la voix. Nous sommes donc deux étrangers dans cette belle ville. – Elle avait tendu sa main fine, et Rosalie s'était presque préparée à ce que Robert y dépose un baiser. – Gabriella Spinelli. De Milano.

Robert avait pris sa main en souriant.

— Robert Sherman, New York.

Gabriella Spinelli avait reculé d'un pas.

— Non ! avait-elle soufflé, écarquillant encore ses yeux immenses. Vous n'êtes quand même pas du cabinet d'avocats Sherman & Sons ?! Mon oncle Angelo Salvatore, qui vit à New York, a été défendu il y a des années par un Paul Sherman. Une affaire très complexe, il y avait beaucoup, beaucoup d'argent en jeu. C'était le meilleur avocat qu'il ait jamais eu, oncle Angelo le répète encore aujourd'hui. Il était très satisfait.

Elle avait remonté ses lunettes de soleil foncées dans ses cheveux.

— C'était mon père, avait confirmé Robert, stupéfait.

— Eh bien, *mamma mia* ! Quelle coïncidence !

Gabriella avait ri avec extase, et Rosalie avait éprouvé l'envie soudaine de serrer la gorge gracile de la rousse de Milan, dont l'oncle… Angelo Soprano ? Non, Salvatore… était sans doute un parrain de la mafia new-yorkaise.

— *It's a smalle worlde*, avait commenté Gabriella avec son accent extravagant. Croyez-vous aux hasards, Mister Sherman ?

Elle avait incliné la tête sur le côté avec coquetterie, et Robert n'avait pu se défendre de rire.

Rosalie avait jugé le moment opportun pour intervenir.

— Et voilà, soixante-treize euros et quatre-vingts centimes, avait-elle déclaré en brandissant sous le nez d'une Gabriella déconcertée un joli sac bleu ciel fermé par un ruban blanc.

Celle-ci, distraite, avait tiré un énorme porte-monnaie de son sac Prada jaune canari, sans cesser de se retourner pour regarder l'Américain qui était resté dans l'entrée.

Après avoir payé, elle était venue se planter devant Robert pour reprendre leur conversation, Rosalie sur ses talons.

— Au revoir, madame, je suis vraiment désolée mais nous fermons à midi, avait affirmé cette dernière en poussant la jeune femme rousse en direction de la rue, doucement mais fermement.

— Oh, encore un instant ! s'était exclamée Gabriella, avant de pivoter à droite avec élégance pour se retrouver de nouveau face à Robert. Quelle chance que nous nous soyons rencontrés, Mister Sherman. Auriez-vous du temps pour un petit café ? Cela me ferait très plaisir.

— Mister Sherman a malheureusement déjà rendez-vous, avait prétendu Rosalie en souriant, bien que furibonde, avant de croiser les bras et de barrer le chemin à la belle Gabriella pour l'empêcher de rentrer. Bonne journée, madame !

— Oh, quel dommage ! Vraiment ! avait lâché l'Italienne en s'éloignant à regret, non sans avoir glissé à Robert sa carte de visite et un coup d'œil de convoitise. Appelez-moi, *signore* Sherman, je suis sûre que nous avons un tas de choses à nous raconter.

— J'ai rendez-vous, *moi* ? avait demandé Robert, amusé, après que Rosalie eut claqué la porte derrière Gabriella Spinelli.

— Oui, avait-elle confirmé en lui jetant un regard de défi. Avec moi.

— Oh ! avait-il fait en haussant les sourcils. C'est… *encore* mieux, dans ce cas.

— Très drôle. Si vous êtes passé pour flirter dans ma boutique avec des inconnues, vous pouvez repartir tout de suite.

La phrase lui avait échappé. Mais quelle idiote ! Elle s'était mordu la lèvre inférieure.

— Serait-ce la jalousie qui s'exprime ?

Elle avait levé les yeux au ciel de façon théâtrale.

— Vous vous surestimez, mon cher. Je voulais juste vous protéger d'un rouge-gorge italien au gazouillis incessant.

— Un rouge-gorge italien extrêmement gracieux, avait-il rebondi. Superbes pattes.

— Ah, j'ignorais que vous aviez une préférence pour les rouges-gorges italiens, s'était-elle moquée.

— Pas besoin d'avoir peur, ma chère. Tout bien considéré, je préfère encore les oiseaux moqueurs français, avait-il riposté en se retenant de sourire. Alors, j'ai rendez-vous ou pas ?

— Si vous vous conduisez bien, qui sait ?

Rosalie lui avait adressé un regard éloquent. Elle ne lui avait pas encore totalement pardonné la phrase à propos du lit poussiéreux.

— Peut-être plus tard, quand Mme Morel viendra. C'est mon intérimaire, avait-elle ajouté. Je ne peux pas quitter le magasin avant.

— Vous ne venez pas de dire que vous fermez ? l'avait-il interrogée, jouant les étonnés.

— Si vous n'arrêtez pas immédiatement de poser des questions idiotes, je vous vire, avait annoncé Rosalie. À ce propos, que faites-vous ici ?

— Eh bien, j'étais dans les parages et je voulais savoir si vous aviez des nouvelles de Max Marchais. Vous ne vous êtes pas manifestée depuis… depuis le retour du Vésinet, et je ne savais pas si…

Il s'était tu un moment et elle s'était demandé à quoi il pouvait bien penser.

— Je veux dire, vous étiez pas mal en rogne… dans la voiture…

— C'est bon.

Elle avait senti qu'elle rougissait, et détourné le regard.

— Max a quitté la clinique il y a quelques jours, mais il ne m'a pas encore rappelée. Dès qu'il me fait signe, je vous préviens, et on va le voir au Vésinet. Comme convenu.

Il devait la prendre pour une femme d'une sensibilité exacerbée, qui ne tenait pas parole quand elle était vexée.

— Je ne voulais pas vous offenser, Rosalie. J'étais plutôt chamboulé, ce soir-là. Après tout, cette affaire revêt aussi une grande importance personnelle pour moi, ce n'est pas qu'une sorte… de chasse au trésor exaltante, je suis sûr que vous comprenez…

Rosalie avait hoché la tête. Bien sûr qu'elle comprenait.

Robert l'avait scrutée.

— Quant à ma remarque selon laquelle je ne voudrais plus me retrouver sous un lit avec vous, elle était tout simplement…

— Stupide, avaient-ils dit à l'unisson, et ri.

— Bon, quand vient cette Mme Morille ?

— Morel. Elle arrive à quatorze heures. Si vous voulez, passez me prendre et nous ferons une promenade avec William Morris.

Entendant son nom et le mot « promenade », William Morris s'était redressé et avait remué gaiement la queue.

Robert s'était penché et avait tapoté prudemment la tête du petit chien.

— Allez savoir, avait-il conclu, c'est peut-être le début d'une fantastique amitié.

L'après-midi avait pris un cours totalement différent de ce qui était prévu. Mais pour William Morris, qui ne se souciait que d'être sorti, cela importait peu.

En fin de compte, ils s'étaient baladés le long de la Seine, non pas à deux, mais à trois. Et la mère de Rosalie avait assuré l'essentiel de la conversation.

Peu avant quatorze heures, la jeune femme avait été surprise de voir entrer dans sa boutique, quelques minutes après Mme Morel, sa mère, chez qui elle avait récemment dîné.

— Bonjour, mon enfant. Eh bien, tu ne viens pas saluer ta mère ? lui avait reproché celle-ci, réclamant aussitôt son attention totale.

Elle était habillée de façon recherchée, comme d'habitude – tailleur gris clair, chemisier en soie blanche, collier de perles –, et elle sortait manifestement de chez le coiffeur car ses cheveux blond cendré étaient fraîchement méchés et remontés en un chignon réalisé avec art.

Rosalie, engagée dans une discussion avec Mme de Rougemont, qui n'avait pas renoncé aux gants malgré la chaleur estivale et surpassait encore un peu Mme Laurent en élégance, avait souri et s'était interrompue pour dire brièvement bonjour à sa mère.

Les deux femmes avaient échangé les bises de rigueur.

— Je m'occupe de toi très vite. Tu veux t'asseoir ? avait proposé Rosalie en indiquant le fauteuil en cuir dans le coin.

— Oh non, je préfère rester debout, je viens de passer des heures assise chez le coiffeur, avait-elle confié avant de pousser un charmant petit soupir et de contrôler, d'un rapide mouvement de la main, sa chevelure impeccable. Ne te soucie pas de moi, ma petite, je peux attendre.

Elle s'était mise à aller et venir dans le magasin. Son regard avait effleuré les articles exposés pour s'arrêter sur Mme Morel, occupée à garnir une étagère de cartes et d'enveloppes colorées.

— Ah, vous devez être l'intérimaire, ma fille a eu raison de s'occuper enfin de trouver du personnel, elle travaille trop.

Elle avait adressé un signe de tête majestueux à Mme Morel et continué à tourner en rond dans la boutique, fredonnant et faisant claquer ses talons sur les carreaux.

Rosalie avait senti une certaine nervosité monter en elle. Elle n'écoutait plus que d'une oreille Mme de Rougemont qui lui exposait avec minutie ses desiderata concernant une carte personnalisée à imaginer pour l'anniversaire rond de Charlotte, sa plus ancienne amie.

— Il faut qu'il y ait une gondole, réfléchissait-elle à voix haute. Charlotte aime Venise et je voudrais lui offrir un week-end là-bas. Qu'en pensez-vous ?

— Oh, c'est tout à fait *magnifique*, avait assuré Rosalie, sans quitter des yeux sa mère qui, bras croisés dans le dos, talons frappant le sol, persistait à se mouvoir circulairement.

— Mais le texte doit être… original, je souhaite quelque chose d'*original*, avait insisté Mme de Rougemont en dessinant en l'air, de sa main gantée, de délicates spirales.

Songeuse, elle avait serré les lèvres, rehaussées d'un soupçon de rose.

— Il me viendra sûrement une idée, madame de Rougemont.

Rosalie s'était redressée, dans l'intention de conclure l'échange avec la vieille dame.

— Eh bien, je ne vais pas vous retenir plus longtemps, ma chère, avait déclaré cette dernière en prenant son petit sac à main, avant de se tourner avec curiosité vers Catherine Laurent. Vous avez de la visite, à ce que je vois. Votre mère ?

Rosalie avait hoché la tête et la vieille dame, saisissant l'opportunité de faire connaissance, avait trottiné jusqu'à Mme Laurent et lancé d'une voix flûtée :

— J'*aime* le magasin de votre fille. Il y a tant de belles choses !

— Maman, je te présente Mme de Rougemont, une très chère cliente. Elle habite aussi dans le septième, était vivement intervenue Rosalie. Madame de Rougemont, voici ma mère, Mme Laurent.

— Enchantée, avait commenté Catherine Laurent en inclinant la tête de façon mesurée.

Mais avant qu'elle puisse répondre, une réponse qui aurait à coup sûr mentionné qu'elle était née de Vallois, la porte de la boutique s'était de nouveau ouverte. Il était quatorze heures tapantes.

Robert était entré, un énorme bouquet de fleurs à la main.

— Oh… j'arrive trop tôt ? avait-il demandé, remarquant l'attroupement de dames d'âges différents qui le fixaient avec intérêt.

Un quart d'heure plus tard – le bouquet, admiré par toutes les femmes présentes dans le magasin, avait trouvé place dans un grand vase –, ils partaient se promener ensemble : Robert, Rosalie… et maman.

Catherine Laurent n'avait pas laissé passer l'occasion d'accompagner Rosalie et cet intéressant Américain, qui avait manifestement des manières irréprochables et apportait des fleurs à sa fille.

— Ah, je crois que je vais faire quelques pas avec vous, le temps est merveilleux et je suis restée assise une *éternité* aujourd'hui, s'était-elle exclamée après que Rosalie lui eut présenté, avec concision, Robert Sherman comme « une connaissance ».

Mme de Rougemont n'aurait certainement rien eu contre une petite balade, elle aussi, si seulement on l'y avait invitée. Elle n'avait cessé de détailler l'homme de haute taille à l'accent américain, qu'il lui semblait avoir déjà vu – un acteur, peut-être ?

— Il est magnifique, ce bouquet, avait-elle approuvé, alors qu'elle se détournait finalement pour partir, hésitante, non sans avoir encore gratifié Robert Sherman d'un charmant sourire.

Puis elle s'était figée et avait ouvert de grands yeux.

— Bigre, je sais maintenant d'où je vous connais, monsieur ! Nous nous sommes croisés ici, n'est-ce pas ? Vous êtes… N'êtes-vous pas l'avocat qui a renversé…

— Oh, M. Sherman est *avocat* ? s'était réjouie Catherine Laurent.

— … le présentoir à cartes postales ? avait achevé Mme de Rougemont, imperturbable. Eh bien, je vois que vous regrettez votre esclandre, monsieur. – Elle avait agité sa main menue en direction du bouquet tout en quittant la papeterie. – Il est toujours bon qu'un homme sache s'excuser, mon mari n'en a jamais été capable.

— Quel esclandre ? avait demandé la mère de Rosalie avec intérêt, tandis que Robert haussait les sourcils et que Mme Morel s'immobilisait derrière le comptoir, dans l'expectative.

Décidant de mettre un terme au désarroi général, Rosalie accrocha la laisse au collier de William Morris.

— Allons-y, avait-elle tranché, avant de faire un signe de la main à Mme Morel qui veillerait sur la boutique jusqu'au début de la soirée.

Alors qu'ils se promenaient paisiblement le long de la Seine et que Catherine Laurent amorçait une conversation avec Robert, Rosalie entendait presque les pensées s'emballer dans la tête de sa mère.

Une connaissance masculine dont elle n'avait jamais entendu parler, des fleurs, un esclandre, des excuses, sa fille visiblement embarrassée, René loin et hors jeu…

Elle avait vu un sourire satisfait étirer la bouche de sa mère. Apparemment, celle-ci tirait des conclusions totalement erronées.

Bien sûr, ce mardi après-midi-là, Rosalie ne savait pas encore qu'en fin de compte, elles n'étaient pas du tout erronées : le destin, obéissant à une lubie, avait décidé de faire entrer en lice une coureuse de fond qui allait prendre d'assaut le cœur de René, dans la lointaine ville de San Diego.

— Et comment avez-vous fait la connaissance de ma fille, monsieur Sherman ? s'était enquise sa mère.

Mme Laurent avait adopté un ton familier absolument inapproprié, et Rosalie s'était demandé combien de temps il lui faudrait pour prendre Robert par le bras. La façon dont elle interrogeait le pauvre homme était vraiment gênante. Un peu comme s'il était un beau-fils potentiel.

— À propos, vous parlez un français fabuleux, si je puis me permettre, avait ajouté Catherine Laurent d'un air approbateur.

— Oui… Votre fille l'a constaté aussi, avait répondu Robert en adressant un clin d'œil à Rosalie. Alors, en fait, on peut dire que nous nous sommes connus par le biais d'un livre que nous… euh… apprécions beaucoup.

— Ah oui, la littérature… Elle peut vraiment créer des liens, s'était emballée Mme Laurent. *J'aime* les livres, savez-vous ?

Rosalie lui avait jeté un regard surpris. Où voulait-elle en venir ?

— Restez-vous longtemps à Paris, monsieur Sherman ? Si oui, il faut absolument que vous veniez prendre le thé chez moi tous les deux.

— Eh bien, je…

— M. Sherman et moi travaillons à un projet commun, maman, l'avait coupé Rosalie en se penchant pour détacher William Morris qui tirait sur sa laisse. Et ça s'arrête là.

Elle avait essayé de ne pas prêter l'oreille à la petite voix intérieure qui lui demandait, railleuse, si elle croyait vraiment à ce qu'elle venait de dire.

Sa mère, en tout cas, ne paraissait pas y croire.

— Bon, bon, avait-elle fait.

Sans se laisser détourner du sujet, elle avait repris son interrogatoire tout en jouant avec son collier de perles.

— Vous exercez donc le métier d'avocat, monsieur Sherman ? Intéressant. Êtes-vous ici pour raisons professionnelles ?

Robert avait enfoui ses mains dans ses poches et souri.

— Oui et non. Je suis encore un peu indécis.

Ensuite, il avait expliqué à une Mme Laurent impressionnée au plus haut point que, s'il avait bien étudié le droit, il s'était finalement décidé pour un cursus universitaire en sciences humaines et se trouvait à Paris parce qu'on lui avait offert, pour le semestre à venir, une chaire de professeur invité à la Sorbonne.

— Un spécialiste de Shakespeare, fantastique !
Hamlet, *La Mégère apprivoisée*, *Roméo et Juliette* ! « Ce
que l'amour peut faire, l'amour ose le tenter », avait
déclamé Mme Laurent au grand effarement de Rosalie,
avant de lancer à Robert un regard qui en disait long.
Et vous réfléchissez encore ?

— C'est parti, avait-elle annoncé à l'autre bout du fil. Nous sommes invités chez Max samedi. Enfin… – Elle s'était interrompue et avait eu un petit rire. – En fait, *je* suis invitée. Pour vous, il faut encore que nous trouvions un prétexte.

— Pourquoi ne pas avoir dit tout simplement que je venais avec vous ? À quoi rime ce jeu de cache-cache ? J'ai le droit d'être informé…

— C'est bon, l'avait-elle coupé. Ce n'est pas très facile à expliquer au téléphone. S'il avait appris que vous m'accompagneriez, il aurait peut-être décommandé notre rendez-vous. Cela ne fait que quelques jours que Max est rentré chez lui, et je peux vous assurer qu'il n'est pas follement impatient de faire votre connaissance. La dernière fois qu'on a parlé de vous, il a déclaré textuellement qu'il n'avait aucune envie de se retrouver face à un détraqué comme vous.

— Pas étonnant. Si vous lui avez fait gober le même genre d'horreurs qu'à votre petit ami…

— Oui, oui, laissons mon petit ami tranquille, avait-elle répliqué avec une certaine brusquerie. Je vous demande de rester un peu en retrait, d'accord ? Ce vieux monsieur n'est pas aussi facile à impressionner que ma mère, vous savez.

Elle avait raccroché avant qu'il puisse rétorquer quelque chose. Robert avait souri, pensant qu'il était effectivement plus facile d'impressionner la mère que la fille, parfois revêche. L'intérêt dont l'élégante Mme Laurent avait fait preuve à son égard s'était avéré presque inépuisable, tandis que Rosalie jouait avec sa tresse d'un air d'ennui ostensible, sans contribuer à la conversation. Probablement par pur esprit de contradiction. Il était étonnant de constater tout ce qui séparait les deux femmes – pas seulement en termes d'apparence. Rosalie, avec ses cheveux sombres et ses yeux d'un bleu profond, devait plus tenir de son père.

Même si Robert aurait préféré se promener le long de la Seine seul avec cette dernière, il était reconnaissant à Mme Laurent de sa perspicacité maternelle. D'abord, elle était persuadée que le « spécialiste de Shakespeare » devait accepter le poste de professeur invité à la Sorbonne. Ensuite – ce qui lui plaisait encore plus –, il ne faisait aucun doute pour elle qu'il était le bon pour sa fille, même si celle-ci ne l'avait pas encore totalement compris, parlant, à la fin, de René avec qui elle allait échanger par Skype le vendredi suivant.

— Accrochez-vous, monsieur Sherman, lui avait glissé Catherine Laurent en prenant congé. Il arrive à ma fille d'être un peu difficile, mais elle a un cœur d'or.

La femme au cœur d'or était visiblement nerveuse, ce samedi-là, en se garant vers seize heures devant la villa blanche aux volets vert foncé. Robert sentit lui aussi une certaine agitation s'emparer de lui. Il tenait sur ses genoux son grand sac en cuir, dans lequel se trouvaient les deux manuscrits. Qu'est-ce qui l'attendait dans cette maison ? Sa mère lui avait-elle caché quelque chose ?

Rosalie serra le frein à main un peu trop fort et prit une profonde inspiration.

— Bon. C'est maintenant que ça se corse ! fit-elle en lui adressant un signe de la tête. Et laissez-moi parler, n'oubliez pas.

— Compris. Pas la peine de le répéter toutes les deux minutes.

Ils descendirent de voiture et traversèrent le jardin de devant. Le gravier crissait sous leurs semelles, l'air sentait l'herbe coupée. On entendait au loin le ronflement d'une tondeuse. Un oiseau gazouillait. C'était un samedi après-midi tout à fait normal au Vésinet, une journée de septembre marquée par une chaleur de fin d'été.

Devant la porte d'entrée, ils échangèrent un dernier regard. Puis Rosalie leva la main et pressa la sonnette en laiton fixée au mur, à droite.

Un *ding-dong* cristallin retentit à l'intérieur. Peu de temps après, ils entendirent des pas traînants accompagnés de claquements.

Max Marchais ouvrit la porte. Ses cheveux gris argent étaient peignés en arrière, sa barbe taillée avec soin. Son visage parut à Robert un peu plus étroit que sur la photo d'auteur dans le livre. Ses yeux étaient enfoncés dans leurs orbites, trahissant l'épreuve des semaines passées.

— Rosalie ! Quel plaisir de vous voir.

Debout dans le vestibule, appuyé sur ses béquilles, il lui adressa un sourire chaleureux. Puis son regard clair se posa sur Robert, interrogateur mais amical.

— Oh, vous êtes venue accompagnée ? demanda-t-il en s'écartant pour les laisser entrer.

— Oui. Excusez-moi, je… je ne savais pas comment vous l'expliquer au téléphone, bafouilla Rosalie. C'est Robert, un… un ami… Enfin, c'est devenu un ami… Et nous… nous voulions… Je dois vous…

Elle s'interrompit et Robert remarqua qu'un sourire glissait furtivement sur la figure du vieux monsieur.

— Mais je vous en prie, chère Rosalie, ce n'est pas un problème. Vous n'avez rien à m'expliquer. Je ne suis pas encore aveugle, même si ma vue a malheureusement un peu baissé, précisa-t-il en détaillant Robert avec une satisfaction évidente. Votre *ami* est aussi le bienvenu, évidemment.

L'*ami* nota que Rosalie s'apprêtait à protester, mais le vieil homme s'était déjà retourné et se dirigeait prudemment vers la bibliothèque. La grande porte-fenêtre du salon était ouverte, et sur la terrasse, une table à l'ombre d'un grand parasol blanc était dressée pour le café.

Marchais sortit et leur fit signe d'approcher.

— Venez, venez, il y a assez de gâteau pour tout le monde. Vous m'excuserez, mais je m'assieds le premier. Je suis encore un peu chancelant. Rosalie a dû vous raconter ma mésaventure.

Marchais s'installa sur une des chaises en osier avec un soupir de soulagement et appuya ses béquilles contre la table.

Ils lui emboîtèrent le pas, hésitants. Robert fixa Rosalie de façon appuyée, mais elle haussa les épaules et lui souffla quelque chose qui ressemblait à « Bientôt ».

— Bon. Donc, vous vous appelez Robert. Êtes-vous américain ? s'enquit Marchais en toute innocence, après que les deux jeunes gens eurent également pris place.

Ses yeux s'étaient posés sur Robert, assis en face de lui, et ce dernier dut s'avouer que l'homme barbu, qui paraissait diminué, inspirait confiance dès le premier coup d'œil.

Il lança un regard indécis à Rosalie. Installée entre Marchais et lui, elle ne disait mot. Visiblement, il allait devoir se charger d'entamer la discussion.

— Exact, répondit-il d'une voix ferme. Je suis Robert. Robert Sherman.

On aurait cru entendre un James Bond tonitruant !

— Je pense que Rosalie vous a déjà parlé de moi, ajouta-t-il en observant attentivement le visage impassible de son interlocuteur.

Du coin de l'œil, il nota que Rosalie, qui venait de prendre la cafetière en argent pour leur verser du café à tous, interrompait son mouvement. Elle se ressaisit et servit Marchais.

— Sherman ? fit le vieil homme, avant de secouer la tête.

De toute évidence, il ne se souvenait pas. Il prit sa tasse, la porta à sa bouche et but une gorgée. Puis il la reposa brusquement, comme s'il venait d'avaler de travers.

— Sherman… Vous êtes *Sherman* ? répéta-t-il, et un pli dur se creusa entre ses sourcils gris argent.

Vous êtes cet Américain impertinent qui m'accuse de plagiat et veut me poursuivre en justice ? – Il se redressa et s'adressa avec irritation à Rosalie. – Je ne comprends pas... Qu'est-ce que cela signifie, Rosalie ? Pourquoi amener ce fou chez moi ? Vous cherchez à m'offenser ?

— Minute ! Personne ici n'est fou, monsieur Marchais, le coupa Robert. Nous aurions quelques questions à vous poser. C'est tout de même moi qui possède le manus-*aaah*...

Le visage tordu de douleur, Robert porta la main à son tibia gauche qui venait de recevoir un violent coup de pied sous la table.

Marchais regardait alternativement les deux jeunes gens, interloqué, tandis que Robert se frottait la jambe et que Rosalie devenait écarlate.

— Je peux tout expliquer, assura-t-elle.

Marchais la fixa, incrédule.

— Vous n'allez quand même pas me dire que vous vous êtes *acoquinée* avec ce type ? demanda-t-il avant de secouer la tête, stupéfait.

— Non... oui, bredouilla Rosalie dont le visage changeait de couleur à une vitesse étonnante. Les apparences sont trompeuses.

— Qu'en est-il, alors ? s'étonna Marchais devant ces paroles énigmatiques.

Comme pour prendre des forces avant la longue explication qui allait suivre, Rosalie but une grande gorgée de son café crème. Puis elle replaça avec détermination la jolie tasse au délicat motif fleuri sur sa sous-tasse.

— M. Sherman peut parfois se montrer un peu prétentieux mais il n'est pas fou, commença-t-elle. Il ne cherche que la vérité, parce que le récit du tigre bleu le touche d'une façon très… personnelle. – Elle se racla la gorge. – Et dans le cadre de toute cette histoire, nous sommes tombés sur certains éléments… euh… plus que mystérieux.

— *Nous ?* Vous seriez-vous associée à cet Américain inculte pour me prouver quelque chose ? s'indigna Max Marchais, avant de faire peser sur Robert un œil condescendant.

Ce dernier songea que Marchais pouvait se montrer d'une grande arrogance. Le Français typique. Par principe, ils se croyaient tous sortis de la cuisse de Jupiter. Pourquoi, personne ne le savait.

Il eut du mal à ne pas intervenir, mais obéit au regard d'apaisement lancé par Rosalie.

— Vous aussi, vous doutez maintenant que j'aie rédigé ce récit, Rosalie ? demanda Marchais, qui eut un petit rire déçu.

— Pas du tout. Je suis même convaincue à cent pour cent que vous l'avez écrit, précisa-t-elle. Avec la vieille Remington posée sur votre secrétaire, dans la bibliothèque, n'est-ce pas ?

Marchais plissa les yeux et fronça les sourcils. On voyait qu'il réfléchissait intensément. Finalement, il considéra Rosalie avec une expression contrariée.

— C'est *vous* ! Vous avez tapé ce texte sur ma machine ? À quel jeu idiot jouez-vous avec moi ? J'exige une réponse. Tout de suite !

Il frappa la table du plat de la main.

Robert comprit soudain qu'ils avaient pensé à tout en quittant précipitamment la maison de Marchais, sauf à la feuille de papier. L'auteur avait dû être plus que surpris lorsqu'il l'avait découverte.

— J'ai un aveu à vous faire, Max, reprit Rosalie. Le jour où je vous ai apporté vos affaires à la clinique, je suis repassée ici plus tard parce que j'avais trouvé quelque chose qu'il fallait que je montre à Robert. Nous sommes entrés chez vous en passant par la porte-fenêtre.

Ensuite, elle relata, en ne respectant pas tout à fait la chronologie, les événements des trois semaines passées.

Robert qui était revenu après son esclandre au magasin. Qui lui avait parlé de sa mère, laquelle lui racontait, chaque soir de son enfance, l'histoire du tigre bleu. Le tapuscrit en sa possession. Le carton qui avait glissé du haut de l'armoire, la copie carbone qu'elle avait trouvée sous le lit. La façon dont ils avaient saisi que la dédicace ne pouvait pas la concerner, elle, Rosalie (à ce stade, Marchais rougit légèrement), le coup de fil passé à Robert et la manière dont, dans la bibliothèque, ils avaient comparé les deux manuscrits qui s'avéraient être parfaitement identiques, avant qu'elle ait l'idée de taper le texte sur la machine.

— Ce faisant, nous avons constaté que le récit a été écrit sur cette vieille Remington.

Rosalie adressa un signe à Robert, qui sortit les manuscrits de son sac et les plaça sur la table, l'un à côté de l'autre. Puis elle se tourna vers Marchais qui l'avait écoutée avec attention, de plus en plus taciturne.

— Pourquoi n'avoir jamais précisé que cette histoire avait été inventée il y a des années ? Pourquoi ne pas m'avoir détrompée quand j'ai cru qu'elle m'était dédiée, Max ? Ça m'a pris un bon moment, mais lorsque Robert a fini par me dire le prénom de sa mère, j'ai enfin compris à qui elle était destinée.

Marchais fixa longuement les deux manuscrits sans répondre.

Finalement, il s'adressa à Robert.

— Et puis-je demander comment s'appelle votre mère ? s'enquit-il d'une voix cassée.

— Ruth. Ma mère s'appelait Ruth. Ruth Sherman, née Trudeau. Et j'ai trouvé le manuscrit original dans les documents qu'elle m'a laissés.

— *S'appelait ?* fit le vieil homme, l'air consterné. Vous voulez dire qu'elle n'est plus en vie ?

La gorge de Robert se noua, comme chaque fois qu'il devait parler du décès de sa mère.

— Elle est morte ce printemps. Au début du mois de mai. Quelques jours après mon trente-huitième anniversaire. Elle avait un cancer. Tout est allé très vite, ajouta-t-il, un triste sourire sur le visage. Elle voulait retourner à Paris avec moi. Sur la tour Eiffel. Voyez-vous, j'y étais déjà allé, petit garçon. Mais ensuite, brusquement, ce fut trop tard.

Marchais avait pâli. Il se tut un moment, tandis que son regard se perdait dans le vague. Ses yeux, qui semblaient presque vitreux à la lumière du soleil, se dirigèrent vers un point paraissant se trouver loin dans le jardin. Au-delà des buissons d'hortensias, au-delà du vieux mur de pierre, au-delà de la petite ville du Vésinet et peut-être encore beaucoup plus loin. Infiniment loin.

— Ruth, répéta-t-il alors. Ruth Trudeau.

Il porta son index recourbé à sa bouche et hocha la tête à plusieurs reprises.

Robert sentit que son cœur se mettait à battre plus vite.

— Vous la connaissiez, donc? demanda prudemment Rosalie. Depuis le début, nous nous posons la question de savoir comment il se peut que la mère de Robert ne vous ait jamais évoqué alors que l'histoire du tigre bleu comptait énormément pour elle. D'où la tenait-elle? Que s'est-il passé à l'époque, Max?

Marchais ne répondit pas.

Le silence s'installa quelques minutes autour de la table ronde, sur laquelle la tarte Tatin dorée demeurait intacte. On aurait dit que quelqu'un avait arrêté le temps.

Lorsque Max Marchais se racla la gorge, Rosalie et Robert levèrent les yeux.

— On dit, commença-t-il, que tout épisode de notre vie, si petit soit-il, renferme tout; ce que nous avons laissé derrière nous et ce qui nous attend. Alors, si vous voulez savoir ce qui s'est passé à l'époque, je peux vous le dire : tout. Et… rien.

Il soutint le regard de Robert, où vacillait une lueur.

— Je connaissais votre mère, oui. Je l'aimais, même. Je n'ai compris que plus tard à quel point, précisa-t-il avant de prendre sa tasse de café, sa longue main, couverte de grains de beauté, tremblant nettement. J'avais un drôle de pressentiment en ramenant le tigre bleu à la vie. Mais, croyez-moi s'il vous plaît, ce récit revêt une très grande importance pour moi également. Il se peut que j'aie commis une erreur en le délivrant de ce vieux carton. C'était peut-être aussi la meilleure idée que j'aie eue. Car, sinon, vous ne seriez pas ici tous les deux en cet instant, n'est-ce pas ?

Marchais s'était un peu ressaisi. Ses yeux s'attardèrent un moment sur Rosalie, pleins de chaleur, puis se posèrent sur Robert.

— Le fils de Ruth, poursuivit-il en secouant la tête. Je n'aurais jamais cru entendre encore parler de Ruth Trudeau. Et voilà que je fais la connaissance de son fils, qui trouve par hasard à Paris le livre du tigre bleu et ne démord pas de son bon droit. – Il sourit. – Vous avez vraiment raison sur un point, Robert. Ce n'est pas mon histoire.

Robert et Rosalie échangèrent un coup d'œil stupéfait.

— Rigoureusement parlant, je n'aurais jamais dû la faire publier. Je l'avais offerte à une jeune femme de passage à Paris : votre mère. Il y a longtemps, bien longtemps, et pourtant, il me semble parfois que c'était hier.

Cet après-midi-là, Max Marchais effectua un voyage dans le temps. Un voyage qui le transporta dans le Paris des années soixante-dix. Il y retrouva un jeune homme qui traînait dans les cafés, fumait trop et gagnait sa vie comme journaliste indépendant pour un quotidien. Ainsi qu'une jeune Américaine aux cheveux blonds et aux yeux d'un vert étincelant, à qui ses parents avaient offert un séjour à Paris pour les vacances d'été, et qui était dotée d'un désastreux sens de l'orientation.

Max fut surpris par le flot d'images qui le submergea soudain. Bientôt, son propre récit l'absorba tant que c'est à peine s'il remarqua encore les regards des deux jeunes gens qui l'écoutaient avec fascination.

— J'ai fait la connaissance de Ruth parce qu'elle s'était égarée. J'étais installé dans un café, non loin de la rue Augereau où j'occupais un deux-pièces au quatrième étage. Un appartement vraiment petit, comparé à cette superbe villa, commenta-t-il en faisant un geste, souriant, en direction de la maison derrière lui. Mais qu'est-ce qu'on a pu y faire la fête ! Il y avait souvent des amis, parfois une fille, et quand on se réveillait le matin et qu'on regardait par la fenêtre, la première

281

chose qu'on voyait, c'était la tour Eiffel qui se dressait dans le ciel, quelques rues plus loin. Une vue incroyable que je n'ai plus jamais eue ensuite.

Il s'adossa à sa chaise, perdu dans ses pensées.

— Excusez-moi, je m'écarte du sujet. Une fois qu'on se met à évoquer le passé, tous les souvenirs remontent à la surface…

— Vous alliez nous raconter comment vous avez rencontré ma mère, monsieur Marchais, fit Robert.

— C'est juste.

Il revoyait Ruth avancer dans la rue, la démarche gracieuse.

— J'ai remarqué votre mère pour la première fois par cette chaude journée d'été. Elle portait une robe rouge à petits pois blancs. Elle tenait un guide touristique, s'arrêtait tous les deux ou trois pas, tournait dans tous les sens le plan de la ville et cherchait visiblement les plaques des rues. Quand elle est passée pour la troisième fois devant le café où je lisais un livre, je me suis levé et lui ai demandé si je pouvais l'aider. Elle a poussé un soupir de soulagement et m'a fixé de ses yeux de chat qui donnaient un charme très particulier à son délicat visage en forme de cœur. « Je crois que je suis complètement perdue », a-t-elle dit avant d'éclater de rire. Son rire était… merveilleux. Il respirait l'optimisme et la joie de vivre, et j'y ai immédiatement succombé. « J'aimerais aller voir la tour Eiffel, c'est bien par là, n'est-ce pas ? » Après avoir encore consulté son guide, elle a montré avec détermination la mauvaise direction. « Mais non, mademoiselle, il faut aller de l'autre côté, ce n'est pas loin du tout », ai-je répondu.

Puis j'ai refermé mon livre. « Vous savez quoi ? Je vais vous montrer le chemin, sinon vous n'y arriverez peut-être jamais. »

Max sourit.

— C'est ainsi que tout a commencé. Durant les quatre semaines qui ont suivi, j'ai accompagné Ruth dans les rues de Paris, chaque fois que possible. Je lui ai montré la ville et tous les musées, précisa-t-il avant de secouer la tête, amusé. Mon Dieu, je ne me rappelle pas avoir jamais connu quelqu'un qui ait une telle soif de musées. En fin de compte, j'ai visité des établissements culturels dont j'ignorais jusqu'à l'existence. Ruth aimait les tableaux. Les impressionnistes l'attiraient particulièrement. Monet, Manet, Cézanne… Nous sommes souvent allés au Jeu de Paume, où toutes leurs toiles étaient encore exposées à l'époque. Elle pouvait rester assise des heures devant une œuvre et la contempler sans prononcer un mot. Arrivait le moment où elle tournait la tête et vous regardait en souriant. « C'est terriblement beau, non ? disait-elle enfin. Quel bonheur ce doit être de créer ce genre de chose ! » Alors, j'opinais du chef en pensant que c'était déjà un bonheur immense d'être simplement assis à côté d'elle, de frôler parfois son bras comme par mégarde ou de prendre sa main et de respirer l'odeur qui émanait d'elle.

Il fixa Robert, puis Rosalie.

— Je ne sais pas si c'était un parfum, mais elle sentait toujours la mirabelle. Vous vous rendez compte ? La confiture de mirabelles. C'était indescriptible, envoûtant, d'une certaine manière. Après elle, je n'ai plus jamais rencontré de jeune femme qui sente la mirabelle. Certaines choses sont irrémédiablement perdues, soupira-t-il. Le souvenir est d'autant plus précieux. C'était une tendre idylle qui se contenta de quelques baisers, et pourtant, elle devait se révéler nettement plus intense que beaucoup d'histoires que j'ai vécues ensuite. J'éprouvais un plaisir exquis quand je contemplais son ravissant visage ou que, le week-end, nous nous promenions main dans la main dans le parc de Bagatelle, qu'elle préférait à tous les autres parcs de Paris.

Max Marchais remarqua que Rosalie échangeait un long regard avec Robert, et il se demanda fugacement quelle relation liait au juste les deux jeunes gens.

— C'est peut-être impossible à imaginer aujourd'hui, mais c'était même un bonheur pour moi d'attendre simplement sa venue dans un café.

Il nota soudain les assiettes vides, toujours empilées devant lui.

— Mais je vous en prie, prenez une part de tarte. Je suis un piètre hôte.

Rosalie découpa la tatin et fit le service. Robert et elle goûtèrent le dessert dont les quartiers de pomme caramélisés, lisses et luisants, reposaient sur la pâte feuilletée, tandis que Max dispersait de petits morceaux avec sa cuillère en argent, avant de les mettre de côté sans rien avoir mangé.

— N'est-il pas étrange qu'on puisse éprouver une telle félicité, tout en sachant que c'est vain ? fit-il songeusement, avant de regarder Robert qui venait d'enfourner la dernière bouchée, saisi par l'excitation, et le fixait, l'air interrogateur. Oui, vain. Car l'amour entre votre mère et moi était impossible. Il était limité à quelques semaines et nous en étions conscients tous les deux. Depuis le début. Dès le premier jour, lorsque j'ai accompagné Ruth à la tour Eiffel puis lui ai proposé d'aller boire un verre de vin, elle m'a expliqué qu'elle avait un fiancé qui l'attendait en Amérique. Manifestement un homme vraiment gentil, sympathique, de bonne famille, un avocat brillant, très attentionné. Un homme qu'elle épouserait à la fin de l'été. « Je suis déjà prise, malheureusement », a-t-elle déclaré en souriant. « Mais pour l'instant tu es ici, à Paris », ai-je répliqué en repoussant loin de moi l'idée d'un fiancé de l'autre côté de l'Atlantique. Nous savions que tout se terminerait un jour. Pourtant, je tenais sa main dans la mienne et j'ai quand même dit « Donne-moi un baiser », un soir, alors que nous voguions sur la Seine, à bord d'un Bateau-Mouche, et que la tour Eiffel se dressait devant nous, si proche qu'on aurait cru pouvoir la serrer dans nos bras. – Il poussa un soupir de bonheur. – Et elle m'a embrassé, nous sommes tombés amoureux et avons savouré l'instant comme s'il devait ne jamais prendre fin.

— Mais il a pris fin, fit Robert.

Max se tut. Il revoyait Ruth monter, sous la pluie tombant à verse, dans le taxi qui allait l'emmener à l'aéroport. Elle n'avait pas voulu qu'il l'accompagne.

— J'ai toujours dit qu'il fallait que je retourne là-bas, avait-elle déclaré le matin de son départ, le visage pâle.

— Je sais, avait-il seulement lâché, et son cœur s'était contracté comme si on avait versé dessus de l'eau glacée.

Elle mordillait sa lèvre inférieure ; elle avait beaucoup de mal à supporter son silence.

— On peut toujours s'écrire de temps en temps, avait-elle avancé en le fixant, une prière dans les yeux.

Ne rends pas les choses plus compliquées, paraissait-elle dire sans un mot.

— Oui, bien sûr, avait-il répondu.

Ils s'étaient efforcés de sourire, tout en sachant l'un comme l'autre qu'il n'y aurait pas de lettres.

Un moment d'une tristesse insondable. Finalement, elle lui avait caressé la joue très tendrement et lui avait adressé un ultime regard.

— Je ne t'oublierai jamais, mon petit tigre, avait-elle assuré. Je te le promets.

Ensuite, elle était partie et avait refermé la porte derrière elle avec une lenteur infinie.

Max eut un sourire nostalgique, puis il remarqua que Robert ne le quittait pas des yeux car il n'avait toujours pas répondu.

— Oui, l'instant a pris fin, confirma-t-il sobrement. Ruth a disparu de ma vie comme elle y était entrée, avec une charmante légèreté, et je suis resté avec les deux mots les plus tristes que je connaisse : *plus jamais*. Je l'ai laissée s'en aller alors que je ne me rendais pas compte de l'ampleur de la perte. Parce que je croyais que tout était irrévocable. J'étais jeune, je ne savais pas tout. Je pensais que notre relation était sans issue. J'aurais peut-être dû me battre. Sûrement, même.

C'est souvent lorsqu'une chose est irrémédiablement perdue qu'on prend la mesure de ce qu'elle signifiait pour nous.

Il vit que Robert opinait du chef, avant de prendre la parole :

— Ensuite, elle s'est mariée avec Paul, mon père. Elle ne s'est jamais manifestée auprès de vous ?

— Je n'ai plus jamais entendu parler d'elle. Jusqu'à ce jour. Mais aujourd'hui, quand je repense à cet été, je sais que c'étaient les plus belles semaines de ma vie. La grâce de ces jours est indescriptible. C'étaient les taches de couleur de ma vie, précisa Max en souriant. Cela, en tout cas, je l'avais compris à l'époque.

Un long silence suivit. Le soleil reposait comme un gros ballon rouge sur le vieux mur de pierre qui n'était plus qu'une silhouette sombre au bout du jardin. Max sentit que sa hanche commençait à l'élancer, mais il ignora la douleur. Son regard ne cessait de se poser sur le jeune homme qui avait joint les mains devant son visage et fixait un point par-dessus le triangle formé par ses doigts. On voyait que Robert tentait de replacer dans son contexte ce qu'il venait d'entendre.

— Ma mère ne m'a rien raconté, reprit-il finalement. J'ai toujours eu l'impression que mes parents étaient très heureux ensemble. Ils formaient un couple équilibré, jamais un mot plus haut que l'autre, et ils riaient beaucoup.

Max hocha la tête.

— Je n'en doute pas. On peut connaître dans sa vie des formes d'amour très différentes, et je suis certain que le cœur de votre mère était assez grand pour

287

rendre heureuses plusieurs personnes. Votre père était un homme enviable, Robert.

— Et l'histoire ? Quand lui avez-vous donné l'histoire ? demanda Rosalie.

— Ah oui, mon histoire… La première que j'aie écrite, d'ailleurs ! Je la lui ai offerte un des derniers jours, alors qu'on était partis pique-niquer dans le parc de Bagatelle. C'était une journée magnifique, l'air sentait la pluie et nous avions été trempés par un petit orage d'été. Mais le soleil a vite séché nos vêtements.

Max se rappelait encore avec précision qu'ils s'étaient allongés sur la pelouse, sur un plaid à carreaux. Sous un vieil arbre qui se dressait sur une butte, près de la grotte des Quatre-Vents. Ruth avait choisi l'endroit, affirmant qu'il était parfait pour un pique-nique.

— Ruth possédait un appareil photo instantané, c'était très à la mode, et j'ai fait d'elle une photo qu'elle m'a ensuite donnée… Je crois que je l'ai encore.

— Oui, je pense l'avoir vue dans le carton, glissa Rosalie.

— C'est cet après-midi-là que je lui ai offert le récit du tigre bleu, poursuivit Max. J'avais fait relier l'original, et gardé une copie pour moi. À l'origine, il était indiqué sur le dessus : *Pour Ruth, que je n'oublierai jamais*. Puis j'ai pensé que cette dédicace était compromettante. J'ai donc changé la première page et écrit simplement : *Pour R.* – Max frotta sa barbe, embarrassé, en jetant un coup d'œil en direction de Rosalie. – Cette mention aura entraîné quelques malentendus.

288

Rosalie sourit et il espéra qu'elle lui avait pardonné ce petit mensonge, fruit de son amour-propre. Naturellement, il n'avait pas voulu avouer qu'il avait dû recourir à un ancien texte parce que aucune idée correcte ne lui venait. Par ailleurs, cela l'avait flatté qu'elle se réjouisse autant de la dédicace qu'elle croyait lui être destinée.

— Mais, si cela avait été une nouvelle histoire, je vous l'aurais évidemment dédiée avec grand plaisir, ma chère Rosalie. À ce propos, il faut que je vous fasse un aveu.

— Ah bon ? s'étonna-t-elle.

— Votre façon de rire m'a aussitôt fait penser à Ruth.

— Vraiment ? demanda-t-elle avant d'éclater de rire.

Robert s'agitait sur son coussin. Il était manifeste qu'il avait encore quelque chose sur le cœur.

— Donc, le récit que me racontait ma mère tous les soirs parle en réalité d'elle et de vous ?

Max approuva d'un signe.

— Il faut le savoir pour s'en apercevoir. Ruth était Héloïse, la petite fille aux cheveux d'or qui croit à l'existence de son tigre bleu, le tigre des nuages. Et le tigre, c'était moi. Elle m'appelait parfois « mon petit tigre », ce qui me plaisait bien.

— Et le pays si lointain que même les avions n'y vont pas… Auquel on n'accède que par la rêverie…, commença Robert.

— C'était notre pays, acheva Max. De cette manière, je souhaitais que Ruth ne m'oublie pas, et je découvre maintenant qu'elle ne l'a pas fait.

Un curieux éclat dans les yeux, il se garda de dire que le survol nocturne de Paris revêtait aussi un sens plus profond.

Ils s'étaient envolés une nuit. Une nuit magique, une nuit féerique qui devait suffire pour toute la vie et après laquelle ils s'étaient détachés l'un de l'autre, comme ivres, à l'arrivée d'une aube qui avait le goût amer des adieux.

Un sourire timide glissa sur les lèvres de Max, heureux que Ruth ait tenu promesse.

— J'espère, Robert, que vous ne m'en voulez pas de me réjouir que Ruth ne m'ait pas oublié. De même que je me réjouis bien entendu de faire la connaissance de son fils. Votre mère comptait beaucoup pour moi.

— Est-ce que je peux voir la photo, celle de ma mère ?

— Bien sûr. Rosalie, auriez-vous la gentillesse de descendre le carton de mon armoire ? Je ne suis, hélas, pas encore totalement prêt à me lancer dans ce genre d'escalade.

Tandis que Rosalie se levait et montait dans la chambre, Max, compatissant, regardait le jeune homme qui ne cessait de plier et déplier les doigts. Il devait être difficile de se voir ainsi surpris par le passé. Un passé sur lequel on n'avait eu aucune influence.

— Pourquoi ne m'a-t-elle jamais rien raconté ? lâcha enfin Robert. Je n'ai pas toujours été un enfant, et tout cela remonte à si loin… J'aurais compris.

— Ne ruminez pas trop, mon garçon. Votre mère a sûrement agi comme il le fallait, je le sais. C'était une femme fantastique – déjà à l'époque – et elle doit vous avoir beaucoup aimé. Vous ne seriez pas celui que vous êtes aujourd'hui, sinon.

Robert hocha la tête, reconnaissant.

— Oui, vous avez peut-être raison, conclut-il, et son visage s'éclaira.

Quelques instants plus tard, Rosalie revenait.

— C'est celle-ci ? demanda-t-elle en posant sur la table la photo aux couleurs passées.

Les deux hommes se penchèrent en avant.

— Oui, confirma Max. C'est le cliché pris dans le parc de Bagatelle.

Robert rapprocha de lui la photo. Son regard s'attarda sur la jeune femme, debout sous un arbre, qui riait devant l'objectif.

— C'est maman, il n'y a pas de doute. Mon Dieu, ce rire, dit-il en s'essuyant les yeux. Elle ne l'a jamais perdu.

Le soleil était déjà bien bas dans le ciel lorsque Max Marchais raccompagna ses invités à la porte. Robert avait exprimé le souhait de voir l'endroit où le cliché de sa mère avait été réalisé, si bien qu'ils étaient convenus de se rendre le lendemain au bois de Boulogne, ensemble.

— Trouver l'arbre ne sera pas un problème, avait assuré Max. J'espère seulement pouvoir m'y rendre avec ces cannes stupides.

— Ah, vous allez y arriver ! On vous poussera s'il le faut, on peut sûrement louer des fauteuils roulants, avait déclaré Rosalie dans un éclat de rire qui avait quelque chose de très libérateur.

Ils s'en étaient allés à bord de sa petite voiture. Max, dans l'embrasure de la porte d'entrée, les avait suivis du regard. La vie continuait. Elle continuait toujours. À la manière d'une flamme transmise de coureur en coureur, au fil d'un relais sans fin, jusqu'à ce qu'elle atteigne sa destination.

L'auteur regagna lentement la terrasse. La fraîcheur du soir descendait sur le jardin. Pensif, il contemplait la photo pâlie, restée sur la table.

Il s'adossa à sa chaise et ferma un moment les yeux. Il voyait deux jeunes gens turbulents dans le bois de Boulogne, par une journée ensoleillée. Ils s'étaient allongés sous un vieux marronnier, sur un plaid en laine à carreaux, et plaisantaient. La couverture grattait, mais juste un peu. Ruth portait la robe rouge à pois blancs qu'il aimait tant, et sa bouche riante était presque aussi écarlate que l'étoffe. La lumière passait entre les feuilles et dessinait de petits ronds tremblotants sur le tissu et sur ses jambes nues. Elle avait ôté ses sandales. Un oiseau gazouillait. Un nuage blanc flottait paisiblement dans le ciel plus bleu que bleu.

C'était une journée d'été superbe, si parfaite qu'il était inimaginable qu'elle prenne jamais fin. On pouvait presque saisir entre ses mains la légèreté ambiante.

Soudain, Max sentit son cœur devenir très léger, lui aussi. Aussi léger que s'il pouvait voler.

Il ouvrit les yeux et l'amour de la vie, un amour longtemps oublié, vint l'envahir. Oui, il aimait cette vie qui était parfois beaucoup, parfois moins que rien. Mais c'était tout ce qu'on avait.

Il prit le cliché, le retourna et lut la mention écrite au crayon : *Bois de Boulogne, 22 juillet 1974.*

Il resta longuement assis ainsi, à fixer un point dans le crépuscule. Et une pensée qui l'avait effleuré telle la main tendre d'une jeune femme, cet après-midi-là, imposa soudain sa présence impérieuse.

— Tu étais obligée de me donner un coup de pied dans le tibia ? demanda Robert, alors qu'ils roulaient dans la petite rue où se nichait la villa ancienne. C'est ça, le tact dont tu parles tout le temps ?

Il remonta sa jambe de pantalon et examina un bleu d'une taille impressionnante.

— Je croyais que les Américains ne connaissaient pas la douleur, répliqua Rosalie.

— Les Indiens, les Indiens, corrigea Robert. Je ne suis qu'un Yankee douillet.

— Peu importe, c'était la seule façon de t'arrêter. Je voulais éviter que vous vous fracassiez mutuellement le crâne, expliqua Rosalie en souriant.

Soudain, le tutoiement lui venait très facilement. Tandis qu'ils débarrassaient la table, ils étaient naturellement passés au « tu ». Après cet après-midi décisif, après tout ce qu'ils avaient vécu ensemble, il aurait été étrange de continuer à se vouvoyer.

— Ton Max Marchais n'est pas un mauvais bougre, concéda Robert. En fait, il est assez gentil. C'est quand même bizarre de se retrouver brusquement face à un vieil homme qui... eh bien... qui était autrefois amoureux de votre mère.

294

— D'autant plus quand cette mère n'en a jamais rien dit, ajouta Rosalie. D'un autre côté, à l'époque, elle était fiancée à Paul et elle trouvait peut-être tout simplement pénible d'évoquer Max. À moins que toute cette histoire lui ait paru irréelle de retour en Amérique, dans son environnement habituel.

— Tellement irréelle que plus tard, elle me racontait chaque soir le récit qu'il avait écrit pour elle ?

— Ma foi, je trouve ça très romantique. Tu vois, n'importe qui aimerait, en se retournant sur son passé, poser les yeux sur une histoire aussi exceptionnelle. Et puis, il est possible que la magie ait justement résidé dans le fait que leur amour ne s'est jamais concrétisé, réfléchit à voix haute Rosalie. Tu sais, *Le Tigre bleu* est un récit d'une grande beauté. Il m'a profondément émue la première fois que je l'ai lu, en tout cas. Pourtant, je ne connaissais pas son secret. Et même si cette affaire a dû être très triste pour Max, c'est grâce à ta mère qu'il s'est mis à écrire, d'une certaine façon. À écrire de *vraies* histoires, je veux dire. Ruth était sa muse, en quelque sorte. – Elle jeta un rapide coup d'œil en direction de Robert. – Max est l'auteur de beaucoup d'autres livres géniaux. Tu devrais les lire. Je les ai dévorés, enfant.

— Mmm, fit Robert, les yeux à moitié clos.

Soit il était trop fatigué pour répondre, soit il suivait le cours de ses propres pensées. Il paraissait soudain très loin, et Rosalie décida de ne pas le déranger.

En entrant dans le tunnel de Nanterre-La Défense, elle sentit les dernières tensions la quitter.

Elle était heureuse et soulagée que la rencontre entre les deux hommes, difficile sur le papier, se soit déroulée aussi bien. Dieu merci, toute cette affaire s'était conclue de manière très amicale. Après la prise de bec initiale, Max, remué par les souvenirs et la triste nouvelle de la mort de Ruth, s'était sincèrement réjoui de faire la connaissance du fils de celle-ci. À leur départ, il les avait serrés tous les deux contre lui.

Rosalie devait s'avouer que cela l'aurait navrée que Max et Robert ne puissent pas se supporter.

En fin de compte, constata-t-elle avec étonnement, je tiens à l'un comme à l'autre.

Elle mit son clignotant et emprunta la voie rapide, songeant avec effroi à l'atmosphère hostile qui régnait au début. La façon dont les deux hommes, assis l'un en face de l'autre, s'étaient reproché l'arrogance des Français et l'ignorance des Américains, le visage coléreux, les yeux lançant des éclairs ! L'espace d'un instant, elle avait cru que leur hôte furieux allait les jeter dehors avant même qu'ils aient pu éclaircir quoi que ce soit. Pourtant, à la fin de la journée, elle avait été gagnée par l'impression que Max et Robert manifestaient l'un pour l'autre un intérêt et une sincérité nourris de sympathie.

Rosalie était impatiente de faire cette excursion dans le bois de Boulogne où ils déambuleraient sur les traces de Mrs Sherman, ou plutôt de Miss Ruth Trudeau, qui unissait ces deux hommes si différents, grâce à l'intervention du destin.

Elle coula un nouveau regard en direction de Robert, toujours muet, et songea que les trajets nocturnes avec le « spécialiste de Shakespeare » commençaient à devenir une habitude. Simplement, cette fois, le silence qui les séparait n'était pas inconfortable, comme à leur précédent retour du Vésinet, mais familier et teinté d'une fatigue certaine.

Tous les malentendus et les différends, tous les mystères et les spéculations les avaient menés, cet après-midi-là, dans la villa d'un vieil auteur qui leur avait raconté son histoire. L'histoire d'un amour depuis longtemps révolu, à la fois source de bonheur et d'infinie tristesse.

Rosalie appuya son crâne contre l'appuie-tête. La voiture traversait l'obscurité avec un ronflement constant. Tandis que les lumières froides du tunnel défilaient à un rythme régulier, l'éblouissant encore et encore, elle passa une fois de plus en revue le récit du tigre bleu et tenta de relever de nouveaux indices au fil des phrases. Bien qu'elle l'ait illustré et le connaisse presque par cœur, il ne lui serait jamais venu à l'idée que les héros de cette merveilleuse fable étaient en réalité deux amoureux qui n'avaient pu s'unir et auxquels il ne restait plus, à la fin, que la rêverie – et le souvenir.

Elle sortit du tunnel et accéda peu de temps après au rond-point menant aux Champs-Élysées. Elle s'y engagea et vit, au bout de la large avenue, l'obélisque de la place de la Concorde se dresser dans le ciel.

La quête avait touché à son terme, l'énigme était élucidée. Mais comment les choses allaient-elles continuer ? Allaient-elles seulement continuer ? Rosalie se surprit à se demander si le lendemain signerait aussi la fin de leur histoire.

À un feu rouge, elle se tourna vers Robert qui regardait par la vitre, et étudia son expression songeuse.

Qu'est-ce qui pouvait bien lui passer par la tête ? Découvrir un pan inconnu de l'existence de sa mère devait l'avoir bouleversé. Rosalie remarqua qu'il plissait le front et ne cessait de serrer les mâchoires. Elle l'aurait bien pris dans ses bras. Elle aurait aimé prononcer des mots qui conviennent à la situation. Malheureusement, rien ne lui venait.

— C'est étrange, tout ce qui peut arriver dans la vie, non ? déclara-t-elle finalement. Ça doit te faire une drôle d'impression.

Sans réfléchir, elle prit sa main et la pressa.

— Oh, ce n'est pas si grave que ça, au fond, répondit-il en gardant sa main dans la sienne.

Elle était chaude et résolue. Comme son baiser, l'autre jour, dans le jardin.

— Ce n'est pas grave du tout, juste… différent, reprit-il. Ça jette un éclairage nouveau sur beaucoup de choses. – Ses doigts étreignaient les siens comme si leurs mains avaient trouvé un langage propre. – Maintenant, j'ai presque l'impression que ma mère voulait me donner un indice avec le récit du tigre bleu et ce qu'elle disait toujours de Paris.

— Et que disait-elle de Paris ?

— Que c'est une bonne idée ? fit-il en adoptant sans le vouloir une intonation ascendante.

— Tu peux laisser tomber le point d'interrogation, répliqua Rosalie avec un sourire. Paris est toujours une bonne idée.

Elle retira sa main à regret et passa la seconde, puis quitta le boulevard Saint-Germain pour tourner dans une petite rue transversale et chercher un endroit où se garer.

— Sauf si on a besoin d'une place de stationnement, conclut-elle.

Cette fois, Rosalie ne l'avait pas déposé devant son hôtel. Après qu'elle eut réussi à s'introduire dans une place minuscule, contrairement à ce qu'il pronostiquait, non sans avoir tutoyé plusieurs fois l'auto de devant et celle de derrière (« À quoi servent les pare-chocs, sinon ? » l'avait-elle questionné), ils étaient descendus de voiture et il l'avait accompagnée rue du Dragon.

Derrière la porte de la boutique, ils entendirent William Morris aboyer brièvement, puis pousser des gémissements de joie.

— Tu veux monter boire un verre de vin ? proposa Rosalie au moment d'ouvrir le magasin, en essayant de prendre le ton le plus détaché possible. À moins que tu aies peur de mon petit chien ?

— Non, non. William Morris et moi sommes devenus très bons amis, assura Robert avec un demi-sourire. Mais… et ton garde du corps personnel ? Je ne voudrais pas qu'il me provoque en duel à mains nues.

René ! Rosalie se sentit rougir et pria pour qu'il ne le voie pas, comptant sur le faible éclairage de la rue. Avec toutes ces émotions, elle n'avait plus du tout pensé à son petit ami qui, par bonheur, elle s'en souvenait soudain, ne l'était plus !

Elle prit l'air impénétrable d'un sphinx.

— Mon garde du corps personnel a manifestement trouvé à San Diego une coureuse de fond qu'il veut maintenant protéger, répondit-elle brièvement.

— Ah… quoi ?! s'exclama Robert, haussant les sourcils, avant d'écarquiller les yeux comme un chat devant un pot de crème. Comment ça ?

Elle entra sans répondre et il la suivit dans l'escalier en colimaçon, jusqu'à son appartement. Arrivé en haut, il regarda autour de lui avec curiosité et s'attarda devant la grande table pour examiner quelques croquis.

— Installe-toi, suggéra-t-elle en allumant le lampadaire et en indiquant le fauteuil près de son lit. Je vais aller nous chercher du vin dans la cuisine.

Elle ôta ses sandales, tandis qu'il laissait tomber son sac dans le fauteuil et déambulait dans la pièce pour s'arrêter finalement devant une photographie encadrée, accrochée au mur près de la table à dessin.

— Ton père ? demanda-t-il.

Elle hocha la tête.

— Ça se voit tout de suite, déclara-t-il en étudiant le cliché. Les cheveux bruns, le front, les sourcils prononcés, la bouche large. Il a l'air sympathique. – Robert se tourna vers elle et se passa la main dans la chevelure. – Je ressemble plutôt à ma mère.

— Ah oui…, fit Rosalie, repensant à la photo de Ruth. Les cheveux d'or !

Puis elle prit l'initiative.

— Et de qui tiens-tu ces incroyables yeux bleus ?

— Oh, grand merci ! Un moment historique, lâcha-t-il, essayant de dissimuler son embarras derrière une plaisanterie.

— Pardon ?

— Je crois que c'est le premier compliment que je reçois d'une certaine Rosalie Laurent.

— Se pourrait-il qu'on le doive au fait qu'un certain Robert Sherman m'ait, jusqu'à présent, donné peu d'occasions de le complimenter ? riposta-t-elle. D'un autre côté, je parie que tu n'es pas en manque, en la matière. Je ne suis sûrement pas la première femme à remarquer ça.

— Ah… eh bien…, lâcha-t-il avec un haussement d'épaules, feignant la modestie. Il n'y a pas de quoi en faire tout un plat. Une petite centaine, je dirais.

— Une petite centaine de compliments, ou de femmes ?

Il eut un sourire amusé.

— De compliments, bien sûr. Je ne suis pas Casanova ! Mais, pour répondre à ta question, je ne tiens la couleur de mes yeux ni de mon père ni de ma mère, mais de mon grand-père côté maternel, que je n'ai malheureusement pas connu. Quoi qu'il en soit, toute la famille était transportée de ravissement devant « cet adorable Sherman blond aux yeux bleus ».

Au moment de finir sa phrase, il avait dessiné des guillemets en l'air.

Robert rit, et Rosalie tenta pendant un moment de s'imaginer le petit garçon qu'avait été l'homme de haute taille en chemise à rayures bleues et blanches.

— Je crois que ma tante envisageait déjà une carrière d'acteur pour moi. Une sorte de Robert Redford des pauvres, ajouta-t-il avec un clin d'œil. Mais je ne suis pas assez beau pour ça.

— Ah, tu sais…, commença Rosalie en inclinant la tête sur le côté. La beauté n'est pas tout. Je dirais que tu es assez beau pour un professeur de littérature.

Quelques minutes plus tard, lorsqu'elle revint de la cuisine, Robert se trouvait toujours au beau milieu de la pièce, la balayant du regard.

Elle lui donna un verre de vin généreusement rempli et leva le sien à sa santé.

— À quoi trinque-t-on ? demanda-t-il, le merlot tournant dans le récipient, chargé de promesses.

— Que dirais-tu de : à la fin de notre quête commune ?

— Oui, buvons à la fin de notre quête, répéta-t-il, mais, à son ton, on ne pouvait pas exclure qu'il veuille sous-entendre tout autre chose. Et au fait qu'après des débuts un peu ratés, nous soyons quand même devenus de bons amis.

Ils burent tous deux une grande gorgée. Rosalie sentit immédiatement l'effet de l'alcool. Pas étonnant, depuis le déjeuner, elle n'avait rien avalé d'autre qu'une minuscule part de tarte Tatin. Qu'entendait-il par « bons amis » ?

— C'est ce que nous sommes maintenant… de bons amis ?

Elle but précipitamment une autre gorgée et une chaleur apaisante envahit son corps.

Robert la regarda par-dessus son verre.

— Peut-être, dit-il lentement, sommes-nous plus que ça.

Rosalie eut un sourire nerveux et nota qu'un léger vertige s'emparait d'elle. Elle vit Robert déposer son verre sur la table ronde à côté du fauteuil.

— C'est donc ici que tu disparais quand tu n'es pas en bas, dans ta boutique, constata-t-il. Très douillet.

Son regard s'attarda malgré lui sur le grand lit. Dessus était déplié un large pan de tissu à motifs bleus et blancs, et disposés des coussins de toutes les tailles et de toutes les nuances de bleu possibles.

— Oui. Ma petite cachette pour me protéger du monde extérieur, admit Rosalie en ouvrant la fenêtre donnant sur le toit-terrasse. Et voilà le reste de mon royaume.

Elle laissa son verre de vin sur l'étagère de livres fixée à mi-hauteur près d'un des deux battants, et regarda dehors. Un nuage passait devant le croissant de lune ; avec beaucoup d'imagination, on aurait pu y voir un tigre. Debout devant la fenêtre, elle inspira profondément l'air frais et éprouva soudain le besoin de fumer une cigarette.

Derrière elle, Robert s'était approché, et elle sentit que sa nuque commençait à la picoter. Ce jour-là, elle avait dompté ses cheveux avec une grosse barrette en écaille.

— Vraiment très, très joli, fit-il doucement.

Rosalie se demanda s'il parlait vraiment de son toit, dont le charmant fouillis de plantes fleuries en pots et d'arbustes préservait des regards des voisins. Percevant son souffle sur sa peau, elle constata qu'un agréable frisson parcourait son dos.

— Et ça sent si bon… Comme dans un jardin enchanté.

Il écarta une mèche de sa nuque, et ses lèvres l'effleurèrent si légèrement qu'il lui sembla presque avoir rêvé cette caresse.

— C'est… sûrement… l'héliotrope… Là-bas.

Le cœur battant, elle indiqua un arbuste aux petites fleurs lilas, exhalant un délicat parfum de vanille qui parvenait jusqu'à eux.

— Je ne crois pas, reprit-il à voix basse.

— Quoi ? s'enquit-elle en se retournant, hésitante.

Les yeux de Robert reposaient tendrement sur elle.

— Ça sent la fraise des bois, murmura-t-il avant d'enfouir son nez dans sa chevelure. La fraise des bois et la pluie fraîche. Je reconnaîtrais cette odeur entre mille.

Ensuite, il prit très délicatement son visage entre ses mains et l'embrassa.

Ce soir-là, Rosalie n'écrivit rien dans son petit carnet de notes bleu.

Elle avait mieux à faire.

Le lendemain matin, Rosalie ouvrit les yeux très tôt, contrairement à son habitude. C'était dimanche, le réveil affichait cinq heures et demie, et son bras gauche était engourdi. Le coupable ? Un professeur de littérature américain qui dormait comme un bienheureux en pesant dessus de tout son poids et qui, manifestement, était un peu dur de la feuille. Rosalie sourit et tenta de dégager son bras sans le réveiller.

L'esprit encore embrumé, elle s'étira et poussa un soupir de bien-être.

Son plan initial, entraîner Robert sur le toit-terrasse pour boire un verre de vin, fumer une cigarette et regarder la lune, avait dégénéré en échec grandiose.

Quelqu'un d'autre avait pris les commandes, lui prouvant que la vie – très rarement, mais cela se produisait, oui – pouvait s'avérer plus romantique que tout ce qu'on s'était imaginé.

Robert l'avait embrassée, et il n'avait plus été question d'aller sur le toit.

Après ce baiser qui n'en finissait plus, car ni Robert ni Rosalie n'auraient eu l'idée absurde de mettre un terme à quelque chose d'aussi merveilleux, ils avaient fini, obéissant à la nécessité, par se détacher l'un de l'autre et prendre une profonde inspiration pour laisser l'oxygène entrer dans leurs poumons.

La barrette s'était détachée et elle était tombée par terre, suivie d'autres effets superflus. Comme ivres, ils avaient parcouru, enlacés, vacillants, les quelques pas qui les séparaient du lit de Rosalie. Riant et chuchotant, se caressant et échangeant de tendres paroles, ils s'étaient enfoncés dans les coussins bleus comme dans une onde de joie où seuls les battements de leurs cœurs étaient audibles.

— Je t'adore, avait-elle lâché plus tard en lui passant la main dans les cheveux, euphorique.

Ils étaient allongés dans les draps froissés, tournés l'un vers l'autre, aussi étroitement serrés que sous le lit du Vésinet, au milieu des moutons de poussière.

— Je t'endors ? s'était-il étonné, l'air ahuri. *For heaven's sake*, vous êtes vraiment spéciales, vous les Françaises !

— Je *t'adore*, idiot, avait-elle répliqué.

— Oh, elle m'adore, avait-il répété.

D'un mouvement vif, il l'avait attirée contre lui et embrassée avec ardeur.

— Tu m'adores ? Et quoi d'autre ? avait-il demandé en se couchant sur elle, avant de se remettre à la couvrir de baisers.

Elle avait ri, puis souri, puis s'était contentée de le regarder.

— Je t'aime, avait-elle finalement avoué.

Il avait eu un hochement de tête satisfait et suivi du doigt le contour de ses sourcils, de son nez, de sa bouche.

— C'est une bonne, une très bonne nouvelle, avait-il murmuré. Parce que, vois-tu : je t'aime aussi.

Il s'était laissé retomber en arrière et avait croisé les bras derrière la nuque.

— Eh bien ! La journée était plutôt palpitante. Mais comparée à cette nuit…

Sans finir sa phrase, il s'était mis à fixer le plafond, songeur, tandis qu'elle se blottissait contre lui.

— Bon, avait-elle déclaré, comblée. Que dirais-tu d'une cigarette ?

Elle avait adressé des excuses muettes à René, se disant qu'en fumer une n'allait pas la tuer sur-le-champ.

— J'essaie justement d'arrêter, avait répondu Robert.

— Oh, très bien. Moi aussi.

— Donc, une cigarette pour perdre cette mauvaise habitude.

— Exactement.

Ils avaient échangé un regard ardent, puis Rosalie s'était hâtée de sortir du lit.

— J'y vais avant que l'un de nous change d'avis.

Après qu'elle lui eut donné du feu et qu'il eut tiré une longue bouffée avant de s'allonger de nouveau, le bras droit nonchalamment appuyé sur ses genoux ramenés près du corps, la cigarette entre pouce et index, elle s'était figée un moment en plein mouvement, interdite, éprouvant une sensation de déjà-vu.

— Qu'est-ce qu'il y a ? s'était-il enquis.

— Rien. Il me semble que je te connais d'une autre vie.

Rosalie avait secoué la tête et souri, perturbée. Elle n'aurait pas pu dire ce qui la troublait autant.

Ce matin-là, alors qu'elle revenait de la salle de bains dans sa chemise de nuit courte, pieds nus, et considérait tendrement l'homme endormi, les cheveux en bataille, étendu en travers du lit, entortillé dans le drap d'où ne sortait que sa jambe droite, elle comprit subitement.

— Pas possible ! chuchota-t-elle, soudain sortie de sa torpeur.

Les yeux écarquillés, elle se pencha au-dessus du pied droit de Robert et plissa le front.

En n'y prêtant pas davantage attention, on aurait pu penser que le dormeur s'était cogné l'orteil. Mais quand on y regardait de plus près, on s'apercevait que ce n'était pas un hématome.

Il y avait, sur le petit orteil droit de Robert Sherman, une grande tache de vin marron foncé qui ne passait pas inaperçue. Or, Rosalie se rappelait avoir remarqué récemment une tache semblable chez un autre homme.

Elle releva la tête et respira profondément, puis une cascade d'images l'assaillit à une allure vertigineuse : les yeux bleu clair, le sourire amical qui lui évoquait un félin, le pli vertical que formait la colère entre les sourcils, les mains puissantes aux longs doigts, la manière arrogante de hausser les sourcils.

La vérité était là depuis le début. Pourquoi ne l'avait-elle pas vue plus tôt ?

Brusquement, Rosalie comprit que ce n'était pas le fait que Max fume ou ne porte pas de barbe sur la vieille photo trouvée dans le carton qui l'avait déconcertée.

Non, c'était la ressemblance indéniable avec Robert, son fils.

Après la découverte de la tache de vin aux premières heures de la matinée, Rosalie se prépara un café crème. Pendant plus d'une heure, assise dans la cuisine sur la chaise en bois peinte en bleu, jambes ramassées, elle réfléchit. Était-il vraiment opportun de dire la vérité à Robert ? Il ne faisait aucun doute pour Rosalie que Max Marchais était le père de ce dernier. Mais, naturellement, elle ne connaissait pas le contexte immédiat. Qu'était-il arrivé à l'époque ? Max ne paraissait pas savoir qu'il avait un fils, et Ruth, la seule personne à qui Robert aurait pu poser des questions, était malheureusement morte.

D'un autre côté, Paul Sherman, en qui Robert voyait son père, était décédé tout comme Ruth. S'il vivait encore, il aurait peut-être mieux valu ne pas donner suite à cette affaire car la vérité aurait agi comme une puissance destructrice, risquant de faire plus de mal que de bien. Mais en l'état actuel des choses, un jeune homme qui n'avait plus de parents trouvait un père. Et un vieil homme qui pensait ne pas avoir d'enfants trouvait un fils.

Par conséquent, en apportant le petit déjeuner à Robert, elle lui révéla le pot aux roses avec un luxe de précautions.

Robert tomba des nues.

— C'est absurde. *Impossible*. Mon père, c'est *Paul*.

Il secoua d'abord la tête avec véhémence. Mais, plus il écoutait Rosalie, plus il devenait pensif.

— On ne peut pas nier votre ressemblance, conclut celle-ci. Si Max était plus jeune et ne portait pas la barbe, je m'en serais probablement aperçue beaucoup plus tôt. – Elle repensa à la façon dont elle avait fait la connaissance des deux hommes et sourit. – J'ajouterai que vous avez les mêmes dispositions pour renverser les présentoirs de cartes postales.

— Pourtant, Marchais a affirmé qu'il ne s'était rien passé, protesta-t-il, désemparé.

Rosalie s'assit à côté de lui, sur le lit.

— Tu n'as pas bien écouté, amour. Il a dit qu'il s'était passé *tout* et rien. Peut-être ont-ils échangé plus que quelques baisers, finalement. Peut-être ont-ils quand même eu une nuit ensemble – une nuit magique au cours de laquelle ils se sont envolés au-dessus de Paris, précisa-t-elle, repensant à l'histoire.

— Et ensuite ?

Rosalie réfléchit en mordillant sa lèvre inférieure.

— Moui… Ensuite ? Ruth retourne à New York, où son fiancé Paul l'attend avec impatience. Ils se marient, Ruth est enceinte, tout le monde enthousiaste, et peut-être se persuade-t-elle au début que l'enfant est de Paul. C'est après qu'elle remarque certains points communs.

— Les yeux bleus, par exemple.

— Très juste. Ou cette tache de vin. Ou tant de détails encore. Tous les autres voient ce qu'ils veulent voir. Mais il est trop tard. Le bébé est là, et Paul est fou de joie d'avoir un fils. Ruth ne veut pas mettre son mariage en danger. Elle aime sa nouvelle vie. Une bonne vie. Une vie accomplie. Alors, elle se tait. Jusqu'à la fin. Après tout, elle ne pouvait pas s'attendre à ce que Marchais publie un jour le récit et que tu fasses le lien.

Robert parut hésiter.

— Donc, tu penses qu'elle a toujours su ? demanda-t-il.

Rosalie opina du chef.

— C'était un secret qu'elle ne pouvait partager avec personne. Pas avec Max. Pas même avec toi. Par égard pour ton père. Pour vous tous.

Robert resta assis un moment, muet, la tête entre ses mains.

— Je dois parler avec Marchais, décida-t-il finalement en la regardant, l'air grave. Tes suppositions pourraient bien être justes.

Elle passa le bras autour de lui.

— Tu devrais aller seul au bois de Boulogne cet après-midi et t'expliquer avec Max. J'imagine qu'il connaît aussi peu la vérité que toi. Mais, ensemble, vous pourriez vous en approcher.

Robert approuva silencieusement, puis une idée parut lui venir à l'esprit. Il serra les lèvres avant de déclarer d'une voix saccadée :

— Il y a autre chose. À l'époque, ça devait être environ six mois après la mort de mon père, nous sommes allés à Paris, maman et moi. Je venais d'avoir douze ans, et je me souviens encore très bien de l'agitation joyeuse qui s'est brusquement emparée de ma mère. Elle était très excitée. Comme s'il pouvait arriver un événement vraiment particulier dans cette ville. Mais il ne s'est rien passé, expliqua-t-il, perdu dans ses pensées. Pas que je sache, en tout cas. Et à la fin de notre voyage, elle avait l'air si triste… Ça m'a beaucoup inquiété en tant qu'adolescent.

Robert s'était tourné pour regarder par la fenêtre, mais on aurait dit qu'il ne voyait rien.

— Pourquoi m'avoir emmené à Paris après le décès de mon père ? Voulait-elle retourner sur les lieux de ses anciennes amours ? Avait-elle l'intention de prendre contact avec Marchais ? Son entreprise a-t-elle échoué pour une raison ou pour une autre ? J'ai tellement de questions… Je me demande si j'obtiendrai un jour des réponses, fit-il avant de pousser un soupir perplexe.

— Tu vas y arriver. Salue Max de ma part, demanda Rosalie en début d'après-midi, alors qu'ils s'arrêtaient devant la fameuse brasserie Lipp, sur le boulevard Saint-Germain.

Elle avait accompagné Robert, pas encore tout à fait dans son assiette, jusqu'à la station de taxis. Il devrait faire le reste du trajet seul. Dans le café aux parasols blancs, près de l'entrée du parc de Bagatelle, se tiendrait une discussion entre deux hommes, où elle n'avait pas sa place.

Certaine qu'ils avaient beaucoup à se raconter, elle espérait que Robert resterait maître de ses nerfs et que Max accueillerait bien la vérité.

Quelques taxis attendaient devant la brasserie à l'auvent orange ; sur l'étroite terrasse couverte, toutes les places étaient occupées. Main dans la main, ils se dirigèrent vers la première voiture.

— Quand je suis arrivé à Paris, je pensais que mon plus gros problème serait de savoir si je devais accepter ce poste à l'université, fit Robert en ouvrant la porte du véhicule. Et maintenant, brutalement, toute ma vie est réécrite.

— Non, ce n'est pas du tout le cas, Robert, assura Rosalie en le prenant encore une fois dans ses bras et en plantant ses yeux dans les siens. Ce qui a été te restera à jamais. C'est juste quelque chose de nouveau qui s'ajoute. Paul a été pour toi un papa merveilleux, et tu seras toujours son fils. Mais avoir trouvé ton père biologique, maintenant que tes deux parents sont morts, c'est un cadeau que la vie te fait.

Il plissa le front et la fixa avec une amusante expression de désespoir.

— Tu m'aurais suffi, comme cadeau.

— Ça se peut, sourit-elle. Mais je crois quand même que rien n'arrive sans raison. Et on ne peut pas dire qu'il y ait à rougir de Max Marchais. C'est un écrivain célèbre, il est sympathique, il a bon goût, il aime la littérature, il m'apprécie beaucoup…

— C'est un Français, lâcha Robert en affichant une grimace, et il monta dans le taxi.

— Hé! Qu'est-ce qu'il y a de mal à être français? lui lança-t-elle, alors que la voiture démarrait et que Robert lui faisait un signe de la main avec un sourire en coin.

Elle mit les poings sur les hanches.

— Tu es toi-même à moitié français, mon cher, n'oublie pas ça!

En sortant son carnet de notes de sous le lit, Rosalie était très, très fatiguée. Elle se pencha au-dessus de la corbeille placée près d'elle, dans laquelle dormait William Morris. Un énorme bandage au milieu du corps.

— Mon pauvre chien, fit-elle doucement en lui caressant la tête.

Avant d'éteindre la lumière, elle écrivit :

Le pire moment de la journée :
Cet après-midi, William Morris a traversé en courant devant une voiture. Quand j'ai vu son petit corps bizarrement allongé dans la rue, en sang, j'ai pensé qu'il était mort. Je l'ai tout de suite emmené à la clinique vétérinaire. Dieu merci, il n'avait pas de blessure interne. On lui a fait deux piqûres et il faut qu'on y retourne demain pour une visite de contrôle. Quelle peur j'ai eue !

Le plus beau moment de la journée :
Père et fils se sont trouvés !
Robert vient de téléphoner, encore tout retourné par leur conversation au parc de Bagatelle. Max lui a montré l'endroit sous le vieil arbre, près de la grotte des Quatre-Vents, où il s'était trouvé jadis avec Ruth. Apparemment, Max savait déjà quand nous sommes partis, hier soir. Il éprouvait la sensation que des liens les unissaient. Et puis, il y avait la date sur cette photo… Au fait, ma supposition était juste. Ruth a passé chez lui sa dernière nuit à Paris. Et Robert est né quasiment neuf mois plus tard. Pour autant, toutes ces années, Max n'a pas soupçonné qu'il avait un fils. Il n'a jamais revu Ruth – même pas lorsqu'elle est revenue avec Robert.
À l'époque, Marguerite était déjà son épouse. Ruth s'était-elle rendue à Paris pour revoir Max et l'a-t-elle aperçu avec sa femme ? Dans un café, par exemple ? Peut-être a-t-elle découvert d'une manière ou d'une autre qu'il était marié ? Cela expliquerait qu'elle soit repartie si abattue.

314

Comment, aussi, aurait-elle pu oublier Max alors qu'elle avait tous les jours son fils sous les yeux – un garçon merveilleux qu'elle a couvert d'amour. Dont elle espérait, voire se doutait, que se mêleraient en lui les meilleurs traits de caractère de Paul, de Max et d'elle-même. Robert dit qu'ils ont beaucoup parlé, Max et lui. De Ruth et de tout le reste.

Il va passer la nuit au Vésinet.

Rosalie pensait, avec la mélancolie d'une femme amoureuse, qu'elle n'éprouverait plus un bonheur aussi grand que celui qu'elle avait connu la nuit précédente, alors qu'elle était blottie pour la première fois dans les bras du professeur de littérature new-yorkais. Elle n'oublierait jamais ces moments, ne serait-ce que parce qu'une page blanche, dans un petit carnet de notes bleu, les lui rappellerait toujours.

Robert avait chuchoté à son oreille les mots les plus tendres, mêlant à merveille serments d'amour inventés et empruntés à un songe d'une nuit d'été très personnel, et Rosalie n'avait pas été loin d'éprouver une certaine jalousie vis-à-vis de cet instant délicieux et unique qu'elle ne pourrait retenir. Et tandis que les sentiments s'envolaient, atteignant des hauteurs insoupçonnées, elle s'était autorisé la pensée douce-amère et quelque peu sentimentale qu'il faudrait bien, en fin de compte, reprendre contact avec le sol – pour emprunter un chemin commun.

Elle avait beau s'attendre à tout, elle n'était pas préparée à une telle chute. Pas prête à ce que sa relation avec Robert s'achève aussi rapidement et brutalement.

Cet après-midi-là, elle ne se douta de rien lorsqu'elle vit la femme rousse vêtue d'une jupe moulante vert foncé et d'un chemisier blanc, chaussée d'élégants escarpins en cuir, qui allait et venait devant sa boutique. De loin, elle la prit pour cette Italienne, Gabriella Spinelli. Mais en s'approchant, elle constata que c'était une inconnue. D'une beauté étonnante.

Prudemment, elle posa par terre le sac de transport dans lequel était couché son chien. Il poussa un léger gémissement.

— Bonjour, madame, vous vouliez entrer ? La papeterie est fermée aujourd'hui, malheureusement.

— J'avais remarqué, merci, déclara la femme à la silhouette élancée, dans un français légèrement hésitant qui détonnait avec son allure parfaite. Je ne veux rien acheter. J'aimerais m'entretenir avec la propriétaire de ce magasin de cartes postales.

— Aha, fit Rosalie, étonnée. Eh bien, vous avez de la chance, c'est moi. Rosalie Laurent. De quoi s'agit-il ?

— Je préférerais ne pas en parler dans la rue, précisa l'inconnue avec un curieux sourire, et elle jeta un rapide coup d'œil à un passant qui la fixait avec fascination. Puis-je entrer un moment ?

Elle avait un accent indiscutablement américain, et Rosalie se demanda si elle venait pour raisons professionnelles. La femme aux cheveux coupés au carré serait-elle une éditrice à la recherche d'une nouvelle illustratrice ?

— Oui... bien sûr... Venez.

Rosalie trouvait qu'en dépit de son sourire, elle avait un regard très intimidant. On aurait plutôt dit une inspectrice du fisc. Elle ouvrit la boutique et fit signe à l'Américaine d'entrer.

— Installez-vous, je vous en prie, proposa-t-elle en désignant le fauteuil, avant de placer doucement William Morris dans son panier. Je vous écoute, de quoi est-il question ?

L'Américaine parcourut brièvement le magasin des yeux, avant de se retourner vers Rosalie. Était-ce le fruit de l'imagination de cette dernière, ou fallait-il lire de l'hostilité dans ses prunelles vert clair ?

— J'aime mieux rester debout, merci, répondit-elle en détaillant ouvertement Rosalie de la tête aux pieds. Il s'agit de Robert Sherman.

— Robert ? répéta Rosalie qui ne comprenait rien du tout.

Un mauvais pressentiment l'envahit.

— Je l'ai encore eu au téléphone hier. Qu'est-ce qui lui arrive ?

— Ma foi, j'aimerais aussi le savoir, répliqua la jeune femme rousse avec un sourire froid. Il se trouve que j'ai également eu Robert au téléphone ce week-end. Une conversation très étrange, je dois dire. Ce cher Robert m'a paru assez perturbé.

Ce cher Robert ? L'inconnue était-elle une de ses connaissances ? Rosalie la considéra, surprise.

— Eh bien…, commença-t-elle. Il faut que vous sachiez qu'il s'est passé un tas de…

— Je ne voudrais pas me montrer impolie, mais puis-je vous demander quelle relation vous entretenez avec Robert ? l'interrompit la femme d'un ton coupant.

— Pardon ? demanda Rosalie, dont les joues se mirent à chauffer. Comment ? Robert Sherman est mon petit ami. Et vous, qui êtes-vous, je vous prie ?

— Vous voyez, c'est précisément pour cette raison que je voulais discuter un peu avec vous. Il y a un léger problème, fit-elle en plantant ses yeux dans ceux de Rosalie. Robert Sherman est *mon* petit ami, ou plus exactement mon fiancé. – Elle sourit, lèvres serrées. – Au fait, je suis Rachel.

— Rachel ?

Ce prénom ne disait rien à Rosalie. Cette femme était-elle folle ? Y avait-il une conspiration de rousses qui couraient toutes après Robert ? Elle secoua la tête avec énergie.

— Il doit y avoir un malentendu : Robert n'a pas d'amie qui s'appelle Rachel.

— Ah non ? réagit Rachel en haussant les sourcils, et sa voix prit des inflexions très désagréables. J'ai bien peur que le malentendu soit entièrement de votre fait, mademoiselle.

— Non…, la contredit Rosalie, qui pâlit soudain.

Si, elle avait déjà entendu le prénom de Rachel – quand elle se trouvait avec Robert sur la terrasse de Max Marchais, devant la porte-fenêtre, et que son portable ne cessait pas de sonner.

« Ah… c'était juste… Rachel. Une connaissance ! » avait-il prétendu. Elle le revoyait ranger son téléphone avec embarras.

— Mais… Robert a dit que vous étiez une connaissance… Ah, c'est vous qui lui avez envoyé le manuscrit… Je me souviens, maintenant, fit-elle, troublée.

— Une *connaissance* ?! s'exclama Rachel avant de lâcher un rire bref. Il ne vous a pas dit toute la vérité. – Elle brandit sa main gauche sous le nez de Rosalie et fit tourner le diamant qui scintillait à son doigt, triomphante. – Vous savez ce que c'est ? Robert est mon fiancé, nous habitons depuis trois ans dans un petit appartement, à Soho. Une fois que nous nous serons mariés, cet automne, et que Robert aura pris la succession de Sherman & Sons, nous chercherons plus grand.

Elle retira sa main et contempla ses ongles parfaitement manucurés.

— Par bonheur, il a retrouvé la raison. Un poste de professeur invité à la Sorbonne, ah vraiment ! Je lui ai tout de suite donné mon avis sur cette idée stupide mais il était à côté de la plaque après la mort de sa mère, c'est compréhensible, soupira-t-elle. Et c'est là qu'il y a eu tout le remue-ménage autour de ce manuscrit.

Il sembla à Rosalie que les carreaux anciens se dérobaient sous ses pieds. Cette femme savait trop de choses pour n'être qu'une connaissance. Se pouvait-il que Robert lui ait menti à ce point ? Elle le revoyait couché dans son lit après cette nuit incroyable, lui souriant comme si elle était la seule au monde.

— Ce n'est pas possible, lâcha-t-elle d'une voix sans timbre, et elle s'appuya au comptoir pour garder l'équilibre.

— Pourtant, c'est ainsi, rétorqua allègrement Rachel. Je suis venue à Paris chercher Robert. Il ne vous en a pas parlé ? Nous prenons l'avion pour New York jeudi.

— Il a dit qu'il m'aimait, protesta Rosalie qui sentait la douleur lui couper les jambes.

Rachel la regarda avec pitié.

— Je devrais vous en vouloir, mais je constate que vous n'étiez vraiment pas au courant. Ne prenez pas la chose trop à cœur, vous n'êtes coupable de rien.

Elle secoua la tête, et un interlocuteur plus attentif que Rosalie, alors totalement effondrée, aurait peut-être remarqué l'hypocrisie de son sourire tandis qu'elle ajoutait :

— C'est toujours la même chose avec Robert. On dirait un adolescent : il est incapable de résister à un joli visage. Alors, je suis ravie qu'il arrête d'enseigner à l'université. Toutes ces jeunes étudiantes…

Elle fit claquer sa langue et considéra, l'air extrêmement satisfait, la jeune femme qui fixait le sol, les yeux noyés de larmes.

— Eh bien, sans rancune, lança-t-elle avant de secouer sa chevelure rousse. Je pense que nous nous sommes comprises. Je n'ai pas besoin de vous demander expressément de laisser tranquille mon futur mari ?

Sans attendre de réponse, elle tourna les talons et quitta la boutique.

Tout en traversant le Quartier latin, le pas léger, Robert Sherman se disait qu'il venait sans aucun doute de connaître les trois jours les plus exaltants de sa vie. Une heure plus tôt, il se trouvait dans le bureau du professeur Lepage pour signer les contrats relatifs à son nouveau poste. La veille, il avait passé des heures assis sur un banc avec Max, dans la roseraie du parc de Bagatelle, et réalisé avec émerveillement qu'il avait de nouveau un père. Et l'avant-veille – il s'arrêta, ferma les yeux et éprouva encore cet incroyable sentiment de bonheur qui l'envahissait chaque fois qu'il pensait à sa nuit avec Rosalie –, il avait trouvé la femme de sa vie.

Le ridicule ultimatum que Rachel lui avait posé à New York touchait presque à sa fin. Il se souvenait de leur discussion tendue, lorsqu'il lui avait parlé, avec excitation, du manuscrit que Rosalie avait trouvé par hasard dans un carton, sur l'armoire à vêtements de l'écrivain.

— Dis donc, on se croirait dans un roman de Lucinda Riley, avait soupiré Rachel avant d'éclater d'un rire pas particulièrement amical. Vous devriez peut-être ouvrir une agence de détectives. À t'écouter, on dirait que tu traînes jour et nuit avec cette vendeuse de cartes postales.

— Mais enfin, Rosalie m'aide, c'est tout, avait-il protesté, et à ce moment-là, cela correspondait à la vérité. Elle est très gentille, tu l'apprécierais.

— Ça m'étonnerait.

Rachel avait mis un terme à leur conversation avec une certaine impertinence, mais lorsqu'elle l'avait rappelé le vendredi soir, elle s'était montrée très compréhensive. Elle avait posé question après question, si bien qu'il avait finalement évoqué son entretien avec le directeur de la faculté d'anglais et la visite prévue chez Max Marchais.

— Et ? avait-elle demandé.

— Il faut qu'on en parle tranquillement.

Il n'avait pas voulu débattre de ce sujet avec elle, pas avant que l'affaire du manuscrit soit éclaircie. Ses réponses avaient donc été quelque peu évasives et il avait conclu leur échange en assurant qu'il se manifesterait le week-end à venir.

— Je t'appelle quand je rentre du Vésinet, avait-il déclaré.

Un coup de fil qu'il n'avait pas encore passé, il venait de s'en apercevoir.

Car c'est précisément à ce moment que les événements s'étaient précipités, que toute sa vie avait été mise sens dessus dessous, qu'il était allé de chamboulement en chamboulement. Le lundi matin, alors qu'il prenait le petit déjeuner avec Max et contemplait le jardin, il s'était brusquement senti très calme. Il avait pris sa décision : il resterait à Paris, peut-être même pour toujours.

Il avait prévu d'appeler Rachel et de donner un grand coup de balai dès qu'il serait de retour à l'hôtel. Plus rien ne l'empêcherait de suivre sa nouvelle voie.

— Mister Sherman, vous allez vous plaire chez nous, vous verrez, lui avait garanti le professeur Lepage en le raccompagnant à la porte et en lui serrant la main, réjoui. Vous avez déjà l'air d'un homme heureux.

Quittant le boulevard Saint-Germain pour tourner rue du Dragon, Robert accéléra l'allure, souriant.

Il était effectivement un homme heureux.

Il brûlait de prendre Rosalie dans ses bras et de tout lui raconter.

Bizarrement, personne ne venait lui ouvrir. La papeterie était fermée comme tous les lundis et Robert approcha son visage de la vitrine dans l'espoir d'apercevoir Rosalie dans la boutique, mais elle n'était pas là. Il avait aussi sonné plusieurs fois à la porte de l'immeuble, en vain. Il consulta sa montre. Il était dix-huit heures trente et il lui avait encore téléphoné ce matin-là pour lui annoncer qu'il passerait chez elle en début de soirée.

Était-elle toujours à la clinique vétérinaire ? L'état de son petit chien se serait-il aggravé ?

Robert resta un moment devant l'étalage, indécis, fixant les motifs ornementaux du papier cadeau turquoise qui lui évoquait un nuage dans le ciel. Ensuite, il essaya de joindre Rosalie sur son portable, mais elle ne décrochait pas. Il laissa donc un court message précisant qu'il se rendait à l'hôtel, dans un premier temps, et prit la direction de la rue Jacob.

La réceptionniste des Marronniers lui adressa un regard amusé.

— Vous avez de la visite, monsieur Sherman. Votre petite amie a dit qu'elle souhaitait vous attendre dans votre chambre. J'espère que j'ai bien fait de l'avoir laissée monter.

Elle lui sourit d'un air complice en lui tendant la seconde clé par-dessus son bureau en bois foncé.

Robert hocha la tête, décontenancé, puis la joie fit battre son cœur un peu plus vite. Manifestement, Rosalie avait déjà écouté son message et elle s'était précipitée à son hôtel. Une fois dans l'ascenseur, il pressa avec impatience le bouton de son étage et l'appareil se mit en branle en cahotant, après avoir fait entendre un grondement sinistre.

Il ne manquerait plus que je reste coincé là-dedans, songea gaiement Robert.

Mais l'ascenseur s'arrêta au quatrième sans incident.

Robert se passa brièvement la main dans les cheveux et ouvrit l'étroite porte avec un élan joyeux. Debout près de la fenêtre, une silhouette féminine se détachait à contre-jour.

— Te voilà ! s'exclama-t-il tendrement. Si tu savais ce que tu m'as manqué !

— Bonjour, Robert !

La femme se retourna lentement et il sentit qu'il perdait pied.

Une vision ! Ce devait être une vision !

— Je t'ai manqué tant que ça ? Tu m'en vois ravie. Pendant notre dernière discussion téléphonique, je n'ai pas eu cette impression.

Elle fit quelques pas dans sa direction pour le serrer contre elle, les yeux étincelants.

— Rachel ! lâcha-t-il. Que fais-tu ici ? C'est… une sacrée surprise.

Ses pensées détalaient en zigzag dans son cerveau, tels des lièvres fuyant les chasseurs.

Elle lui donna un baiser qu'il reçut avec hébétude, et il lui sembla qu'un sourire fielleux glissait sur le visage de la jeune femme.

— Eh bien, j'espère que c'est une heureuse surprise, Robert, susurra-t-elle en lui caressant la chevelure. Dis-moi, il serait temps que tu ailles chez le coiffeur, mon cher.

— Oui… non… je veux dire…, bredouilla-t-il. Il était question qu'on s'appelle pour… parler de tout.

— Parfaitement. Mais comme tu ne t'es pas manifesté, j'ai pensé que ce serait une bonne idée de venir en personne pour… *parler*, précisa-t-elle avec un sourire clairement ironique, cette fois. Même si cette chambre est terriblement petite ! Comment tiens-tu le coup là-dedans, depuis tout ce temps ?

— Ah, tu sais… Le temps… file, bégaya-t-il. D'accord, la chambre n'est pas très grande, mais la… la cour intérieure est très belle. Et de toute façon, je n'y suis pas souvent.

— Ah bon ? fit-elle en haussant les sourcils. Ah oui… j'oubliais. – Elle se frappa le front du plat de la main. – Tu étais *terriblement occupé*.

Elle alla s'installer sur le lit, s'adossa à la tête de ce dernier et croisa ses longues jambes de manière aguicheuse.

Le téléphone posé sur le chevet se mit à sonner mais Robert ne bougea pas d'un pouce.

— Eh bien, *darling*, tu ne décroches pas ? Ne te dérange pas pour moi, fais comme si je n'étais pas là.

Il la fixait comme le lapin fasciné par le serpent. Rachel était montée dans un avion pour Paris, juste comme ça. Il fallait le faire ! Un rayon de soleil s'invitait dans la pièce et faisait flamboyer sa chevelure rousse. Elle lui souriait sans rien dire, et Robert eut la nette sensation qu'elle manigançait quelque chose. Il se demandait ce qu'elle avait raconté à la réceptionniste pour que celle-ci la laisse entrer dans sa chambre.

La sonnerie s'interrompit.

— Rachel, qu'est-ce que ça veut dire ? Que fais-tu ici ? demanda-t-il.

— Je suis venue ramener à la maison mon professeur de littérature qui souffre de confusion, affirma-t-elle sur un ton indulgent. Tu ne m'as pas l'air dans ton assiette, Robert.

— Quoi ? s'étrangla-t-il. Tu es venue me chercher ?

— Eh bien, tes quatre semaines de réflexion s'achèvent jeudi, mon *chéri*, et je me suis dit qu'on allait passer quelques jours ensemble à Paris avant de reprendre l'avion. Tu pourrais me faire visiter un peu la ville… Je tiens absolument à faire les boutiques rue de Rivoli. Il paraît qu'on y trouve des sacs à main sensationnels, déclara-t-elle en étirant ses bras minces.

Robert secoua la tête, hésitant. Après tout, autant le lui annoncer là, dans cette pièce.

— J'ai peur que ça ne nous mène nulle part, Rachel.

— Comment ? répliqua-t-elle du tac au tac.

— Je reste à Paris, Rachel. Je t'aurais appelée aujourd'hui, de toute façon. Il faut qu'on parle.

— À cause de la chaire ? le questionna-t-elle, le regard à l'affût.

— Rachel, il ne s'agit pas seulement de cet emploi. Je sais depuis hier que j'ai un père qui habite Paris.

— Aaah ! s'écria-t-elle. Et maintenant, un père à Paris… C'est drôlement pratique !

— Pas la peine de devenir sarcastique, Rachel. Je ne l'ai appris moi-même qu'hier, répéta-t-il avant de prendre une profonde inspiration. Et je sais aussi depuis hier que j'ai trouvé la femme de ma vie, ici, à Paris.

— Ah oui ?! Tu n'as pas perdu de temps.

Curieusement, elle ne paraissait pas surprise.

— Quand c'est la bonne personne, les choses vont toujours vite, déclara-t-il lentement. Je suis désolé, Rachel.

Elle se redressa et le considéra avec une expression de colère non dissimulée.

— Si tu veux parler de la fille du magasin de cartes postales, autant oublier tout de suite, lança-t-elle avant d'éclater d'un rire railleur. Figure-toi que tu as merdé avec elle.

Elle avait prononcé ces dernières paroles avec une élégance indescriptible.

— Que veux-tu dire par là ? s'inquiéta Robert qui eut la sensation que son cœur s'effondrait dans sa poitrine.

— Qu'est-ce qui t'est passé par la tête, Robert ? reprit Rachel, sa voix montant dans les aigus. Tu as vraiment cru que j'allais laisser une Française, une vendeuse de cartes postales, bousiller mon avenir ? Qu'est-ce que tu veux fabriquer avec cette gosse ? Elle n'a même pas une coiffure digne de ce nom, avec sa tresse stupide. Enfin, Robert, tu ne peux pas être sérieux. Tu as bu trop de vin rouge ?

Robert blêmit de fureur.

— Qu'as-tu fait ? Tu n'es quand même pas… Oh si, tu es allée…

Sans finir sa phrase, il fit un pas vers elle, l'air menaçant, et se planta au pied du lit.

— Bien sûr que je suis allée la voir, assena Rachel en se laissant retomber en arrière, décontractée, avec un petit rire. Qu'est-ce que tu veux que je te dise ? Elle n'était pas ravie d'apprendre que tu lui avais menti. J'ai commencé par lui expliquer que je n'étais pas une simple *connaissance*…

— Tu sais parfaitement dans quel contexte je suis venu à Paris, Rachel ! C'est toi qui m'as posé ce foutu ultimatum, *toi* qui voulais me quitter…

Elle eut un geste insouciant de la main.

— C'est du passé. J'étais très énervée, ce jour-là. Il arrive qu'on change d'avis. Quoi qu'il en soit, poursuivit-elle sans se démonter, j'ai mis les choses au clair et agité un peu ma jolie bague de fiançailles sous son nez. La demoiselle est devenue toute pâle, elle m'a presque fait de la peine…

— Sale teigne ! s'exclama-t-il en réprimant l'envie de lui tordre le cou. Tu sais bien que ce n'est pas une bague de fiançailles.

Robert se rappelait encore précisément leur visite chez Tiffany, ce jour où Rachel avait tellement insisté pour qu'il lui offre, en cadeau d'anniversaire, l'anneau en or blanc avec le petit brillant.

— Bref, fit Rachel en considérant avec satisfaction le bijou à son doigt. Elle a été plutôt impressionnée, je dois dire. Surtout quand je lui ai annoncé qu'on allait se marier cet automne.

— Tu lui as annoncé *quoi* ?

Une demi-heure plus tard, Robert se retrouvait de nouveau devant la boutique de Rosalie, pendu à la sonnette. Pas de réaction. Désespéré, il se mit à tambouriner contre la porte du magasin. Il voyait bien que la lumière était allumée au premier étage, mais Rosalie n'ouvrait pas. Elle était rentrée dans sa coquille, valves hermétiquement fermées ; il ne pouvait pas lui en tenir rigueur, après que lady Macbeth eut craché son poison avec autant de succès.

Il avait chassé de sa chambre, en venant presque aux mains, une Rachel ébahie.

— Tu vas le regretter, imbécile ! avait-elle glapi. Cette petite vendeuse va t'ennuyer en moins de temps qu'il ne t'en faut pour déclamer le monologue d'Hamlet, et tu reviendras en rampant.

— Tu attendras longtemps, avait-il riposté, dents serrées. Pour ne pas dire jusqu'au jour du Jugement. Et maintenant, dehors !

Elle s'était appuyée contre la porte.

— Et où t'imagines-tu que je vais passer la nuit ?

— Tu peux bien dormir sous les ponts, avait-il rétorqué. Mais n'effraie pas trop les clochards.

Ensuite, il avait tiré la porte avec fermeté et s'était précipité rue du Dragon.

— Rosalie ! Rosalie ! Je sais que tu es en haut. Ouvre, Rosalie ! s'époumonait-il maintenant.

La porte de l'immeuble finit par s'ouvrir et un vieil homme de petite taille, aux yeux chafouins, sortit dans la rue.

— Qu'est-ce qui vous prend ? On n'est pas sur un champ de foire. Si vous n'arrêtez pas immédiatement de crier, j'appelle la police, menaça-t-il Robert qui vacillait. Qu'est-ce qui vous arrive, vous avez bu ?

— Je dois aller chez Rosalie Laurent !

Il était incapable d'en dire plus.

— Vous êtes américain ? demanda le vieil homme d'un air méfiant.

— S'il vous plaît ! le supplia Robert. Laissez-moi entrer, je sais qu'elle est dans son appartement.

— Mais enfin, monsieur ! lâcha son interlocuteur en haussant les épaules. Calmez-vous ! Mlle Laurent n'est pas chez elle, sinon elle vous ouvrirait.

Il était désespérément borné.

— Mais elle est *là*, regardez par vous-même ! La lumière ! s'énerva Robert en montrant le premier étage.

— Ah oui ? Qu'est-ce qui vous fait dire ça ? Je ne vois rien.

Robert leva les yeux. La fenêtre surplombant *Luna Luna* n'était plus éclairée.

Ayant compris qu'il n'obtiendrait plus rien cette nuit-là, il était retourné à l'hôtel. Il faudrait bien que Rosalie ouvre sa boutique, le lendemain matin.

Seulement, à son arrivée devant le magasin à onze heures précises, ce mardi-là, le panneau *Fermé* était toujours pendu à la porte. Il avait voulu lui parler au téléphone mais elle ne décrochait pas. Alors, il avait arraché une page de son carnet de notes, rédigé un petit mot désespéré et glissé le papier entre les mailles d'un des rideaux de fer.

Ensuite, toutes les heures, il était venu faire les cent pas devant *Luna Luna*, et enfin – il était déjà quatorze heures –, la chance lui avait souri.

Les rideaux étaient levés, mais lorsqu'il abaissa la poignée de la porte avec soulagement, prêt à demander pardon à genoux à une Rosalie courroucée par son mensonge – un mensonge vraiment minuscule – et à tout lui expliquer, il trouva dans les lieux, à la place de sa belle râleuse, une femme qui lui était inconnue et qui le regardait avec une aimable équanimité.

— Mlle Laurent n'est pas là ? demanda-t-il, essoufflé.

La femme secoua la tête, et il se souvint que c'était l'intérimaire qu'il avait vue une fois, brièvement. Malheureusement, il ne se rappelait pas son nom.

— Quand revient-elle ? insista-t-il.

— Aucune idée, répondit-elle, impassible. Sans doute plus aujourd'hui.

— Vous savez si elle a eu mon message ? s'enquit-il en montrant du doigt la porte du magasin.

— Quel message ? fit-elle en le regardant sans comprendre, de ses yeux ronds et débonnaires.

Il y avait de quoi devenir fou ! Robert fit un tour sur lui-même en gémissant, avant de donner son numéro de téléphone à la vendeuse.

— Écoutez, c'est *important*, l'implora-t-il. Je dois parler à Mlle Laurent, vous comprenez ? Appelez-moi dès qu'elle arrive, s'il vous plaît. *Dès* qu'elle arrive !

Elle hocha la tête et lui souhaita au passage une bonne journée.

Deux heures et demie et quatre petits noirs plus tard, il était toujours assis dans un café et surveillait l'entrée de *Luna Luna* à quelques mètres de là, de l'autre côté de la voie. Il était maintenant seize heures trente. Le serveur ressortit et lui demanda s'il désirait autre chose.

Oh oui, assurément, mais ce désir n'était pas facile à exaucer, semblait-il. Il décida de changer de drogue et commanda un verre de vin rouge. Puis un autre. Ensuite, il eut l'idée d'appeler Max. Par bonheur, ce dernier décrocha aussitôt, et Robert faillit rire de soulagement.

— C'est moi, Robert. Saurais-tu où est passée Rosalie ? Je dois lui parler de toute urgence, ajouta-t-il avant de prendre une profonde inspiration. Il y a eu un affreux malentendu, une intrigue aux proportions véritablement shakespeariennes, et on dirait qu'elle a disparu de la surface de la terre.

Max se taisait, et Robert sentit son hésitation.

— Est-ce qu'elle serait au Vésinet ? l'interrogea-t-il avidement. Elle est chez toi ?

Il était tout à fait possible que, dans son chagrin ou sa colère – il penchait pour cette seconde option –, Rosalie se soit réfugiée chez son écrivain d'ami.

Son père poussa un soupir.

— Mon garçon, qu'est-ce que c'est que ces histoires ? déclara-t-il alors avec circonspection. Rosalie n'est pas ici, mais elle m'a appelé hier. Hors d'elle. Tu aurais vraiment dû mentionner l'existence de ta fiancée.

— Mais ce n'est *pas* ma fiancée ! cria Robert avec désespoir.

Là-dessus, il eut un geste brusque de la main, renversa son verre, et son pantalon clair s'imbiba de vin rouge.

— Zut ! pesta-t-il. Rachel n'était même plus ma petite amie, à proprement parler, quand je suis arrivé à Paris.

Il se mit à frotter sa jambe avec une serviette.

— Et qui est-ce, dans ce cas ?

— Une fichue sorcière ! Alors que je m'apprêtais à lui téléphoner et à tout lui dire, je l'ai brusquement trouvée dans ma chambre d'hôtel, à me sourire comme Kaa le serpent.

En quelques mots, il tenta de donner à Max une idée de la situation.

— Bien sûr, c'était une erreur de prétendre que ce n'était qu'une connaissance, conclut-il. Je veux bien l'avouer. Mais à ce moment-là je ne savais pas que… Enfin… tout est allé si vite… Je me suis senti complètement dépassé…

— Merde, fit Max. Les événements se sont mal enchaînés, en effet.

— Mais où peut-elle bien être ? reprit Robert avec nervosité, réfléchissant tout haut. Je ne voudrais pas qu'elle fasse une bêtise.

Max eut un petit rire.

— Je peux te tranquilliser, mon garçon. Rosalie est dans son appartement. Elle vient de me rappeler pour se plaindre de « ce connard d'imposteur » qui était de nouveau en bas, dans sa boutique.

— Elle est *chez elle*?!

Cette employée au regard placide l'avait dupé de sang-froid, avec son sourire innocent. Il aurait aimé se ruer dans le magasin, mais se contint.

— Bon. Qu'a-t-elle dit d'autre? voulut-il savoir.

— Calme-toi, Robert. Tout n'est pas encore perdu. Elle a ajouté qu'elle te détestait.

— Elle me *déteste*? Oh, mon Dieu! se lamenta-t-il en frottant comme un forcené la tache sur son pantalon. Elle ne peut pas me *détester*. Enfin, je n'ai absolument rien fait!

C'était pire qu'il le pensait. Mais naturellement, il savait à quel point elle était susceptible. Et rancunière. Avec elle, il fallait peser ses mots.

— Crois-moi, mon garçon, c'est bon signe, assura Max avec un nouveau petit rire. Elle te déteste parce qu'elle t'aime.

— Aha. Intéressante théorie. Espérons qu'elle soit juste. Moi, en tout cas, j'aime Rosalie parce que je l'aime, soupira Robert. Et maintenant, Max? Que faire pour qu'elle m'aime à nouveau sans me détester?

— Pas d'inquiétude, nous trouverons quelque chose, répondit Max. J'aurais bien une idée…

Couchée dans son lit, Rosalie en voulait au monde entier. Après que cette rousse désagréable et intimidante eut quitté sa boutique, elle s'était laissée glisser avec stupeur sur le sol carrelé et y était restée assise un moment, comme assommée. Puis elle s'était levée et avait fermé le magasin. Elle était montée en titubant et s'était jetée sur son lit, sanglotante, dans sa robe en soie bleue. Elle était tombée de très haut, la douleur transperçait ses entrailles. *Laissez tranquille mon futur mari !* Elle ressentait toujours de l'humiliation, comme un couteau solidement planté entre ses omoplates.

Revoyant le sourire triomphant de cette Rachel, elle donna un coup de poing dans son oreiller avec un cri de colère strident. Robert Sherman allait retourner à New York avec sa future femme. Et ce salaud s'était bien gardé de l'évoquer !

Il lui aurait probablement servi de quelconques excuses cousues de fil blanc le dernier jour, et elle n'aurait plus jamais entendu parler de lui. Il lui avait menti, menti sur tout, et elle était effarée par ses talents de simulateur.

Mais bien sûr, pensa-t-elle amèrement, jouer la comédie est une seconde nature pour lui.

Rachel lui avait révélé sans équivoque que le professeur de littérature si cultivé était toujours prêt pour une petite aventure.

Shakespeare, pff ! Plutôt *Shakespeare in Love*, se dit-elle, furieuse. C'est sans doute pour ça qu'il débitait aussi facilement tous ces mensonges.

Elle repensa aux tendres paroles que Robert lui avait murmurées dans la nuit de samedi à dimanche et se boucha les oreilles en se remettant à sangloter.

— Ah, tu vas la fermer, Robert Sherman ! Sors de ma tête ! Je ne veux plus jamais te revoir ! cria-t-elle.

Ensuite, elle se dirigea vers sa table à dessin en chancelant et renversa tous les bocaux où étaient rangés ses pinceaux, dans un accès de colère et de désespoir. Puis, elle se sentit un peu mieux.

Elle but trois verres de vin rouge, fuma huit cigarettes, songea une fois de plus à Robert, pleura encore, poussa des jurons qui auraient fait blêmir sa mère et alla finalement prendre William Morris dans son panier.

Elle le déposa prudemment à côté d'elle, sur le lit. Il leva la tête avec un léger gémissement et la regarda de ses yeux marron, avec une expression de loyauté sans faille dont seul un chien était sans doute capable.

— Ah, William Morris ! soupira-t-elle avant de s'endormir finalement. On dirait que tu es le seul homme dans ma vie qui me restera toujours fidèle.

Le lendemain, lorsque Robert Sherman revint dans la papeterie pour la deuxième fois, Rosalie était toujours au lit. Elle entendit des voix parler avec animation dans la boutique et se dirigea furtivement vers la porte de son appartement, pieds nus. Doucement, elle descendit sur la première marche de l'escalier en colimaçon et se pencha en avant pour risquer un coup d'œil.

Robert, dont le visage trahissait la colère, se trouvait au beau milieu du magasin et d'une passe d'armes enflammée avec Mme Morel qui lui barrait le chemin, bras croisés.

— Non, monsieur, elle est partie en voiture ! disait justement cette dernière.

Rosalie s'accroupit sur la première marche, opina du chef avec approbation et se pencha encore un peu plus en avant pour ne rien rater.

— Comment ça, elle est partie en voiture ? *Bullshit !* tonitrua Robert. Je sais qu'elle est ici. Alors, arrêtez de me mener en bateau et laissez-moi passer, maintenant.

Mme Morel, plantée telle une forteresse devant un Robert déchaîné, secoua la tête d'un air compatissant. Elle s'acquittait vraiment bien de sa tâche.

— Je suis terriblement désolée, monsieur Sherman, mais Mlle Laurent n'est pas chez elle…

Robert jeta un coup d'œil nerveux en direction de l'escalier, Rosalie se redressa et remonta vivement les jambes.

— Là ! s'écria-t-il. Je viens de voir un pied !

Il écarta Mme Morel et se rua vers l'escalier.

Rosalie rejoignit son lit en deux bonds. Elle eut juste le temps de remonter sa couette et de lisser un peu ses cheveux désespérément ébouriffés, et voilà qu'il se tenait dans la pièce. Elle constata avec une certaine satisfaction qu'il n'était pas non plus à son avantage avec sa barbe naissante et l'énorme tache sombre sur son pantalon. Rachel la terrible avait dû lui passer un sacré savon.

— Qu'est-ce qui te prend ! s'exclama-t-elle, furieuse. Va-t'en !

Elle attrapa un coussin et le lui jeta à la figure.

— Rosalie ! s'écria-t-il en se baissant pour l'éviter. Écoute-moi ! S'il te plaît !

— Aucune envie ! lança-t-elle avant de plisser les yeux et de le fixer d'un air mauvais. Eh bien ? Pas encore dans l'avion avec ta fiancée ?

— Il ne décolle que demain, précisa-t-il. Et il n'y aura que ma fiancée dedans… Je veux dire… – Il écarta les bras pour signifier son innocence. – Rachel n'est *même* pas ma fiancée… Ni une fiancée… ni une petite amie…

— Non, c'est une *connaissance*, souligna Rosalie, interrompant ses bredouillements.

Il prit son crâne entre ses mains et gémit.

— Okay, okay ! Je sais que je n'aurais pas dû dire ça. Les faits me sont défavorables, mais crois-moi, tout est un affreux *malentendu*.

Elle éclata de rire.

— Je rêve ! Tu ne viens pas sérieusement de prononcer cette phrase merdique ? fit-elle en se redressant et en le pointant du doigt. Ton affreux malentendu était dans ma boutique hier et il ne m'a rien caché de votre relation. M'a-t-elle montré une bague ? – Elle porta la main à son front, simulant le désarroi. – Oui, elle a fait ça. M'a-t-elle sommée de ne pas toucher à son futur mari ? Oui, elle a fait ça aussi. Ton affreux malentendu était-il hier soir dans ta chambre d'hôtel ?

– Elle fit mine de réfléchir un moment, puis hocha la tête. – Et comment !

— Tu es passée aux Marronniers ?

— Non, mais j'ai voulu t'y appeler. Je me demande comment on peut être aussi bête… Le hasard a voulu que Carole Dubois, que je connais bien, se trouve à la réception. Alors, quand j'ai demandé à joindre M. Sherman et que personne ne décrochait, elle m'a expliqué en gloussant que tu devais être *occupé* parce que ta fiancée d'Amérique était dans ta chambre.

Robert pâlit et elle hocha la tête d'un air entendu.

— Alors, qu'est-ce que tu en dis, espèce de menteur ?!

Robert referma ses mains autour de son nez et de sa bouche, un geste de désespoir, et ferma un instant les yeux.

— Rosalie, déclara-t-il ensuite d'une voix pressante. Rachel est intelligente, elle s'y entend pour semer le trouble. Quand je suis arrivé à Paris, notre relation battait de l'aile… pour différentes raisons. Ensuite, je la retrouve ici, en train de m'attendre sournoisement dans ma chambre d'hôtel…

— Et elle y a passé la nuit ?

— Non, certainement pas ! Je l'ai virée. Tu n'as qu'à demander à ta Carole, proposa-t-il en l'implorant du regard. Je t'aime.

Rosalie triturait la couette, hésitante.

— Ha ! De belles paroles, lâcha-t-elle finalement. Comment être sûre de ta sincérité ?

Il sourit.

— Viens, fit-il en tendant la main. Je voudrais te montrer quelque chose.

Robert avait tenu à ce qu'ils partent sans plus attendre. Elle avait lissé de son mieux sa robe en soie bleue froissée, et enfilé ses ballerines. Puis ils étaient passés devant une Mme Morel surprise et avaient quitté *Luna Luna*.

— Où va-t-on ? demanda-t-elle avec curiosité.

— Attends, la pria-t-il en serrant fermement sa main dans la sienne.

Il traversa à grands pas le boulevard Saint-Germain et prit la tranquille rue Saint-Benoît, avant d'entraîner Rosalie dans la rue Jacob puis la rue Bonaparte.

— Robert, qu'est-ce que ça veut dire ?

Rosalie eut un petit rire étonné ; elle se demandait où cette promenade silencieuse allait bien pouvoir les mener.

Un moment plus tard, ils atteignaient le pont des Arts. Ils empruntèrent la vieille passerelle, revêtement en bois et balustrades en fonte noire. Arrivé plus ou moins au milieu de la construction, Robert s'arrêta net.

— Quel côté ? s'enquit-il en fouillant dans le sac qu'il portait en bandoulière.

— Quel… côté ? répéta-t-elle, ne comprenant pas où il voulait en venir.

— Tu préfères le côté avec la tour Eiffel ou celui avec Notre-Dame ? l'interrogea-t-il impatiemment.

Rosalie haussa les épaules.

— Eh bien… voyons… Celui avec la tour Eiffel ? proposa-t-elle en écarquillant les yeux.

Il eut un bref hochement de tête et ils s'approchèrent de la rambarde.

— Tiens, fit-il en lui tendant un petit paquet. C'est pour toi. – Il sourit. – Ou plutôt, pour nous.

Troublée, elle prit son cadeau, assez maladroitement emballé dans un peu de papier de soie maintenu en place avec des bouts de scotch.

Elle l'ouvrit, et un mélange de joie et d'espoir la saisit à la gorge.

Au creux de sa main se nichait un petit cadenas doré, sur lequel quelqu'un avait écrit au feutre noir :

Rosalie & Robert. Pour toujours.

— Pour toujours ? demanda-t-elle en le regardant, et elle sentit son cœur faire un bond dans sa poitrine. Tu y crois ?

— Je ne crois qu'à ça, assura Robert en écartant tendrement une mèche de cheveux de son visage. Le monde serait un lieu bien sinistre si même un homme amoureux n'y croyait pas, non ? Le plus endurci des réalistes ne souhaite-t-il pas un miracle, au plus profond de son âme ?

— Si, murmura Rosalie.

Elle regarda la tour Eiffel qui se dressait au loin, fidèle à son poste, et eut un sourire à la fois heureux et troublé.

— Mais… comment as-tu su…

Robert haussa les sourcils.

— La magie des âmes sœurs ? répondit-il.

Rosalie était profondément impressionnée. Par bonheur, elle n'apprendrait jamais que son professeur de littérature américain, qui portait partout avec lui une édition de *La Mégère apprivoisée*, ne disait pas la vérité en cet instant. Il mentait, mais juste un tout petit peu. Et par amour.

Après que le cadenas doré eut trouvé sa place, Rosalie prit son élan et jeta la clé dans l'eau scintillante.

Pour toujours, songea-t-elle.

Avant même que cette clé touche le fond de la Seine, où elle reposerait éternellement avec tous les autres serments d'amour, Robert l'avait enlacée.

Rosalie ferma les yeux, comblée, et la dernière chose qu'elle vit, ce fut cet incroyable ciel s'étendant au-dessus de Paris, un ciel qui, avec ses délicates touches de rose, de blanc et de bleu lavande, revêtait la couleur d'un baiser.

Nicolas Barreau
au Livre de Poche

Le Sourire des femmes n° 33619

Le hasard n'existe pas ! Aurélie, jeune propriétaire d'un restaurant parisien, en est convaincue depuis qu'un roman lui a redonné goût à la vie après un chagrin d'amour. À sa grande surprise, l'héroïne du livre lui ressemble comme deux gouttes d'eau. Intriguée, elle décide d'entrer en contact avec l'auteur, un énigmatique collectionneur de voitures anciennes qui vit reclus dans son cottage. Qu'à cela ne tienne, elle est déterminée à faire sa connaissance. Mais l'éditeur du romancier ne va pas lui faciliter la tâche… Au sein d'un Paris pittoresque et gourmet, *Le Sourire des femmes* nous offre une comédie romantique moderne, non sans un zeste de magie et d'enchantement.

Tu me trouveras au bout du monde n° 34015

Lorsque Jean-Luc Champollion, jeune galeriste de talent et don Juan à ses heures, reçoit la lettre d'une énigmatique correspondante, ce ne sont que les prémices d'un irrésistible jeu de piste amoureux. Que désire cette femme qui distille savamment les indices et tarde à se dévoiler ? Comment la convaincre de tomber le masque ? Jean-Luc devra-t-il aller jusqu'au bout du monde pour la tenir enfin dans ses bras ? Après l'immense succès du *Sourire des femmes*, Nicolas Barreau nous offre un savoureux marivaudage contemporain servi par une langue galante et inventive. Un pur moment de bonheur !

Du même auteur :

LE SOURIRE DES FEMMES, Éditions Héloïse d'Ormesson, 2014. Le Livre de Poche, 2015.

TU ME TROUVERAS AU BOUT DU MONDE, Éditions Héloïse d'Ormesson, 2015. Le Livre de Poche, 2016.

Le Livre de Poche s'engage pour l'environnement en réduisant l'empreinte carbone de ses livres. Celle de cet exemplaire est de : 300 g éq. CO₂ Rendez-vous sur www.livredepoche-durable.fr

PAPIER À BASE DE FIBRES CERTIFIÉES

Composition réalisée par Belle Page

Achevé d'imprimer en janvier 2017, en France sur Presse Offset par
Maury Imprimeur – 45330 Malesherbes
N° d'imprimeur : 214771
Dépôt légal 1re publication : février 2017
LIBRAIRIE GÉNÉRALE FRANÇAISE – 21, rue du Montparnasse – 75298 Paris Cedex 06